WITHDRAWN
The Catholic
Theological Union
LIBRARY
Chicago, Ill.

COUTUMES DE CHARTREUSE

Cette publication a été préparée
avec le concours de l'Institut des Sources Chrétiennes
(É.R.A. 645 DU C.N.R.S.)

NIHIL OBSTAT
IMPRIMI POTEST
Grande Chartreuse, le 24 juin 1983
Fr. ANDRÉ
Prieur de Chartreuse

IMPRIMATUR

Lyon, le 26 décembre 1983
J. ALBERTI, p.s.s.
Cens. dep.

© *Les Éditions du Cerf, 1984*
ISBN 2-204-02223-3

SOURCES CHRÉTIENNES
Fondateurs : H. de Lubac, s.j. , † J. Daniélou, s.j., C. Mondésert, s.j.
Directeur : D. Bertrand, s.j.
Directeur-adjoint : J.-N. Guinot

N° 313

SÉRIE DES TEXTES MONASTIQUES D'OCCIDENT, N° LII

GUIGUES Ier

PRIEUR DE CHARTREUSE

COUTUMES DE CHARTREUSE

INTRODUCTION, TEXTE CRITIQUE, TRADUCTION ET NOTES

PAR

UN CHARTREUX

Ouvrage publié avec le concours du Centre National des Lettres

The Catholic
Theological Union
LIBRARY
Chicago, Ill.

LES ÉDITIONS DU CERF, 29, BD DE LATOUR-MAUBOURG,
1984

INTRODUCTION

I

HISTOIRE ET ESPRIT DES « COUTUMES »

1. Les débuts de la Chartreuse

Il y a exactement neuf siècles, au mois de juin 1084, saint Bruno, avec six compagnons, quatre clercs et deux frères convers, vint se présenter à l'évêque saint Hugues de Grenoble. Ensemble, ils cherchaient un lieu propre à la vie érémitique et ne l'avaient pas encore trouvé. Conduits par l'évêque, ils entrèrent au désert de Chartreuse vers la fête de saint Jean-Baptiste (24 juin) [1]. Séduits par l'excellente aptitude de ce lieu pour la vie solitaire, ils y construisirent leurs cellules d'ermites et s'y établirent.

Les deux lettres conservées de saint Bruno témoignent du profond amour de la vie contemplative en solitude qui animait les sept premiers Chartreux :

« Ce que la solitude et le silence du désert apportent d'utilité et de divine jouissance à ceux qui les aiment, ceux-là seuls le savent, qui en ont fait l'expérience... Là on s'efforce d'acquérir cet œil au clair regard blessant l'Époux par un amour dont la pureté parfaite donne de voir Dieu...

1. GUIGUES : *Vita sancti Hugonis Gratianopolitani, PL* 153, 769.

« Qui ne voit combien il est beau, utile et doux, de demeurer à l'école de la Sagesse elle-même, sous la conduite du Saint-Esprit, pour y apprendre le divin amour de cette Sagesse, qui seule peut donner la vraie béatitude ?... Y a-t-il un autre bien que Dieu seul ? Aussi l'âme sainte qui a quelque sentiment de ce bien, de son incomparable éclat, de sa splendeur, de sa beauté, brûle de la flamme du céleste amour et s'écrie : j'ai soif du Dieu fort et vivant, quand irai-je voir la face de Dieu ? »

« Réjouissez-vous donc, mes frères très chers, pour votre bienheureux sort et pour les largesses de la grâce divine répandues sur vous... Réjouissez-vous d'avoir gagné le repos tranquille et la sécurité d'un port caché [2]. »

Telle fut l'origine de l'Ordre des Chartreux.

Saint Bruno ne laissa aux siens aucune règle écrite. Le style de vie érémitique élaboré peu à peu par les premiers chartreux se transmit d'abord à ceux qui vinrent le partager, puis à la génération suivante, non par l'écrit, mais par la coutume et par l'exemple.

2. Le mouvement érémitique aux XIe et XIIe siècles

Le geste de saint Bruno et des siens se retirant au désert en quête de Dieu seul ne fut au début, à cette époque, qu'un épisode parmi des dizaines d'autres cas semblables. Dans les seules limites de la France actuelle, on en compterait une centaine pour le XIe et le XIIe siècles. Un très vaste mouvement érémitique se dessinait alors, comme il advint à diverses époques de l'histoire de l'Église. Il convient de situer et caractériser brièvement cet important fait historique au sein du monachisme de ce temps.

2. *Lettre à Raoul le Verd*, 6 et 16, dans *SC* 88, pp. 71 et 79 ; *Lettres à ses fils chartreux*, 2, *Ibid.*, p. 83.

Il n'y a pas, à ce moment, une décadence monastique dont serait issu, par réaction, le mouvement érémitique, comme on l'a écrit trop souvent, il y a quelques décennies. En effet Cluny, dont la fondation remontait aux premières années du Xe siècle, était encore en plein épanouissement et se trouvait à l'apogée de son développement ; la série des grands abbés qui soutinrent le monde clunisien n'était pas close. Au moment du plus grand élan du mouvement érémitique, dans la première moitié du XIIe siècle, Cluny était encore en pleine ferveur sous l'abbatiat de Pierre le Vénérable. D'autres grands témoins du cénobitisme des moines noirs étaient eux aussi vigoureux et saints ; ils multipliaient les fondations, tel Hirschau par exemple.

D'autre part l'abbaye de Molesme d'où sortirent les fondateurs de Cîteaux était fervente aussi à la fin du XIe siècle et les prieurés issus d'elle se multipliaient, ce qui est un signe de vitalité.

D'ailleurs l'essor magnifique du cénobitisme coïncida dans le temps avec l'essor du mouvement érémitique. Cîteaux prit naissance quatorze ans seulement après la Chartreuse. En vérité c'est tout l'ensemble des moines qui est animé à ce moment d'une ferveur intense.

Le mouvement érémitique n'a donc pas vu le jour en réaction contre telle ou telle forme de vie monastique existante, mais en approfondissement de l'idéal essentiel du moine. Cela est important à noter, car une authentique vocation érémitique ne peut naître et se maintenir que dans la ligne positive d'un effort plus intense de recherche de Dieu, non dans l'idée d'un jugement péjoratif porté sur d'autres formes de vie. C'est au sein d'un monde déjà soulevé par un véritable raz de marée monastique qu'est venue s'insérer cette exceptionnelle résurgence de l'érémitisme.

Les âmes qui, aux XIe et XIIe siècles, se retirèrent dans la solitude, étaient en quête d'une perfection spirituelle profonde, dans une vie de recueillement bien protégée, et elles avaient un désir très net de simplicité. Elles retrouvaient ainsi, comme spontanément, l'appel du désert, de ce désert où, dans la Bible, Dieu avait convié son peuple pour qu'il apprît à le chercher, lui seul, et avec l'appel du désert, l'itinéraire d'un exode spirituel, c'est-à-dire d'une séparation du monde pour une marche vers Dieu, d'un dépouillement plus poussé pour une quête plus ardente de l'unique nécessaire. Dans cette voie, ces âmes rejoignaient par-delà des siècles l'antique mouvement des Pères du désert, avec sa recherche intense de ce que les Pères avaient appelé la pureté du cœur, que Cassien identifiait avec la charité, la quête d'un plus grand amour.

Le motif initial qui avait poussé au désert ces chercheurs de solitude était de vaquer à Dieu seul. Dom Jean Leclercq a montré que le *vacare Deo* a souvent caractérisé à l'époque l'entrée dans la vie érémitique [3].

Les formes que revêtit l'érémitisme dans ce grand mouvement furent assez variées : on vit des ermites indépendants dans des solitudes, des ermites relevant d'un monastère, des reclus, des prédicateurs-itinérants... Mais le plus souvent, dans la grande majorité des cas, il s'est agi d'abord d'un chercheur de solitude qui a commencé tout seul dans une forêt ; quelques disciples sont venus ensuite. Quand ceux-ci furent devenus plus nombreux, la question s'est alors posée d'un genre de vie mieux déterminé à adopter, d'une observance à organiser de façon plus élaborée, de la pratique quotidienne de l'existence à prévoir pour une communauté. Une règle devenait nécessaire. Il a fallu choisir une règle existante ou en composer une.

Il advint ainsi que pour le plus grand nombre des adeptes de cette recherche érémitique, on pourrait dire pour la presque totalité des cas, l'expérience s'acheva dans un retour à la vie cénobitique, exigé par l'afflux des disciples. Bien des groupes adoptèrent la vie cistercienne dont l'attirance était très grande

3. *Étude sur le vocabulaire monastique du Moyen Age*, dans *Studia Anselmiana*, 1961, pp. 29-31.

à ce moment ; d'autres vinrent retrouver la vie des moines noirs. D'autres enfin furent attirés par la vie des chanoines réguliers, qui renaissait avec vigueur à cette époque.

3. Le cheminement de la Chartreuse

Différente fut la destinée de la Chartreuse. Et d'abord, dès le début de cette expérience d'érémitisme, trois traits la distinguaient déjà du schéma ordinaire des autres essais parallèles :
– Le fondateur, saint Bruno, n'était pas seul ; ils étaient sept.
– Ils étaient certainement décidés plus que d'autres à garder l'érémitisme, quoiqu'il puisse arriver dans l'avenir, car saint Bruno venait de faire un premier essai, à Sèche-Fontaine, en Champagne, et les compagnons qu'il avait alors avaient opté au bout de quelque temps pour le cénobitisme. Saint Bruno s'était retiré, montrant par là qu'il tenait à la vie solitaire.
– Enfin, parmi ces sept, cinq étaient clercs et deux laïcs ; cela laissait déjà entrevoir, à côté de l'idéal unique commun à tous de vie contemplative dans la solitude, la possibilité d'une certaine spécialisation des tâches au sein du groupe, au niveau de l'organisation pratique de la vie et de la subsistance de l'ensemble.

Ces trois prémisses étant inscrites dans les faits avant même l'arrivée en Chartreuse, cela donne à penser que saint Bruno avait déjà dû s'interroger lui-même, au moins sous la pression de ces faits, sur la physionomie générale et les caractères essentiels de la formule de vie qu'il allait choisir.

Quoi qu'il en soit de ce dernier point, le genre de vie adopté par les Chartreux frappa beaucoup les contemporains et leur parut si caractéristique et spécifique, que plusieurs écrivains du temps en donnèrent une description. Ces premiers aperçus au sujet de la vie cartusienne sont de précieuses informations à bien des titres.

Ainsi par exemple, Guibert de Nogent, dont l'information date de 1114-1115, une trentaine d'années après la fondation de la Chartreuse :

« Ils ont un cloître, assez approprié aux coutumes cénobitiques, mais ils ne cohabitent pas claustralement comme les autres moines. Chacun a sa propre cellule autour de ce cloître, il y travaille, il y dort et il y mange. L'eau courante, par le canal d'une source, qui enveloppe toutes les cellules, pénètre dans la petite maison de chacun par des orifices... Ils se rassemblent dans l'église commune, non pour toutes les Heures habituelles comme nous, mais seulement pour certaines d'entre elles... Un peu plus bas dans la montagne, il y a des habitations où se trouvent des laïcs, très fidèles, au nombre d'une vingtaine, qui vivent sous leur direction... [4] »

Et Pierre le Vénérable, abbé de Cluny, qui connut les Chartreux dans les années 1118-1120, étant prieur de Domène :

« Selon l'antique usage des moines d'Égypte, ils habitent perpétuellement dans des cellules personnelles. Là, ils s'appliquent sans relâche au silence, à la lecture, à l'oraison et au travail des mains, surtout à la copie des manuscrits. Ils acquittent dans leurs cellules le devoir des Heures régulières, Prime, Tierce, Sexte, None, Complies, au signal donné de l'église. Pour Vêpres et Matines, ils se réunissent tous à l'église... [5] »

Ces textes décrivent une vie que l'on peut appeler à bon droit semi-érémitique, mais avec une prépondérance notable de la part de solitude. Un tel genre de vie est fait d'un équilibre qui paraît bien délicat à maintenir, à la lumière des enseignements de l'histoire concernant les expériences de vie solitaire. Presque toujours, comme nous l'avons noté plus haut, les tentatives d'érémitisme se soldent après un certain temps par la disparition de l'élément solitude au profit du cénobitisme.

Or, fait extrêmement curieux : neuf siècles après l'arrivée de saint Bruno au désert de Chartreuse, les descriptions que nous venons de lire conviennent encore de point en point à la vie des Chartreux d'aujourd'hui. L'expérience d'érémitisme cartusien,

4. *De vita sua*, I, 11, *PL* 156, 854.
5. *De Miraculis*, II, 28, *PL* 189, 943 et 945.

commencée par saint Bruno et les siens, se poursuit toujours identique. Elle ne s'est pas dissoute dans des tentatives individuelles destinées à disparaître rapidement avec leurs adeptes ; elle n'a pas non plus rejoint le cénobitisme comme tant d'autres commencements érémitiques. Les *Coutumes de Chartreuse* qui font l'objet de la présente édition sont au cœur de cette singulière destinée monastique.

Saint Bruno demeura bien peu de temps, six ans seulement, au désert de Chartreuse. Appelé à la curie romaine par le Pape Urbain II qui avait été son élève à Reims, il dut partir. Mais bientôt le Souverain Pontife, convaincu de sa vocation solitaire, lui permit de se retirer de la cour romaine et de fonder un ermitage identique à celui de Chartreuse, en Calabre, sur les terres du comte normand Roger de Sicile, alors soutien du Saint-Siège en Italie.

Bruno eut pour successeur à la tête des ermites de Chartreuse l'un des sept premiers fondateurs, Landuin, originaire de Lucques en Toscane. Après une dizaine d'années, Landuin, qui était allé voir en Calabre saint Bruno, toujours considéré par ses fils de Chartreuse comme leur supérieur, afin de recevoir ses directives, fut retenu captif à son retour par l'antipape Guibert de Ravenne ; il mourut le 18 septembre 1100, victime des mauvais traitements que lui infligea cet antipape pour son refus d'abandonner la cause du Pape légitime ; il est le premier martyr de l'Ordre des Chartreux. Après lui, Pierre de Béthune gouverna la Chartreuse pendant un an seulement, puis reprit la vie de simple moine en cellule. Le quatrième Prieur de Chartreuse fut Jean de Toscane, qui gouverna huit ans ; il reçut en Chartreuse, en 1106, celui qui allait écrire les *Coutumes de Chartreuse* et être ainsi le législateur de l'Ordre cartusien, Guigues Ier.

4. Guigues, auteur des *Coutumes*

Guigues naquit en 1083, un an avant l'arrivée de saint Bruno au désert de Chartreuse, au château de Saint-Romaindu-Val-Mordane, dont on voit aujourd'hui les ruines, dominant les gorges du Doux, à cinq kilomètres à l'ouest de Tournon, sur le territoire de la commune de Saint-Barthélemy-le-Plain (Ardèche) ; cette localité du Vivarais appartenait alors au diocèse de Valence. Il entra en Chartreuse à 23 ans, en 1106. Trois ans plus tard, à la mort de Jean de Toscane, en octobre 1109, ses confrères élurent prieur ce jeune religieux de vingt-six ans.

Sous le priorat de Guigues commencèrent les premières fondations cartusiennes, à l'imitation de l'ermitage de Chartreuse. Ce furent d'abord : Portes (Ain) en 1115, Les Écouges (Isère) en 1116, Durbon (Diocèse de Gap) en 1116, la Sylve-Bénite (Isère) en 1116, Meyriat (Ain) en 1116. Les prieurs de ces nouvelles Maisons sentirent bientôt le besoin d'avoir un document écrit qui leur permît de suivre avec exactitude l'observance établie en Chartreuse, bien assise maintenant après quarante années d'expérience. Quelques-uns de ces prieurs demandèrent instamment à Guigues de mettre par écrit les coutumes de la Maison de Chartreuse.

A leurs instances se joignit un ordre de l'évêque saint Hugues de Grenoble. Celui-ci eut en effet un long épiscopat de cinquante-deux ans. Ainsi ce fut le même évêque qui accueillit saint Bruno et l'introduisit au désert, et qui, une quarantaine d'années plus tard, invita Guigues à écrire les *Coutumes*. Comme devait le noter Guigues après sa mort : « Avec son conseil, son aide, son accompagnement, les sept premiers ermites entrèrent dans la solitude de Chartreuse et y construisirent... Il embrassa volontiers non seulement leurs projets, mais aussi les desseins de ceux qui leur succédèrent, et jusqu'à sa mort, il protégea toujours les habitants de Chartreuse par ses conseils et ses bienfaits [6]. » Saint Hugues suivit donc avec soin et vigilance le développement de la Chartreuse pendant un demi-siècle. Il s'occupa aussi des premières fondations

6. *Vita sancti Hugonis*, ch. 11, *PL* 153, 769.

cartusiennes, même hors de son diocèse, par exemple Portes où il fit plusieurs voyages. C'est en pleine connaissance de cause qu'il demanda à Guigues d'écrire les *Coutumes* qui allaient stabiliser définitivement cette forme de vie. On ne saurait trop souligner le rôle essentiel de saint Hugues au début de l'Ordre cartusien. Sans en être à proprement parler le fondateur ni le législateur, il en fut en toute vérité le cofondateur et le père, à sa place d'évêque et de guide aidé de l'Esprit-Saint. Il avait vénéré Bruno comme un père et, une génération plus tard, il fut pour Guigues un père plein d'expérience et de sagesse.

Guigues se trouva ainsi conduit à entreprendre la rédaction des *Coutumes* vers l'âge de quarante ans. Prieur depuis bien des années, il a maintenant une grande expérience. Sa maturité humaine est plus profonde qu'au temps des *Méditations*. Ses relations avec Pierre le Vénérable et saint Bernard, ainsi qu'avec d'autres moines, lui ont mieux fait approfondir la spécificité de la Chartreuse. Leurs lettres, leur attitude envers lui, qu'ils considèrent comme un maître spirituel, lui ont donné certainement plus d'assurance dans sa mission propre.

De plus, déjà, les fondations cartusiennes regardent vers le Prieur de Chartreuse. Sans doute n'y a-t-il pas encore eu de Chapitre Général commun ; Guigues n'est pas général de l'Ordre, qui commence seulement à se dessiner. Mais il a conscience de ce que son rôle à l'égard de toute la famille cartusienne dépasse celui d'un simple prieur.

Déjà se noue, en sa personne, l'unité de l'Ordre cartusien, faite, non pas d'une centralisation d'ordre juridique, mais d'une communion à une vocation très spécifique et très profonde. Il sait que, comme Prieur de Chartreuse, il doit en être le premier gardien et même le modèle. Il agit par son rayonnement personnel, par ses qualités de relation : cela a plus d'importance qu'un pouvoir disciplinaire. On le consulte et on a confiance en lui. Il est le centre, le cœur de l'unité cartusienne, ce qu'ont toujours été depuis lors les Prieurs de Chartreuse.

Il a donc une tâche à remplir, et il le sait, si humble qu'il soit. On peut prévoir à cette date que la vocation cartusienne peut durer avec les traits qui lui sont propres et, à ce stade où est parvenue la fondation de saint Bruno, Guigues est le seul qui puisse en fixer l'observance pour l'avenir.

Guigues resta dans sa charge de prieur jusqu'à sa mort. Sous son priorat eurent encore lieu deux fondations : Arvières (Ain) en 1132, et le Mont-Dieu (Ardennes) en 1136. Accablé prématurément de fréquentes infirmités, Guigues mourut à 53 ans, le 27 juillet 1136 [7].

5. Date des *Coutumes de Chartreuse*

Au Prologue de l'ouvrage, Guigues nomme trois prieurs, Bernard de Portes, Humbert de Saint-Sulpice, Milon de Meyriat, qui lui avaient demandé instamment de faire ce travail. Mais il y avait encore trois autres Maisons déjà fondées : Les Écouges, Durbon, Sylve-Bénite ; si ces trois Maisons ne sont pas nommées, c'est parce qu'elles avaient pour prieurs des profès de Chartreuse qui, comme tels, avaient déjà la connaissance et la pratique des coutumes de la Maison de Chartreuse.

La rédaction des *Coutumes* ne peut être antérieure à 1121, puisque l'un des prieurs qui avaient demandé la réalisation de cet ouvrage, Milon, ne devint prieur qu'en 1121 [8].

D'autre part les *Coutumes* furent officiellement adoptées dans le courant de 1128 par diverses Maisons [9]. Les textes des documents attestant la réception des *Coutumes* nous ont été

7. Sur la physionomie spirituelle de Guigues, sur les traits les plus marquants de sa personnalité, outre ce qui va être dit dans la présente Introduction, on peut lire ce qui a été dit à ce sujet dans l'édition de ses *Lettres* (*SC* 88, en 1962, pp. 97 à 133) et dans l'édition de ses *Méditations* (*SC* 308, 1983, pp. 8-27 et 55-70).

8. *Gallia Christiana*, XV, 612 ; GUICHENON, *Histoire de Bresse et de Bugey*, Lyon, 1650, 4e partie, p. 6 ; *Annales Ordinis Cartusiensis*, I, 213-214.

9. *Annales Ordinis Cartusiensis*, I, 315 et 317.

conservés pour Portes et la Sylve-Bénite. Ils contiennent des indications qui conduisent à les dater de 1128. A Portes, cet acte revêtit une assez grande solennité par la présence de trois évêques témoins : Humbald, archevêque de Lyon, saint Hugues évêque de Grenoble, et Ponce de Balmey, évêque de Belley, ancien fondateur et ancien Chartreux de Meyriat ; c'était au printemps ou dans l'été de 1128. Tous les membres de la communauté signèrent l'acte, y compris les novices. A la Sylve-Bénite, la présence de deux convers, l'un de Chartreuse et l'autre de Portes, comme témoins à la signature de l'acte d'acceptation des *Coutumes*, en soulignait, ici encore, l'importance.

Comme les Maisons avaient insisté à plusieurs reprises auprès de Guigues pour qu'il fît ce travail, on peut croire qu'elles l'adoptèrent dès son achèvement. Les *Coutumes de Chartreuse* furent donc bien commencées après 1121 et terminées au plus tard au début de 1128. Leur rédaction a d'ailleurs dû demander plusieurs années, tant est important le travail effectué par Guigues à partir de nombreuses sources monastiques antérieures.

6. Vue d'ensemble sur les *Coutumes de Chartreuse*

Les nombreuses règles monastiques écrites du début du Ve siècle à la fin du VIIe (plus de vingt-cinq règles connues) présentent toutes en même temps le caractère de ce que nous appellerions aujourd'hui *règle* et de ce que nous nommons maintenant *coutumier*. Il n'y a aucune frontière entre les deux genres qui se trouvent intimement mêlés dans leurs textes. La règle de saint Benoît en est un excellent exemple. Leurs auteurs eussent été fort surpris si on leur avait parlé de la spécialisation si marquée des écrits modernes en ce domaine. La question n'aurait eu aucun sens pour eux.

La distinction entre règle et coutumier s'est affirmée de façon très nette à partir du moment où apparurent, dans la deuxième moitié du XIe siècle, les grands coutumiers clunisiens, comme ceux de Bernard de Cluny, d'Ulrich de Cluny ou encore le coutumier d'Hirschau, pour ne nommer que les principaux parmi d'autres. Ces écrits ne sont que des coutumiers ; ils impliquent nécessairement l'existence, en dehors d'eux, d'une règle, à laquelle ils renvoient d'ailleurs ; leur titre correspond donc en tous points à leur contenu. Dès lors la séparation entre les deux genres d'écrits fut acquise chez les fils de saint Benoît – les Cisterciens, au siècle suivant, eurent aussi leurs Us – et il arriva même que les esprits soient préoccupés de proclamer de façon catégorique la différence entre règle et coutumier, considérant ce point comme très important ; de là surgirent des controverses ; nous en verrons bientôt un exemple contemporain de Guigues.

En nos temps modernes, la séparation est tranchée, radicale, entre règles ou constitutions, d'une part, et coutumiers ou cérémoniaux, d'autre part, chez presque tous les religieux.

Guigues a intitulé son recueil *Coutumes de Chartreuse* et, dans le Prologue, il emploie ces expressions à propos de son ouvrage : « les coutumes de notre maison » – « ce que nous avons coutume d'observer ici. » Le lecteur se trouve donc comme invité à voir dans cet écrit un coutumier ; il en a bien le caractère par les nombreux détails pratiques d'observances qu'il contient, soit en ce qui concerne la liturgie, soit en bien d'autres domaines. Par toutes ces menues notations relatives à des points d'application concrets dans la vie quotidienne, cet ouvrage a des traits caractéristiques d'un coutumier.

Cependant une étude plus attentive conduit à des remarques qui invitent à revoir cette question de près.

D'une part, en comparant les *Coutumes de Chartreuse* à d'autres coutumiers de l'époque, par exemple aux coutumiers clunisiens, on note une certaine similitude de présentation ; on trouve des deux côtés de nombreux détails d'observances. Toutefois le coutumier de Chartreuse est moins chargé que les coutumiers clunisiens ; c'est normal : un coutumier jeune est toujours plus léger qu'un coutumier de fondations déjà anciennes ; l'âge a toujours alourdi peu à peu les coutumiers.

Mais, d'autre part, il y a dans les *Coutumes de Chartreuse* des éléments qui n'entrent pas dans le contenu ordinaire des coutumiers du temps, qui échappent au style, au genre littéraire des coutumiers, des éléments qui transcendent de très haut le détail minutieux des observances journalières concrètes, et sont bien davantage porteurs d'un esprit. L'ensemble est ainsi moins sec, moins uniquement disciplinaire, en maints passages, qu'un coutumier ordinaire. Il prend davantage la physionomie d'une règle.

S'agit-il alors d'une règle ? La réponse ici n'est pas simple au premier abord, mais devient claire à la réflexion.

Si l'on entend par règle, au sens moderne du mot, un écrit présentant de façon méthodique et organisée l'ensemble des principes constitutifs d'une forme de vie religieuse, la définition soigneusement élaborée de ce genre de vie, avec des développements sur la spiritualité qu'entend promouvoir le fondateur, alors, en ce sens, les *Coutumes de Chartreuse* ne sont pas une règle. Mais pourtant, elles contiennent, épars et brefs, des éléments qui appartiennent de droit à une règle. Elles sont à la fois règle et coutumier, sans être l'un ou l'autre de façon systématique.

Un observateur extérieur, très bien placé, Guillaume de Saint-Thierry, avait senti en profondeur ce que nous venons de dire. Lorsqu'il était abbé clunisien de Saint-Thierry, Guillaume avait pris part à une véhémente protestation des abbés de la Province ecclésiastique de Reims contre le caractère intangible que certains voulaient donner aux coutumes clunisiennes ; cette protestation avait pris la forme d'une lettre adressée, en 1131-1132, au cardinal Matthieu d'Albano, cluniste fervent, qui avait reproché avec indignation à ces abbés l'abandon de certaines coutumes de Cluny :

« Nous sommes contraints avec violence à la loi des coutumes... Si nous osons regarder si peu que ce soit vers la liberté de l'esprit, nous sommes repoussés, jugés, condamnés, conspués... Or nous avons fait profession et serment, non selon les coutumes clunisiennes, mais selon la loi et la règle de saint Benoît...[10] »

Ce même Guillaume de Saint-Thierry, qui avait signé cette déclaration relative aux coutumes clunisiennes, devenu ensuite cistercien à l'abbaye de Signy, était allé visiter les Chartreux du Mont-Dieu et avait même reçu d'eux un exemplaire des *Coutumes de Chartreuse*. Il connaissait parfaitement leur vie. Or il leur écrivit dans la *Lettre d'Or* :

« Tous vos statuts, toutes vos obligations et observances une fois passées en coutumes, devront sans la moindre altération, être tenus et conservés par vos descendants, et personne n'aura le droit d'y apporter un changement. Vous serez pour vos successeurs ce que sont pour nous les lois intangibles de la vérité souveraine et éternelle : les scruter, les approfondir peut être utile à chacun ; nul n'a le droit de les discuter[11]. »

Un peu plus loin, Guillaume ajoutait pourtant que certains « usages, nécessaires dans les Alpes rigoureuses et les froids continuels de la Chartreuse », pouvaient ne pas s'imposer en d'autres régions.

Visiblement Guillaume a été impressionné : en prenant connaissance des *Coutumes de Chartreuse*, il y a trouvé des phrases qui lui ont paru avoir un caractère intangible, exprimer l'âme de la vocation cartusienne avec la force d'une règle, que les Chartreux ne pourraient modifier sans cesser d'être. A côté de cela, il a vu le caractère modifiable de divers détails. Pour lui, ces *Coutumes de Chartreuse* tiennent à la fois de la règle et du coutumier.

Pour mieux juger encore de cette question, nous avons aujourd'hui un poste d'observation exceptionnel : le regard que permet de porter le recul du temps. Les *Coutumes de*

10. Dom URSMER BERLIÈRE, *Documents inédits pour servir à l'histoire ecclésiastique de la Belgique*, t. 1, Maredsous, 1894, p. 103. Voir le récit de la controverse dans Jean DÉCHANET, *Guillaume de Saint-Thierry*, Bruges, 1942, pp. 138 à 144.

11. *SC* 223, p. 161.

Chartreuse ont été écrites il y a un peu plus de huit siècles et demi. Depuis lors elles ont été le support et le soutien d'une destinée monastique qui, à travers les vicissitudes humaines inévitables, est demeurée fidèle à ses traits spécifiques. Certes, il y a eu quelques changements, comme dans toute institution humaine vivante, mais aucun n'a modifié les traits essentiels du genre de vie choisi par saint Bruno et les premiers Chartreux. Aujourd'hui, les textes fondamentaux de la vocation cartusienne, écrits jadis par Guigues, animent et maintiennent encore la vie des Chartreux et l'esprit de leur *propositum*. Maintes coutumes de détail sont aussi restées inchangées.

Cette permanence était pourtant très délicate à maintenir. Pour l'homme, qui est un être social, il est très difficile et austère de demeurer fidèle à une garde stricte de la cellule. Guigues écrivait déjà : « Nous croyons que rien n'est plus laborieux dans les exercices de la vie régulière que le silence de la solitude et le repos [12]. » Or cet écrit de Guigues a maintenu jusqu'à ce jour les Chartreux dans leur garde fidèle de la solitude. Il a donc eu au cours des siècles l'efficacité d'une règle, de solide valeur.

Singulier paradoxe : ce recueil, qui n'a pas reçu le nom de règle, a eu plus de force pour aider les Chartreux à garder leur stabilité, que n'ont eu au cours de l'histoire des règles soigneusement élaborées et composées avec méthode.

En fait, tout bien pesé, la structure et le contenu des *Coutumes de Chartreuse* les apparentent beaucoup plus aux règles monastiques anciennes qu'aux coutumiers contemporains de cet ouvrage. Le titre donné par Guigues à ce recueil ne doit pas induire en erreur à cet égard. Nous sommes bien en présence d'une règle.

7. Les *Coutumes* et la vocation cartusienne

Les *Coutumes de Chartreuse* ne contiennent aucun exposé

12. *Consuetudines Cartusiae*, 14, 5.

théorique étendu sur la vocation cartusienne : pas de spéculations, pas d'enseignements de forme didactique, ni même une définition se voulant telle. Guigues garde une très grande réserve ; il sait qu'il s'adresse à des moines ayant déjà l'expérience de cette vocation que Dieu leur a donnée ; ils ont entendu un appel au fond de leur âme et ils en vivent concrètement. Point n'est besoin qu'on le leur développe : « Nous estimons superflu, dit Guigues, de vous exposer ce que vous connaissez aussi bien ou mieux que nous [13]. » D'ailleurs serait-il possible de faire un exposé satisfaisant sur le mystère de la vie avec Dieu en solitude ? Saint Bruno n'avait-il pas écrit : « Ceux-là seuls le savent, qui en ont fait l'expérience. » Les *Coutumes de Chartreuse* n'ont pas été écrites pour livrer au curieux l'âme profonde de la vie cartusienne.

Le beau chapitre 80 lui-même n'est pas à proprement parler un exposé sur la vocation, mais une illustration par l'Écriture Sainte et un éloge.

La vocation du Chartreux n'est donc révélée dans les *Coutumes* en ses traits essentiels que par des paragraphes ou des phrases isolés, ici ou là. Ce sont des éléments brefs, inattendus. Tout de suite avant, tout de suite après, il ne s'agit que d'humbles détails de coutumes, d'ordre disciplinaire, de minimes points d'observances. Mais soudain, comme par éclairs, il est donné au lecteur d'entrevoir l'esprit de la vocation cartusienne et de ressentir que l'auteur de cet écrit en vivait à un niveau singulièrement profond.

On saisit mieux alors ce qui avait tant frappé les deux plus grands moines du XIIe siècle, saint Bernard et Pierre le Vénérable, dans leurs rapports avec Guigues.

Saint Bernard écrivait un jour à Guigues : « J'ai lu votre lettre et voici que les mots que je repassais sur mes lèvres se faisaient sentir en mon cœur comme des étincelles, et mon cœur en était tout réchauffé en moi, comme par ce feu que

13. *Ibid.*, 80, 3.

Notre Seigneur est venu apporter sur terre. O quel feu brûle dans de telles méditations, d'où s'échappent de pareilles étincelles [14] ! »

Pierre le Vénérable écrivait au huitième Prieur de Chartreuse, Basile, bien des années après la mort de Guigues : « J'avais décidé de renouer avec vous les saintes conversations que j'avais eues si souvent avec votre prédécesseur Guigues, de bienheureuse mémoire, entretiens dans lesquels il m'enflammait comme par des étincelles sorties de ses lèvres, et il me conduisait à l'oubli de presque toutes les choses humaines [15]. »

Les *Statuts* cartusiens s'expriment aujourd'hui de la même manière, quand ils disent aux religieux de l'Ordre à propos de certaines paroles de Guigues dans les *Coutumes* : « Nous les recueillerons comme les étincelles jaillies d'une âme : celle du moine à qui l'Esprit-Saint confia la mission de rédiger les premières lois de notre Ordre [16]. »

Il est donc très vrai de dire : ni Guigues, ni d'ailleurs avant lui saint Bruno, n'ont fait connaître la vocation de l'Ordre dont ils sont les initiateurs, l'un comme fondateur, l'autre comme législateur, par des exposés en forme ; ils l'ont suggérée, révélée par des étincelles. Peut-être en cet accord tacite des deux plus grands moines de l'Ordre des Chartreux sur un point aussi important, malgré la très grande différence de leurs tempéraments, y a-t-il plus qu'un simple fait à constater : une leçon profonde. Ineffable est le secret intime d'une pure vie contemplative. Celle-ci peut se vivre, si Dieu y appelle, mais peut-elle vraiment se dire ?

Quoi qu'il en soit, si l'on veut connaître l'esprit de la vocation cartusienne en ses traits essentiels, on le trouve dans les Lettres de saint Bruno et dans les *Coutumes de Chartreuse* et dans nul autre écrit de législation monastique. Il y a même de

14. *Épître 11, Opera,* VII, Rome 1974, pp. 52-60 ; *PL* 182, 108-115.
15. *Épîtres,* VI, *40, PL* 189, 458 (éd. G. CONSTABLE, 1967 : *Ep. 186*).
16. *Statuts cartusiens,* 2,1.

très importantes déclarations de principes, mais ce qui les caractérise est d'être formulées à partir et à propos de points particuliers. Cet esprit ne fait pas l'objet d'un enseignement théorique. De temps à autre, Guigues monte d'un détail concret d'observance au pourquoi spirituel qui le justifie, et les formulations de ce genre sont assez nombreuses et assez fortes pour que la physionomie spirituelle de la vie cartusienne se dégage de l'ensemble avec une singulière puissance. L'esprit et la lettre des observances demeurent intimement liés, et il y a semble-t-il, dans la présentation de la vie cartusienne faite ainsi par Guigues, un des éléments de la solidité de l'Ordre cartusien au cours des siècles. La manière propre de Guigues consiste à faire percevoir et respirer l'essentiel de la vie, tout en gardant un cachet de simplicité par l'insertion de l'idéal dans les immédiates contingences quotidiennes.

8. Traits spirituels fondamentaux de la vie cartusienne

Guigues écrit aux siens : « Nous entreprenons de consigner pour en garder le souvenir les coutumes écrites de notre maison, ce que votre affection nous a demandé plus d'une fois » (Prologue, 2).

En effectuant ce travail, le Prieur de Chartreuse a noté, par occasion de loin en loin, comme nous l'avons dit, quelques traits constitutifs du *propositum* cartusien ; recueillons ces principaux éléments qui dessinent la physionomie de la Chartreuse :

Solitude et vie contemplative

Voici d'abord, pour situer la vocation du Chartreux parmi les différentes formes de la vie monastique, le caractère le plus spécifique de cette vocation, dans la mise en pratique du *vacare Deo* auquel s'adonne tout ermite :

« Notre principale application et notre vocation sont de vaquer au silence et à la solitude de la cellule » (14, 5).

« Le solitaire restera assis et gardera le silence, et il s'élèvera au-dessus de soi (*Lam.* 3, 28) ; ces mots expriment presque tout ce qu'il y a de meilleur dans notre vie : le repos et la solitude, le silence et le désir ardent des biens célestes » (80, 7).

En utilisant et commentant ce verset des *Lamentations* pour exprimer l'essentiel de la vocation solitaire, Guigues reprenait à son compte un thème qui avait déjà servi dans ce même dessein à d'illustres devanciers : saint Jérôme [17], Cassien [18], saint Pierre Damien [19]. Tout en s'insérant ainsi au cœur de la plus authentique tradition, Guigues ne se contentait pas de copier ses prédécesseurs, mais il traitait le sujet de manière personnelle, comme il le fera toujours.

« Vous le savez en effet, dans l'Ancien et surtout dans le Nouveau Testament, presque tous les secrets les plus sublimes et les plus profonds ont été révélés aux serviteurs de Dieu, non point dans le tumulte des foules, mais quand ils se trouvaient seuls. Et eux-mêmes, lorsqu'ils désiraient méditer plus profondément sur quelque vérité, prier avec plus de liberté, ou devenir étrangers aux intérêts de la terre par un ravissement de l'esprit, ces familiers de Dieu ont presque toujours évité les embarras de la multitude et recherché les avantages de la solitude » (80, 4).

« Et maintenant considérez vous-mêmes ces Pères saints et vénérables, Paul, Antoine, Hilarion, Benoît et tant d'autres dont nous ignorons le nombre ; voyez le profit spirituel qu'ils ont recueilli dans la solitude et vous reconnaîtrez que la douceur des psalmodies, l'application à la lecture, la ferveur de la prière, la profondeur de la méditation, le ravissement de la contemplation, le baptême des larmes, n'ont pas d'aide plus puissante que la solitude » (80, 11).

17. *Épître 22, ad Eustochium*, 36, *CSEL* 54, p. 200 ; *PL* 22, 421.
18. *Conférence XIX*, 8 dans *SC* 64, p. 46 ; *Conférence XVIII*, 6, dans *SC* 64, p. 18.
19. *Opuscule XI*, 19, *PL* 145, 249 ; *Épîtres*, VII, 6, *PL* 144, 444.

Les moyens de sanctification énumérés dans ces textes sont communs à tous les moines. Guigues cherche à souligner que toute œuvre spirituelle reçoit de la solitude quelque chose de plus que dans une autre atmosphère. Ce que déjà cette œuvre apporte à l'âme fidèle dans toute forme de vie, se trouve possédé par cette âme à un degré plus fort et plus profond grâce au mystérieux secours de la solitude.

Jésus, comme modèle de la vie cartusienne

Jésus est le modèle unique. Guigues rappelle en peu de mots les moments de la vie du Christ qui ont spécialement valeur d'exemple pour la prière du solitaire :

« Jésus a voulu nous instruire par son exemple, en se soumettant dans la solitude comme à une épreuve de tentation et de jeûne... L'Écriture rapporte de lui que, délaissant la foule des disciples, il gravissait seul la montagne pour prier. Puis à l'heure où sa Passion est imminente, il quitte les Apôtres afin de prier seul avec instance : exemple qui fait comprendre, entre tous, combien la solitude est avantageuse à l'oraison, puisqu'il ne veut pas prier parmi d'autres, fussent-ils les Apôtres ses compagnons » (80, 10).

Dans ce paragraphe des *Coutumes*, Cassien est la source la plus immédiate pour Guigues qui l'a suivi par moments presque mot à mot, mais en insistant davantage encore que ne l'avait fait Cassien sur le choix volontaire de la solitude par le Christ pour les instants les plus importants de sa prière [20]. Nombreux étaient déjà ceux qui avaient proposé la prière solitaire de Jésus comme modèle de la prière érémitique, par exemple Grégoire de Nazianze [21], Jean Chrysostome [22], Nil [23], Jérôme [24], Eucher de Lérins [25], et bien d'autres.

20. *Conférence X*, 6, dans *SC* 54, p. 80.

21. *Discours XIV*, 4, *PG* 35, 862 ; *Discours XXVI*, 7, *PG* 35, 1238.

22. *Homélie L* (sur *Matthieu* 14, 23), *PG* 58, 503 ; *Homélie XLII*, (sur *Jean* 6), *PG* 59, 239.

Union au Christ dans le repos contemplatif

« Que Marthe ait donc son service, louable certes, mais non exempt cependant de soucis et d'agitations ; qu'elle ne sollicite point sa sœur, qui met ses pas dans ceux du Christ et, disponible, voit qu'il est Dieu. Marie purifie son esprit et recueille sa prière en son cœur, écoute en elle-même la parole que lui adresse le Seigneur, et ainsi selon la faible mesure possible en reflet et par énigme, elle goûte et voit combien le Seigneur est bon, et elle prie, tant pour elle-même que pour tous ceux qui travaillent comme Marthe.

« Et si cette dernière ne renonce pas à solliciter Marie, celle-ci a pour elle non seulement le plus juste des juges, mais aussi le plus fidèle des avocats, à savoir le Seigneur lui-même, qui daigne non seulement prendre la défense de sa vocation, mais aussi en faire l'éloge, disant : "Marie a choisi la meilleure part, qui ne lui sera pas enlevée." En disant la meilleure, non seulement il l'a louée, mais il l'a placée au-dessus de l'activité laborieuse de sa sœur. En disant : elle ne lui sera pas enlevée, il en a pris la défense, et l'a dispensée de se mêler aux sollicitudes et aux affairements de Marthe, si charitables soient-ils » (20, 2-3).

Ce texte est fait tout d'abord d'une mosaïque de onze versets de l'Écriture, enchaînés avec le plus grand soin, et où sont venues s'insérer quelques réminiscences de Cassien [26]. Le second paragraphe est emprunté de façon très proche à deux sermons de saint Augustin [27]. La touche personnelle de Guigues a porté avec force sur la conclusion à tirer des mots de l'Évangile : « La meilleure part ne lui sera pas enlevée » ;

23. *De monachorum praestantia*, ch. 12, *PG* 79, 1075 (on ne connaît d'ailleurs pas de traduction latine ancienne).

24. *Épître 3, ad Rufinum monachum*, 4, *CSEL* 54, p. 16 ; *PL* 22, 334 ; *Epistola ad Oceanum* (épître apocryphe 42), 9, *PL* 30, 291.

25. *Epistola de laude eremi*, 22-26, *CSEL* 31, pp. 184-186 ; *PL* 50, 706-707.

26. *Conférence I*, 8, *SC* 42, pp. 86-87.

27. *Sermo CIII, PL* 38, 614 ; *Sermo CIV, PL* 38, 616.

tous les commentateurs de ce texte appliquaient ces mots à la vie future, où la part de Marie continuera de s'exercer ; pour Guigues, c'est maintenant, tout de suite, que Marie ne doit pas se laisser engager dans les activités de Marthe. Guigues posait ainsi un principe très important pour la vocation contemplative de l'Ordre cartusien.

En présence de ces textes, le lecteur demeure frappé par ce qu'ils révèlent de l'âme de Guigues. Comme nous le notions plus haut de sa maturité humaine, sa maturité spirituelle s'est beaucoup approfondie dans la ligne de sa vocation, depuis le temps où il notait ses pensées dans le recueil de ses *Méditations*.

Nous sommes maintenant dans une tout autre atmosphère que celle du combat intérieur un peu tendu des *Méditations*. Guigues est visiblement parvenu à un niveau spirituel bien plus calme, dans la sérénité d'un regard paisible de son âme sur Dieu. Il goûte « combien le Seigneur est bon ». Il savoure les fruits du repos contemplatif en Dieu, de ce « *quies* » qu'il met en tête de ce qu'il y a de meilleur dans la vie cartusienne et sur lequel il aime à revenir à plusieurs reprises dans les *Coutumes*, beaucoup plus que dans les *Méditations*. Rien ne suggère plus l'atmosphère de lutte intérieure dans de subtiles analyses d'états d'âme, où il s'attardait jadis. Le niveau spirituel est devenu plus apaisé et plus profond.

Certes, Guigues demeure ardent ; c'est son tempérament et, en plusieurs endroits des *Coutumes*, quand il expose des points qui lui paraissent essentiels pour la vie contemplative érémitique, on le voit prêt à croiser le fer avec d'éventuels contradicteurs. Mais c'est là un autre domaine.

Dieu a récompensé les années d'efforts du jeune Prieur de Chartreuse. Il a maintenant acquis, pour parler de la vie contemplative dans la solitude, une maîtrise, une assurance paisible en Dieu, un équilibre, qu'il ne possédait pas à un tel degré autrefois. Son expérience personnelle l'a mis en possession des moyens qui font de lui un grand contemplatif et un éminent législateur monastique.

Il est providentiel pour les Chartreux d'entrevoir ainsi quelles ont été les étapes du progrès en Dieu dans l'âme de Guigues. De la forte ascèse spirituelle en cellule au temps des *Méditations* jusqu'à la saveur du *quies* contemplatif au temps de la maturité, le cheminement de son âme prend une valeur exemplaire pour l'ermite chartreux. On voit se dessiner comment une infrangible fidélité a procuré à cette âme l'épanouissement de sa vie contemplative, comment Dieu a récompensé celui qui avait accepté de ne chercher que lui dans la solitude de la cellule. On voit aussi quel est le rôle rempli par cette solitude dans sa vocation. On voit également – et ceci est capital – qu'un fil conducteur a relié et informé toutes ces étapes : le Christ, qui fascine Guigues dans la paix du *quies*, comme il l'attirait au cours de son effort inlassable pour atteindre la pureté du cœur.

Guigues a vraiment réalisé en lui ce que saint Bruno disait de la vocation cartusienne : « Qui ne voit combien il est beau, utile et doux, de demeurer à l'école de la Sagesse elle-même, sous la conduite du Saint-Esprit, pour y apprendre l'amour de cette Sagesse, qui seul peut donner la vraie béatitude [28] ? »

Fidélité à la solitude

Un tel idéal de vie contemplative érémitique requiert dans la pratique une fidélité très attentive à la cellule et à la séparation du monde. De là quelques textes très importants :

Fidélité à la cellule

« L'habitant de cette cellule doit veiller avec diligence et sollicitude à ne pas forger ou accepter des occasions de sortir, hormis celles qui sont instituées par la règle ; il estimera plutôt la cellule comme aussi nécessaire à son salut et à sa vie que l'eau aux poissons et la bergerie aux brebis... »

28. *Lettre à Raoul le Verd*, 10, *SC* 88, p. 75.

« Si nous concédons tant d'objets à chacun, c'est pour qu'il ne soit pas obligé à sortir de cellule, ce que nous considérons comme illicite. En effet, cela n'est jamais permis sauf quand la communauté se réunit au cloître ou à l'église » (31, 1 et 28, 6).

Guigues a repris ici pour les Chartreux l'antique image chère aux Pères du désert depuis saint Antoine qui l'avait le premier formulée : la cellule nécessaire au moine comme l'eau au poisson [29]. Les apophtegmes des Pères sont remplis de textes concernant la fidélité à la cellule, et Cassien ne manque pas de rappeler ce point d'observance chez les Pères [30].

Fidélité au désert et à la séparation du monde

« Nous avons absolument en horreur la coutume de vagabonder et de quêter » (19, 2).

Les textes prohibant le vagabondage des moines sont innombrables parmi les auteurs, les règles monastiques anciennes et même dans les documents des Conciles et des Papes. Citons seulement, pour les plus anciens, saint Jérôme [31], et pour les plus récents et les plus forts avant Guigues, saint Pierre Damien [32].

Les supérieurs et la nécessité de l'obéissance

Le plus grand danger qui puisse menacer l'ermite est celui de l'indépendance ; tant de naufrages et de disparitions de l'érémitisme authentique au cours des siècles, après de premiers élans de ferveur, n'ont pas eu d'autre cause. Mais saint Bruno a voulu que ses fils soient ermites au sein d'une communauté, et Guigues a dessiné dans ses *Coutumes* les traits du cadre qui protège et guide le solitaire Chartreux.

29. *Vie de saint Antoine* par saint ATHANASE, ch. 53, *PL* 73, 164.
30. *Institutions cénobitiques*, II, 15, *SC* 109, p. 85.
31. *Epistola 14, ad Heliodorum*, 6, *CSEL* 54, p. 52 ; *PL* 22, 350 ; *Epistola 58, ad Paulinam*, 5, *CSEL* 54, p. 534 ; *PL* 22, 538 ; *Epistola 125, ad Rusticum*, 7, *CSEL* 56, p. 125 ; *PL* 22, 1076.
32. *Opuscule XII*, 24, *PL* 145, 277.

Le prieur

« Le prieur, bien qu'il doive contribuer au progrès de tous par sa parole et par sa vie, et avoir soin de tout avec sollicitude, doit cependant par-dessus tout offrir aux moines du groupe desquels il a été pris l'exemple du repos et de la stabilité, ainsi que de tous les autres exercices qui concernent leur vie » (15, 2).

« Le prieur ne sort pas des limites de son désert. Son siège, où que ce soit, et son habit ne diffèrent de ceux des autres par aucune marque de dignité ou de luxe, et il ne porte rien qui le fasse apparaître comme prieur » (15, 4).

Les sources, monastiques ou autres, de ces textes, seraient innombrables à citer. Notons seulement l'accent mis par Guigues sur le rôle d'exemple à donner de la part du prieur.

Le procureur

« Le procureur gère avec zèle toute l'administration... Dans la mesure où les affaires de la maison le permettent, il revient toujours en toute hâte à la cellule comme à la partie la plus retirée, très sûre et très paisible, d'un port, afin de pouvoir par la lecture, l'oraison, la méditation, calmer les mouvements agités de son esprit surgissant du soin et de la disposition des affaires extérieures, et en même temps mettre en réserve dans le secret de son cœur quelque pensée salutaire qu'il dira avec douceur et sagesse au Chapitre devant les frères dont il a la charge » (16, 1-2).

Le conseil

« Si quelque affaire importante ou grave doit être traitée, le prieur ordonne à tous les moines de se réunir ensemble. Et là, quand tous auront librement manifesté leur opinion, il décide ce qu'il estime le meilleur et le plus juste, sans aucune acception de personnes. Et l'on observe absolument ce principe très utile et très juste : que nul n'ose défendre avec obstination l'opinion d'un autre ou la sienne... » (37, 1-2).

L'obéissance

Saint Bruno, dans la *Lettre à ses fils de Chartreuse*, avait écrit quelques phrases capitales sur la pratique de l'obéissance parmi eux [33]. De même Guigues a voulu à plusieurs reprises, en trois endroits-clés, après la formule de profession des pères, après celle des frères, comme aussi à la suite des pages consacrées à la vie en cellule, souligner par de petits exposés très denses l'importance de l'obéissance pour le solitaire chartreux.

« A dater du jour de sa profession, celui qui a été reçu se considère comme étranger à tout ce qui est du monde, au point qu'il n'a plus de pouvoir sans la permission du prieur sur aucune chose absolument, et pas même sur sa propre personne » (25, 2).

« A partir de sa profession, le frère convers doit savoir qu'il ne peut absolument rien avoir sans la permission du prieur, pas même le bâton sur lequel il s'appuie pour marcher sur le chemin, puisque lui-même ne s'appartient plus » (75, 1).

« En effet, puisque l'obéissance doit être observée avec un grand zèle par tous ceux qui ont décidé de vivre la vie religieuse, elle doit l'être cependant avec d'autant plus d'amour et d'attention qu'ils ont embrassé une vocation plus stricte et plus austère, de crainte que si elle venait à faire défaut – ce qu'à Dieu ne plaise –, de si grands labeurs, non seulement soient privés de récompense, mais encourent même le supplice de la damnation » (25, 2).

« C'est ce qui faisait dire à Samuel : " L'obéissance est meilleure que les victimes et la docilité vaut plus que l'offrande de la graisse des béliers, car la rébellion est comme un péché de sorcellerie, et le refus de se soumettre comme un crime d'idolâtrie. " Ce seul témoignage suffit à la louange de l'obéissance et à la réprobation de la désobéissance » (25, 3).

« Or il n'est permis à aucun d'entre nous, à moins que le prieur ne le sache et ne l'approuve, de faire des abstinences,

33. *SC* 88, p. 85.

des disciplines, des veilles, ou tous autres exercices de religion qui n'ont pas été institués parmi nous » (35, 1).

« Et cependant si le prieur veut ordonner à quelqu'un de nous un supplément de nourriture, de sommeil, ou de n'importe quelle autre chose, ou bien s'il veut imposer une mesure dure et pénible, il ne nous est pas permis de refuser ; car en lui résistant, ce n'est pas à lui, mais au Seigneur dont il tient pour nous la place, que nous nous trouverions avoir résisté » (35, 2).

« Car bien que nos observances soient nombreuses et diverses, c'est pourtant par le seul et unique bien de l'obéissance que nous espérons les voir devenir toutes fructueuses pour nous » (35, 3).

Des textes aussi essentiels que ceux-ci sur l'obéissance rejoignent évidemment des lieux parallèles dans de nombreux écrits monastiques. Ceux dont Guigues se trouve ici le plus proche sont : pour le début de la première phrase de 25, 2 la règle de saint Benoît [34], pour la fin de cette phrase Cassien [35], pour la dernière phrase de 25, 2 saint Pierre Damien [36], pour 25, 3 une lettre attribuée à saint Jérôme au temps de Guigues [37]. Mais pour les textes de 35, 1 et 35, 2, Guigues s'est volontairement séparé des principaux législateurs de l'érémitisme en interdisant à l'ermite chartreux toute pénitence surérogatoire en dehors de l'obéissance. Les deux dernières lignes de 35, 2 sont inspirées de la règle de saint Benoît [38]. Le 35, 3 peut avoir été inspiré par un texte de Pierre Damien [39], repensé et transformé par Guigues.

La pauvreté

La vie d'un ermite consacré à Dieu ne serait pas de bon aloi

34. *Règle de saint Benoît*, ch. 4.
35. *Institutions cénobitiques,* II, *SC* 109, p. 61.
36. *Opuscule XV*, ch. 18, *PL* 145, 351.
37. *Epistola in scientia divinae legis* (épître apocryphe 7), *PL* 30, 109-110.
38. Ch. 2 et ch. 63.
39. *Opuscule XV*, 18, *PL* 145, 351.

si elle ne donnait le témoignage d'une pauvreté vécue dans la cellule. Maints textes des *Coutumes* ont insisté à bon droit sur ce point ; dispersés ici ou là, ils sont un rappel toujours présent de l'exigence du maintien continuel d'une vie pauvre. En voici quelques-uns, parmi les principaux :

«... Le solitaire n'aura point de souci de la grossièreté et de la couleur de tout ce qui regarde le lit ou le vêtement. Car à tous les moines, mais à nous surtout, il convient assurément de porter des vêtements humbles et usagés, et de se servir en tout d'objets sans valeur, pauvres et misérables... » (28, 1). Ce texte est inspiré librement de la règle de saint Benoît [40].

« Dans toutes les questions de ce genre, on n'aura d'autre préoccupation que de se garantir du froid et de se couvrir... Tout est ainsi conçu pour qu'on ne recherche pas ce que demande la vanité ou la volupté, mais ce qu'exige la seule nécessité ou l'utilité » (57, 3). Ici les sources principales sont Cassien [41] et saint Jérôme [42].

« Les frères ne gardent absolument rien chez eux sans permission » (58, 2). Ce précepte est universel dans les règles monastiques.

« Si un cadeau a été envoyé à l'un d'entre nous, convers ou moine, par un ami ou un parent, on ne le donne pas à lui, mais plutôt à un autre, pour qu'il ne paraisse pas avoir quelque chose en propre » (59, 1). Cette question a été traitée de façons très variées selon les règles diverses.

«... Dans les cellules, soit en haut, soit en bas, on n'a l'autorisation de rien changer ni de rien établir sans l'avoir auparavant montré et sans en avoir reçu l'ordre, afin que des maisons construites à grand labeur ne soient pas abîmées ou détruites par une recherche curieuse » (64, 2). Ces lignes peuvent avoir

40. Ch. 55.

41. *Institutions cénobitiques*, I, 3, *SC* 109, p. 43.

42. *Epistola 130, ad Demetriadem*, 14 *CSEL* 56, p. 194 ; *PL* 22, 1119 ; *Adversus Iovinianum*, II, 11, *PL* 23, 314.

été inspirées par un texte de saint Pierre Damien [43], mais elles en reprennent l'idée de base dans une rédaction toute nouvelle.

« Se souvenant de la vocation qu'ils ont embrassée, les malades doivent penser à leur obligation d'être des malades aussi différents des séculiers malades qu'ils étaient des hommes bien-portants différents des séculiers bien-portants, et ils ne peuvent réclamer avec instance dans des déserts ce qu'à peine on trouve dans des villes » (38, 1). Ce texte, bien personnel à Guigues, souligne en termes expressifs un des traits de la pauvreté érémitique dans la vie de cellule.

« Nous n'avons pas à l'église d'ornements en or ou en argent, à l'exception du calice et du chalumeau qui sert à prendre le Sang du Seigneur. Nous n'avons ni tentures, ni tapis » (40, 1). Le retour à plus de simplicité et de pauvreté dans l'ornementation des églises est un trait qui a caractérisé toutes les nouvelles fondations monastiques du XIe et du XIIe siècles.

« Coupant court autant que possible avec l'aide de Dieu à toutes les occasions de cupidité pour nous et pour ceux qui viendront après nous, nous avons statué par la rédaction du présent écrit que les habitants de ce lieu ne peuvent absolument rien posséder hors des limites de leur désert. A savoir, ni champs, ni vignes, ni jardins, ni églises, ni cimetières, ni oblations, ni décimes, ni quoi que ce soit de ce genre » (41, 1). Deux ordres de préoccupations ont motivé ce texte chez Guigues et sa communauté. Tout d'abord les plaintes des évêques contre les empiètements des moines sur leurs droits et sur leurs biens étaient devenues assez vives à cette époque jusque dans les conciles, et en particulier saint Hugues était très jaloux de ses droits qu'il cherchait à récupérer dans tout son diocèse. Ensuite cette décision des Chartreux avait une grande importance pour la garde de l'esprit et de la lettre de la pauvreté, en limitant les biens au désert dont les ressources étaient très médiocres. En même temps, d'autre part, c'était

43. *Opuscule XV*, 18, *PL* 145, 350.

une sauvegarde pour le maintien de la solitude. Dans la ligne de l'esprit de pauvreté à garder, on peut aussi se reporter à la véhémente déclaration de Guigues contre les prières vénales (41, 4). Enfin :

« Telle quelle, dans sa petitesse, notre vie ressent rarement, grâce à Dieu, la pénurie ou l'abondance » (41, 5). Cette phrase, dans laquelle pourrait se résumer toute la mesure de la pauvreté souhaitée par Guigues et les siens, a sa source dans des versets de la Sainte Écriture. Elle exprime ce que doit être la pauvreté au service de la vie contemplative.

La charité fraternelle

Il est un problème grave pour des solitaires : comment mettre suffisamment en pratique le commandement essentiel de l'amour du prochain dans une vie qui ménage si peu de contacts avec autrui ? N'est-ce pas pourtant un devoir nécessaire auquel on ne pourrait manquer sans une ruine complète de la vie religieuse ? Guigues en avait conscience mieux que personne. Ses *Méditations* sont remplies d'enseignements sur la charité fraternelle dont il déborde et à laquelle il veille à tout instant ; on pourrait présenter une merveilleuse doctrine d'amour du prochain tirée de ses « pensées » sur ce sujet.

Les *Coutumes* contiennent en ce domaine quelques textes profonds qui offrent des perspectives inépuisables :

« Dans les débuts, on use avec le novice surtout de bonté et de douceur, et on ne lui permet pas d'affronter sur-le-champ toute l'austérité de notre institution, mais peu à peu, à mesure que la raison ou la nécessité paraîtront le demander » (22, 4).

Ce texte est remarquable, car les règles monastiques anciennes étaient très sévères à l'égard des nouveaux arrivants. Guigues a eu ici comme source certaine la règle des reclus de Grimlaïc le solitaire (IXe-Xe siècles)[44]. Guigues sait bien, comme son devancier, que la cellule impose déjà par elle-mê-

44. Ch. 14, *PL* 103, 593.

me au novice une austérité sérieuse qu'il ne faut pas trop aggraver.

« Le prieur doit savoir qu'il lui faut être attentif, bon et miséricordieux envers tous, mais surtout à l'égard des malades, des faibles et de ceux qui sont dans l'épreuve de tentations... » (38, 1).

Cette phrase est comme l'aboutissement et le résumé de toutes les réflexions que Guigues s'étaient faites à lui-même dans ses *Méditations* au sujet de sa charge de prieur, et auxquelles il faudrait se reporter pour voir toute la densité des quelques mots retenus ici. Il y a là en même temps un enseignement d'amour fraternel à retenir par chacun des Chartreux qui liraient ce texte.

« Les malades sont exhortés à être attentifs aux souffrances du Christ, et leurs infirmiers, à ses miséricordes. Ainsi les premiers seront plus forts pour supporter la souffrance, les seconds plus prompts à secourir. Et tandis qu'ils pensent, tout près du Christ, les uns au service reçu, les autres au service donné, les premiers ne s'enorgueillissent pas, les seconds ne négligent point, car les uns et les autres attendent du même Seigneur la récompense de leur office, ceux-ci de pâtir, ceux-là de compatir » (38, 2).

Depuis saint Antoine, bien des règles avaient redit cette vérité qu'en soignant un frère malade, on doit voir en lui le Christ lui-même, comme Jésus l'avait proposé dans l'Évangile [45]. Guigues a construit cet admirable développement sur le thème de la présence du Christ dans le prochain. Il l'a fait dans un style au rythme parfait en latin, qui imprime cette vérité de façon inoubliable dans l'âme du lecteur et soutient ainsi dans sa fin contemplative celui qui accomplit cette œuvre de charité fraternelle dans le Christ.

45. *Matth.* 25, 36, 40 et 20, 28 ; PALLADE. *Histoire lausiaque*, ch. 26, PG 34, 1077 ; saint BASILE, *Règles brèves*, interrogation 160, *PG* 31, 1187 ; *Règle de saint Benoît*, ch. 36.

« Tous les services, même les plus privés, que l'un de nous n'a pas la possibilité ou la force de se rendre à soi-même, sont accomplis par d'autres avec humilité et dévouement, de sorte que celui-là s'estime heureux, à qui on aura commandé une telle action » (72, 1).

Guigues s'est inspiré ici en partie de la règle des solitaires de Grimlaïc [46] et en partie de Cassien [47], tout en donnant à sa pensée une rédaction personnelle.

« Quand les frères se rencontrent, ils se cèdent mutuellement le pas avec une joie amicale et une humble inclination de tête, et ils passent outre, en gardant le silence » (72, 2).

Ici encore, cette phrase est une adaptation très personnelle, à partir de plusieurs sources anciennes.

Vie de simplicité

Tous les textes principaux que nous venons de parcourir dessinent une vocation animée d'un profond idéal contemplatif, très fidèle à la solitude, et reposant sur les bases solides de toute vie religieuse. Au niveau de la réalisation concrète quotidienne, cette vie est marquée par la simplicité. Les tâches s'y répartissent humblement le long du jour, dans le recueillement, la prière et le travail. Quelques textes en donnent le schéma et en soulignent l'esprit :

Seules les Heures principales de l'Office sont chantées en commun à l'église : Matines suivies de Laudes dans la nuit, et les Vêpres le jour. (La Messe conventuelle n'était pas quotidienne au début de l'Ordre ; au temps de Guigues, il y avait environ 150 Messes conventuelles par an).

« L'Office divin, dans lequel nous nous trouvons très conformes aux autres moines, surtout dans la psalmodie régulière » (Prologue, 4).

« Au signal de la cloche, nous nous hâtons vers l'église...

46. Ch. 24.
47. *Institutions cénobitiques*, VII, 17, et X, 18, *SC* 109, pp. 319 et 413.

Nous commençons à psalmodier avec révérence pour Dieu » (29, 2).

La vie de prière en cellule

« L'espace de temps de Prime à Tierce en hiver, ou de Matines jusqu'à Prime en été, est consacré à des exercices spirituels... De Vêpres jusqu'à Complies, l'activité est consacrée à des exercices spirituels » (29, 3).

Le travail manuel et sa sanctification par des élans vers Dieu :

« De Tierce à Sexte en hiver, et de Prime à Tierce en été, le temps est député à des travaux manuels ; nous voulons toutefois que ces travaux soient coupés de brèves oraisons... L'espace qui sépare None de Vêpres est occupé par des travaux manuels. Et toujours, en travaillant, il est permis de recourir à de brèves prières, comme jaculatoires » (29, 3).

Cassien est ici la source première de Guigues [48]. Quant à l'expression de « prières jaculatoires » qui s'élancent vers Dieu comme des flèches, elle est due à saint Augustin expliquant comment priaient les Pères du désert [49].

Pour l'équilibre de la vie, il y a le dimanche une petite récréation commune :

« Après None, le dimanche, nous venons ensemble au cloître pour y parler de choses utiles... » (7, 9).

Enfin le sommeil lui-même est sauvegardé par de sages recommandations :

« Après la fin de Complies, nous ne différons jamais davantage pour nous coucher. Non seulement, en effet, il nous est conseillé, mais nous avons ordre de consacrer une grande application au sommeil, pendant les heures députées au repos, afin de pouvoir veiller plus allégrement le reste du temps. »

48. Id., *Ibid.* II, 10, *SC* 109, p. 77 ; *Conférence IX*, 36 et *Conférence X*, 10, *SC* 54, pp. 72 et 90.

49. *Epistola 130, ad Probam,* 10, n° 20, *PL* 33, 501.

« Après Complies, les convers vont au lit et ils s'efforcent de dormir, pour ne pas risquer d'être forcés de le faire quand ils devront veiller » (29, 4-5 et 43, 5).

Ces deux derniers textes ont leur source dans le Coutumier clunisien d'Ulrich de Cluny [50].

Au Prologue des *Coutumes*, Guigues avait souligné que, pour une vocation de ce genre, il y a un devoir de vivre dans l'humilité : « Nous savons convenir davantage à la vocation de notre humilité d'être enseignés que d'enseigner... » (Prologue, 3).

Vers la fin de son ouvrage, Guigues a cherché à rassembler dans un seul paragraphe, en une sorte d'adjuration adressée aux siens, les conditions essentielles qui lui paraissaient nécessaires à observer, avec la loi du petit nombre, pour que la vocation cartusienne puisse durer. L'application à l'humilité y tient la première place, l'amour en est le moteur et l'achèvement :

« Considérant ce que le désert même où nous habitons peut rapporter par l'agriculture et l'élevage des troupeaux, nous estimons pouvoir vivre ici le nombre d'hommes susdit (12 pères et 16 frères), pourvu toutefois que persiste la même application qui a existé jusqu'à présent pour l'humilité, la pauvreté, la sobriété dans le vivre, le vêtement et les autres objets à notre usage, pourvu enfin que progressent de jour en jour le détachement du monde et l'amour de Dieu pour lequel nous devons tout faire et tout supporter » (79, 3).

Telles sont les lignes principales de l'ouvrage qui allait être désormais le fondement sur lequel reposerait l'Ordre des Chartreux. Guigues allait l'envoyer en ces termes aux Maisons qui l'attendaient :

« Mes bien-aimés, vous avez ici nos Coutumes, telles qu'elles sont, et décrites comme nous l'avons pu, selon votre

50. *Consuetudines Cluniacenses*, I, 41, *PL* 149, 688.

demande ; il s'en trouve beaucoup qui sont petites et de peu d'importance : peut-être n'était-il pas opportun de les écrire, si votre affection, prête à ne rien juger, mais plutôt à tout embrasser, ne nous en avait fait une obligation » (80, 1).

9. **Équilibre et sagesse**

On pouvait lire en 1963, dans une recension concernant le volume de l'édition des *Lettres de saint Bruno et de Guigues*, récemment paru, l'appréciation que voici :

« Nous respirons pour ainsi dire l'esprit qui animait l'Ordre cartusien à son origine et qui continue à l'animer jusqu'à nos jours : un esprit de charité tranquille, de joie équilibrée, d'exigence sans réserve mais tempéré par la clémence, de ferveur et de sagesse monastique... [51] »

De même Bernard Bligny, dans une conférence au Congrès de l'Érémitisme en Occident, à la Mendola, en 1962 :

«... Le *propositum* original des Chartreux avait d'emblée trouvé son équilibre. Charisme ou non, cet équilibre est l'un des traits qui caractérisent le mieux la Chartreuse [52]. »

Les *Coutumes de Chartreuse* ne révèlent pas tout de suite, dans une lecture rapide, la profondeur de l'équilibre qui les caractérise. Certaines observances, par exemple les abstinences, apparaissent très sévères, selon nos critères modernes. Mais, quand on les compare avec les usages établis chez d'autres ermites de l'époque, on s'aperçoit qu'elles ont fait au contraire l'objet d'une modération délibérément voulue par rapport à ces derniers. Il en est de même en ce qui concerne la charge de certains offices, par exemple à l'égard des défunts. En travaillant longuement sur les *Coutumes de Chartreuse*,

51. *Ons Geestelijk Erf* (Revue de l'association Ruusbroec, Anvers), 1963, p. 232.

52. « *L'érémitisme et les Chartreux* », dans *L'Eremitismo in Occidente nei secoli XI-XII, Atti della seconda Settimana internazionale di studio,* Mendola, 30 août - 6 septembre 1961, Milan, 1965, p. 262.

sur leurs sources et sur les observances parallèles, on rencontre à tout instant chez Guigues des preuves remarquables de cet équilibre.

Il était très difficile, en empruntant des éléments à l'érémitisme et d'autres au cénobitisme, d'en tirer une synthèse équilibrée et durable. Ce qui caractérise la Chartreuse, c'est un certain dosage de ces moyens, la détermination entre eux d'une juste mesure raisonnable.

Guigues avait en lui l'étoffe d'un législateur sage. Il possédait, d'une part, une profonde connaissance et une assez longue pratique de la vie en solitude. D'autre part, devenu supérieur très jeune, il avait acquis dans sa charge de prieur une remarquable expérience de la nature humaine, de la psychologie de l'homme consacré à une vie toute de recueillement, comme le montre très bien le recueil de ses *Méditations*. Enfin, il avait une très grande charité fraternelle, lui qui mérita d'être appelé par les siens « le bon prieur [53] ».

Il a su voir que l'austérité de la solitude, très forte par elle-même, exige beaucoup de sagesse dans le choix des moyens pour pouvoir durer. Il avait à prendre position sur maints problèmes difficiles, et il le fit toujours avec sagesse. Si parfois nous le voyons s'émouvoir, nous apercevons en même temps qu'il le sait très bien lui-même et qu'il demeure maître de soi et de son émotion.

Ainsi maintes petites touches de sagesse ont-elles contribué à tisser dans les *Coutumes* ce qui devait assurer la stabilité de l'Ordre cartusien à travers les âges. A la grandeur et à la beauté de l'idéal spirituel, Guigues a su joindre une remarquable leçon de sagesse humaine.

Guigues put de la sorte aider la solitude contemplative de Chartreuse à être ce qu'avait souhaité saint Bruno, « une école de la divine sagesse [54] », à garder « la rigueur d'une observance

53. Jean PICARD, *Saint Antelme de Chignin, Vie par son chapelain*, édition critique, Belley, 1978, p. 8.

54. *Lettre de saint Bruno à Raoul le Verd*, 10, *SC* 88, p. 75.

raisonnable », dont avait parlé saint Bruno dans sa Lettre à ses fils [55]. Et, si saint Bruno avait été un homme à la vie toujours équilibrée – « c'était là sa spécialité [56] » –, Guigues a contribué à former les Chartreux sur ce point à l'image de leur fondateur.

Vers le milieu du XIIe siècle, un jeune homme, originaire de la vallée de l'Isère, vint visiter la Chartreuse. Son biographe devait raconter plus tard comment fut conquis à la vie cartusienne celui qui, un peu plus tard, profès de Chartreuse, allait être un jour prieur de la première Chartreuse d'Angleterre, puis un grand évêque et un saint : saint Hugues de Lincoln († 1200). Nous avons là une excellente description des traits essentiels de l'équilibre cartusien dont Guigues avait écrit les lois :

« Comment il visita la Chartreuse et, l'ayant vue, l'aima. Il regardait attentivement : il remarquait dans les habitants de ce lieu la mortification de la chair, la sérénité du jugement, la liberté de l'esprit, la gaieté du visage, la pureté des entretiens. Leurs règles recommandaient la solitude, mais non la singularité. Leurs cellules les séparaient, mais leurs esprits étaient unis. Chacun habitait seul à part, mais n'avait rien en propre et ne faisait rien dans l'indépendance : tous séparés, mais chacun appartenant à la communauté. Chacun d'entre eux demeurait à part pour que les autres ne lui soient pas un obstacle, mais il vivait au sein d'une communauté pour ne pas être privé du secours fraternel. Tout cela plaisait à Hugues, ainsi que bien d'autres détails qu'il remarquait aussi, comme le rempart très sûr de l'obéissance, qui manque souvent chez de nombreux solitaires, exposés par là à d'extrêmes dangers. Tout cela ravissait Hugues et le captivait entièrement, l'emportant comme hors de lui-même... [57] »

55. *Lettre de saint Bruno à ses fils chartreux*, 1, *SC* 88, p. 83.

56. *Titre funèbre* des ermites de Calabre, *Annales Ordinis Cartusiensis* I, 136.

57. *Magna Vita Sancti Hugonis*, édition critique par Decima L. DOUIE et Dom Hugh FARMER, o.s.b., Londres, 1961, 1.I, ch. 7, pp. 22-23.

10. **Sobriété spirituelle**

Toutes les observances sont décrites dans les *Coutumes* avec une extrême brièveté. On ne saurait être plus laconique. Il en résulte pour l'ensemble de l'œuvre une impression de dépouillement. S'il n'y avait en cela qu'une particularité de style propre à l'auteur, ce n'est pas ici qu'il conviendrait d'en parler. Mais sous cette présentation si concise, on pressent confusément qu'il y a autre chose : il s'y révèle une certaine harmonie avec le dépouillement requis par la vie en solitude.

Pour comprendre ce qui s'exprime ici en silence, il faut dire quelques mots d'un terme et d'une notion chère à Guigues : la sobriété.

Voulant exprimer comment les faibles ressources économiques du désert de Chartreuse ne permettent pas aux solitaires de recevoir et de nourrir les montures de leurs hôtes, Guigues dit que cela est le fait d'une « sobre discrétion » (19, 1). Puis, s'étendant un peu sur cette question, il montre qu'il y a là, au-delà des exigences de la pauvreté matérielle, une autre requête : celle de la réserve que doivent garder les solitaires à l'égard des contacts avec le monde, en raison de leur *propositum* érémitique.

Ailleurs, résumant les principes de gestion économique de la communauté de Chartreuse, il rappelle que de médiocres ressources suffiront, si persiste l'application à la sobriété en tout, ainsi que la réserve à l'égard du monde et l'amour de Dieu.

Mais le sens ultime de la sobriété pour Guigues nous a été livré dans ses *Méditations*, quand il parle du Christ : « A l'égard du monde, l'âme du Christ a usé d'une telle sobriété que le Fils de l'homme n'a pas eu où reposer sa tête [58]. »

C'est à ce niveau large et profond qu'il faut situer la notion de sobriété et son rôle dans l'édifice de la vie cartusienne : une

58. *Méditations*, 475, *SC* 308, p. 305.

réserve à l'égard du monde, en harmonie avec le dépouillement matériel et spirituel qui convient à la vie solitaire, et enracinée dans l'exemple du Christ.

Si le style de Guigues dans les *Coutumes* avait comporté des longueurs, des bavardages, des digressions inutiles, les observances auraient été avec le temps bien plus vulnérables à des changements. Mais l'extrême dépouillement de ces notations, qu'il ne serait pas possible d'énoncer de façon plus brève, la simplicité, la droite franchise du détail concret, leur ont conféré une plus grande stabilité. Le texte de Guigues n'a pas vieilli avec le temps, comme il serait advenu s'il avait été prolixe. Voici un seul exemple parmi des dizaines d'autres. Guigues écrit : « Le Prieur de Chartreuse ne sort pas des limites du désert » (15, 4). Si des raisonnements justificatifs avaient enveloppé et accompagné ce précepte, il s'y serait dilué et la fidélité à ce point de règle serait bientôt tombée, comme il advint rapidement à Grandmont, où le législateur formula vers 1150 le même précepte pour le Prieur de Grandmont, en assortissant cette règle de divers considérants qui l'affaiblissaient au lieu de la soutenir. Mais aujourd'hui comme il y a neuf siècles : « Le Prieur de Chartreuse ne sort pas des limites de son désert [59] », et c'est un exemple pour la garde de la solitude par tous les siens.

Bien d'autres textes ont maintenu leur force grâce à leur extrême brièveté, exprimée de façon simple et concrète. Au-dessus de la lettre, la sobriété, au sens où nous l'avons vue s'exprimer, a été un puissant facteur de la stabilité de la Chartreuse au cours des siècles.

De tout le texte des *Coutumes de Chartreuse* se dégage une harmonie entre la vocation du désert et la sobriété délibérément voulue en tout par les premiers Chartreux et par Guigues.

59. *Statuts de l'Ordre cartusien*, 6,1.

11. La liturgie cartusienne

La liturgie, dont Guigues traite en premier lieu dans les *Coutumes*, comme étant la partie la plus digne, occupe plus du quart de l'ouvrage. Cette liturgie cartusienne présente des traits caractéristiques en liaison avec la vocation elle-même. Il convient d'en parler un peu.

Si nous traitons ici cette question, tout de suite après avoir parlé de la sobriété spirituelle, c'est parce que la liturgie cartusienne est le plus remarquable et le plus profond témoignage de cette sobriété. Elle en constitue un exemple de choix.

A cette époque, chaque diocèse, chaque groupe monastique se constituait une liturgie à sa guise, faite le plus souvent d'emprunts. Les nouvelles fondations monastiques des XIe et XIIe siècles se distinguèrent en ce domaine par un retour à la simplicité, en face de la liturgie de Cluny, devenue très lourde. Mais les Chartreux allèrent plus loin encore en cette voie que tous les autres moines de leur époque.

Le chercheur est frappé à tout moment par la simplicité voulue de cette liturgie cartusienne ; cela se manifeste sur tous les points. La manière dont se firent les choix des Chartreux est révélatrice. En voici les traits principaux.

Réduction du calendrier des fêtes. Le Chapitre n'est pas quotidien mais, comme il convient à des solitaires, il a lieu seulement le dimanche et aux plus grandes fêtes.

Suppression de certains éléments populaires, tels que le récit dramatique de la Passion par plusieurs clercs, suppression du sépulcre du Jeudi-Saint et de ses processions, de la sonnerie des cloches au Gloria du Jeudi-Saint et à la Messe vigiliaire de Pâques, de toutes les processions. Suppression de toutes les additions à l'Office, dont la liturgie surchargée de Cluny offrait alors le type.

Réduction de l'Antiphonaire à un nombre beaucoup plus restreint de mélodies, suppression des textes non scripturaires, car la préférence est toujours donnée à la parole de Dieu, choix des textes les plus simples, déjà reçus par la tradition. A ce propos, Guigues nous a fait connaître lui-même les motifs profonds de tout ce travail, dans la Préface qu'il a placée en tête de l'Antiphonaire revu par lui : « La gravité de l'institution érémitique ne permet pas de consacrer de longs espaces de temps à l'étude du chant... Aussi, pour cette cause, nous avons pensé devoir retrancher de l'antiphonaire ou abréger plusieurs pièces : à savoir, celles qui étaient superflues ou mal composées, interposées ou ajoutées, de médiocre ou de nulle autorité, etc. Nous avons fait ce travail en présence de notre très Révérend et cher Père, le seigneur Hugues, évêque de Grenoble [60]. »

De même, dans le Graduel, les textes sont traditionnels, mais le répertoire très simplifié. Par ces diverses mesures, on visait à rendre plus facile l'exécution d'un répertoire liturgique moins étendu.

Le lectionnaire de Matines fut entièrement composé par les Chartreux à leur usage, avec retour aux grands docteurs plus que dans le Lectionnaire de Paul Diacre, alors partout répandu.

Les Chartreux ont aussi réduit beaucoup ce qui pouvait trop agir sur les sens et l'imagination, en diminuant le luminaire liturgique, les encensements, les tapis, les tentures, les lumières, en supprimant entièrement les instruments de musique, en n'admettant pas l'or et l'argent dans les ornements ou ustensiles liturgiques, à l'exception du calice et du chalumeau avec lequel on communiait au Précieux Sang ; en simplifiant les fonctions liturgiques : v.g. le célébrant seul à l'autel, même aux plus grandes solennités.

Les mêmes constatations s'affirment lorsqu'on examine le rituel canonial de Saint-Ruf, auquel les Chartreux ont fait de nombreux emprunts, par l'intermédiaire des deux anciens chanoines de Saint-Ruf qui furent des six premiers compagnons de saint Bruno. Tel que ce rituel se présentait à la fin du

60. Archives municipales de Loches, ms. n° 3 (antiphonaire du XIVe s., provenant de la Chartreuse du Liget), folio 9.

XIe siècle, il avait un extrême intérêt : constitué en toute indépendance des liturgies monastiques, il n'avait pas encore été contaminé par les surcharges de celles-ci à cette époque ; héritier de la règle canoniale d'Aix-la-Chapelle de 816-817, il se rattachait à la liturgie que Charlemagne avait fait venir de Rome au temps du Pape Adrien Ier (772-795) pour l'introduire dans son royaume. On y perçoit mieux que dans les coutumiers monastiques le fond vieux-romain primitif. De ce rituel les Chartreux eurent soin de retrancher les éléments propres aux chanoines. Ils intégrèrent les emprunts retenus dans une liturgie spécifiquement monastique (le nombre des leçons fut fixé à douze au lieu de neuf pour les fêtes). Mais, tout en se servant de la liturgie de Saint-Ruf, ils l'ont simplifiée aussi ; par exemple, suivant pas à pas le cérémonial ruffien de la sépulture, ils en ont réduit le nombre des oraisons. Pour le cérémonial de la profession, là où moines et chanoines disaient plusieurs oraisons, les Chartreux n'en retinrent qu'une, choisie pour la qualité et la richesse de son texte.

Plus remarquable encore : les Chartreux ont connu les règlements et usages de saint Pierre Damien à Font-Avellane et des premiers Camaldules. Mais même là aussi, ils simplifièrent par rapport aux pratiques de ces ermites.

Quand on étudie de près cette liturgie des Chartreux et ses sources, on a l'évidence que tout le travail d'élaboration du rit cartusien a été conduit avec la plus grande attention, portant sur de nombreux détails dans tout le domaine de la liturgie, mais sans jamais perdre de vue le dessein d'un ensemble équilibré et cohérent à réaliser. Tout cela fut fait avec une véritable maîtrise.

Grâce à cette recherche attentive de la sobriété en ce domaine, les Chartreux se constituèrent une liturgie très bien accordée aux possibilités modestes d'un petit groupe de solitaires et au respect de la prépondérance de la solitude dans leur vie, mais en même temps parfaitement structurée et très riche en raison de la sagesse des choix librement exercés par eux sur l'ensemble considérable dont ils eurent une connaissance approfondie. L'édifice est solide et se présente comme un condensé de ce qu'il y avait de plus sûr et de plus essentiel. Ainsi construite, cette liturgie a pu être sans altération notable depuis près de neuf siècles le support spirituel qui convenait pour la prière des ermites chartreux.

12. Le site de Chartreuse

Si remarquables qu'aient été la profondeur spirituelle et la valeur humaine du fondateur de l'Ordre, saint Bruno, et du législateur, Guigues, ainsi que le génie organisateur de ce dernier, ils n'auraient pas réussi à assurer les bases d'une institution aussi typique, aussi durable et stable que l'a été l'Ordre des Chartreux, s'il n'y avait pas eu le site de Chartreuse. La fondation cartusienne aurait tôt ou tard évolué avec le temps vers une forme de vie cénobitique comme tant d'autres fondations érémitiques.

Dans la première charte de donation de Chartreuse, Humbert de Miribel s'exprimait ainsi : « A Maître Bruno et aux frères qui sont venus avec lui, cherchant une solitude pour y habiter afin d'y vaquer à Dieu, à eux et à leurs successeurs, nous concédons un vaste désert (*spaciosam heremum*) en possession éternelle... [61] »

Il faut se représenter une vallée très étroite, aux pentes escarpées dominées elles-mêmes en bonne partie par des falaises verticales. L'entrée est si resserrée entre deux murailles de rochers à pic, qu'elle se réduit à quelques mètres ; à côté du torrent, il n'y a place que pour un sentier qui sera barré par une porte : la « porte de l'enclos ».

Les *Coutumes de Chartreuse* sont inscrites dans ce cadre et cette situation précise. Maints textes de ces coutumes y font allusion : Guigues parle du caractère inaccessible de cette

61. Bernard BLIGNY, *Recueil des plus anciens Actes de la Grande Chartreuse (1086-1196)*, Grenoble, 1958, Acte I, p. 3.

vallée, de la pauvreté de ses ressources, de l'âpreté terrible de son climat... Les *Coutumes* n'auraient pas été ce qu'elles sont et n'auraient pas joué le rôle qu'elles ont joué dans la destinée de l'Ordre cartusien, si elles ne s'étaient appuyées comme elles le furent sur les caractéristiques naturelles imposées par ce site.

La vie des moines du cloître et celle des frères convers allaient en recevoir plusieurs de leurs traits spécifiques. L'érémitisme fut protégé à un degré exceptionnel par la nature et la disposition des lieux.

La vallée de Chartreuse, orientée nord-sud, se termine au nord par une petite plate-forme en cul-de-sac bordée de hautes murailles de rochers ou de pentes très raides. Là se trouvait le monastère primitif, à 1195 mètres d'altitude, avec ses ermitages individuels autour d'une galerie commune. Chaque moine vit dans la solitude de sa cellule, dont il ne sort que pour quelques offices. Cette première solitude protectrice du moine – la cellule – est elle-même protégée par la solitude du monastère, fermé par une porte. Le monastère lui-même est au sein d'une troisième solitude, celle de la vallée entière – le désert. Le portier du désert, qui garde la porte de l'enclos (à 780 mètres d'altitude) se trouve à 4 km 500 du monastère. Ainsi le moine voit-il sa solitude préservée par un triple rempart : celui de sa cellule, celui du monastère, celui de cette longue vallée fermée. En toute vérité, ce moine était ainsi plus solitaire qu'un ermite dans une quelconque forêt accessible du dehors.

Il est un point au sujet duquel le désert de Chartreuse a eu un rôle capital : c'est le maintien du petit nombre de la communauté des ermites. En effet, les ressources du désert étaient très modiques et n'autorisaient qu'un nombre strictement limité de religieux. Ainsi l'exigence spirituelle du petit nombre pour la sauvegarde d'une bonne vie solitaire se trouvait-elle soutenue par l'impératif d'une exigence matérielle qui, de surcroît, évitait la charge dissipante d'une trop lourde administration temporelle. Les trois piliers de la persévérance de l'érémitisme cartusien, petit nombre, horreur des sorties et des quêtes, pauvreté du désert, se prêtaient mutuellement appui.

Les premiers Chartreux en eurent pleinement conscience, et ils en firent l'objet d'une grave décision prise collectivement dans les *Coutumes* :

« Le nombre des habitants de cet ermitage est fixé de façon précise à treize pour les moines... Quant au nombre des laïcs, que nous appelons convers, il est statutairement de seize... Or nous avons choisi ce petit nombre pour le même motif qui nous a conduits à ne pas assurer le soin des montures de nos hôtes et à ne pas avoir de maison pour la distribution des aumônes : à savoir pour que des dépenses excédant les ressources de ce lieu ne nous contraignent pas à commencer à quêter et à vagabonder, ce que nous avons en horreur. »

« Et dans le cas où ceux qui viendront après nous, en raison de circonstances que nous ignorons, ne pourraient plus assurer en ce lieu le nécessaire pour ce nombre de religieux pourtant si petit sans les charges odieuses de la quête et des sorties, s'ils veulent acquiescer à nos conseils, ils réduiront ce nombre à un chiffre tel, qu'ils puissent en soutenir le poids sans les périls susdits. Car nous qui demeurons maintenant ici, bien que nous soyons peu, nous aimerions mieux être beaucoup moins nombreux que d'en venir à de tels maux en gardant ou augmentant notre nombre [62]. »

Le ton de cette déclaration, son caractère collectif où s'engage toute la communauté et la place qu'elle occupe mettent en relief son importance. Il est naturel qu'à la fin de ce travail des *Coutumes* les Chartreux aient voulu faire connaître à leurs successeurs ce qui leur paraissait le plus essentiel pour le maintien de l'observance contenue dans ce code monastique. Là doit se trouver quelque chose de l'esprit propre à la vocation envisagée, un point fondamental.

Pierre le Vénérable avait très bien vu cela et en fut si frappé

62. *Consuetudines Cartusiae*, 78, 1-2 et 79, 1-2. L'horreur des sorties et des quêtes avait déjà été exprimée en 19,2.

qu'il fit de la limitation du nombre le point central de son exposé sur la vie cartusienne. Il voyait dans ces dispositions ce qui distinguait les Chartreux des autres « adeptes de la vie monastique [63] » : un fait caractéristique en ce siècle où surabondaient les vocations.

D'autres Chartreuses se fondèrent, dont la plupart ne connurent pas les avantages exceptionnels du site de Chartreuse pour la garde d'une vocation solitaire. Quelques-unes seulement des premières fondations occupèrent des sites comparables à celui de Chartreuse, avec une porte naturelle. Mais les observances conditionnées et modelées par le désert cartusien passèrent grâce à Guigues dans les textes des *Coutumes*, avec l'esprit qui leur était intimement uni. Cela anima désormais les Statuts cartusiens comme une présence, comme un terme de référence, souvent explicite, au moins implicite. Par l'œuvre de Guigues, le site de Chartreuse est toujours demeuré comme un point d'appui pour l'authenticité de la vie cartusienne, quel que soit le lieu où elle serait vécue au cours des siècles.

La grâce et le génie de Guigues ont été de faire passer dans les mots des *Coutumes de Chartreuse* l'idéal contemplatif sous la forme précise qui le caractérisait dans les montagnes de Chartreuse, et d'avoir su si bien le formuler que cet idéal pourrait se maintenir jusque dans les âmes des Chartreux qui ne connaîtraient pas le même désert, mais seraient appelés à vivre sous d'autres cieux et en d'autres temps. Telle fut la portée spirituelle des *Coutumes de Chartreuse*, que par elles d'autres pourraient trouver, connaître, aimer et vivre ce que Bruno, Guigues et leurs compagnons ont trouvé, connu, aimé et vécu au désert de Chartreuse.

13. **Les frères convers**

La vocation des frères convers a pris naissance de façon très humble, petit à petit, en des endroits divers, au cours du XIe

63. *De Miraculis*, II, 28, *PL* 189, 944.

siècle. C'est une histoire dont il est très intéressant de suivre les premiers pas, mais cette étude n'appartient pas à notre sujet. Au XIIe siècle, tous les Ordres nouveaux eurent des convers. Les historiens n'ont guère porté leurs recherches sur cette forme de vie religieuse. Les convers dont le statut fut le plus typique sont les convers chartreux et les convers cisterciens. Chez les moines noirs, ils se développèrent fort peu en France, davantage en Allemagne à la suite des initiatives de l'abbaye d'Hirschau.

En nommant les frères chartreux et cisterciens, on les a souvent confondus, comme s'ils étaient identiques. Certes, en tant que consacrés à Dieu dans une vie d'humbles tâches matérielles, ils ont poursuivi les uns et les autres un même idéal spirituel. Mais dans la réalisation pratique, leurs genres de vie furent profondément différents.

Chez les Chartreux, deux convers se trouvaient déjà parmi les six premiers compagnons de saint Bruno, qui entrèrent avec lui dans la vallée de Chartreuse, au mois de juin 1084, ayant tous un même désir de trouver un lieu propre à la vie érémitique.

Chez les Cisterciens, qui furent fondés en 1098, la première mention des convers apparaît seulement une vingtaine d'années plus tard et se trouve dans l'*Exordium parvum* ; on y voit que la décision d'avoir des convers fut prise par les Cisterciens postérieurement aux débuts de Cîteaux. Bientôt les convers cisterciens furent très nombreux, parfois des centaines pour une seule abbaye, et ils assurèrent l'exploitation de très grands domaines. Chez les Chartreux, le nombre des convers demeura toujours limité par la « loi du petit nombre », même là où il y eut des domaines étendus ; l'exploitation de ces domaines n'eut pas d'incidence sur le nombre des convers.

La vie des frères convers reçut en Chartreuse des traits particuliers et spécifiques en raison de leur vocation propre et de la configuration du désert. Eux aussi, en effet, aspiraient à garder la solitude à laquelle Dieu les avait appelés ; mais ils devaient être en même temps un rempart de protection pour la solitude plus stricte des pères, et cela demeure depuis des siècles un élément essentiel de leur vocation. La vallée de Chartreuse permit la conciliation et la réalisation pratique de ces exigences. Ailleurs, chez les cénobites, par exemple chez les moines noirs à Hirschau, les convers vécurent dans un bâtiment extérieur au monastère ; chez les Cisterciens, dans des granges, parfois assez loin de l'abbaye, et qui pouvaient même être séparées de celle-ci par des habitations et des domaines séculiers ; aucun religieux de chœur ne pouvait vivre avec eux.

En Chartreuse, les convers eurent aussi un monastère distinct de celui des pères, mais dans l'enceinte du désert inhabité. Ce monastère, appelé maison-inférieure en raison de son altitude de 850 mètres, plus basse que celle du monastère des pères ou maison-haute, se trouvait à 3 km 300 de ce dernier. Mais il était encore en plein cœur du désert – cela est capital à noter –, à 1 km 200 de la porte de l'enclos. Dans ce monastère, les frères eurent des cellules individuelles ; en particulier, ils prirent leurs repas solitaires dans leurs cellules, comme les pères. La plupart des frères eurent des obédiences dans leur monastère ; deux d'entre eux seulement sur seize furent affectés à l'exploitation du domaine, et un aux courses nécessaires à l'extérieur du désert. Les frères eurent donc eux aussi une solitude très bien protégée, et le site de Chartreuse joua pour eux, comme pour les pères, un rôle déterminant dans le maintien de leur érémitisme.

Grâce à cette disposition, les convers purent jouir, pour leur vie spirituelle, d'avantages exceptionnels qu'il eût été difficile autrement d'offrir pour eux à ce degré. Puisqu'ils étaient à l'intérieur du désert, un père put vivre en permanence parmi eux, dans une cellule de leur monastère, le père procureur, qui leur assurait service spirituel et offices. Bien plus, le prieur lui-même, supérieur des deux communautés, d'en-haut et d'en-bas, passait avec eux une semaine sur cinq. Enfin, dès le début, grâce à cette configuration du désert et à ces traits bien nets de la vie des convers, les *Coutumes de Chartreuse* purent réserver à la vie de ces frères une législation beaucoup plus élaborée et précise que celle des convers d'autres Ordres monastiques à cette époque ; dès le début aussi, ils furent les seuls parmi les convers du temps à faire les mêmes vœux que les religieux de chœur. Les textes concernant les frères convers constituent le quart des *Coutumes de Chartreuse*, et cela est unique à l'époque.

Les frères qui, de plus, montaient le samedi après-midi à la maison-haute pour suivre les offices du dimanche, eurent avec les pères une union spirituelle très intime. Déjà saint Bruno considérait les frères comme un élément fondamental de la communauté cartusienne, une donnée spirituelle faisant partie intégrante de l'âme de la Chartreuse, comme en témoigne le texte qu'il leur adressa dans sa *Lettre à ses fils chartreux* [64].

Ainsi fut vécu, dès l'institution de l'Ordre cartusien, le soutien spirituel mutuel des frères pour les pères et des pères pour les frères, dans l'unité de leur vocation commune et la diversité de leurs services, soutien qui fut toujours et demeure une composante fondamentale de la famille cartusienne. Chacune des deux formes de la vie des Chartreux est un appui pour l'autre forme.

La vallée du désert de Chartreuse permit, grâce à sa solitude unique, l'organisation de cet ensemble qui concourait à procurer au moine de chœur dans sa cellule, au frère convers dans sa cellule et son obédience de travail, la disponibilité nécessaire à la contemplation, à la réalisation d'une union intime avec Dieu, dans la séparation de tout ce qui peut distraire de lui.

L'organisation décrite dans les *Coutumes*, et dont nous venons de noter les traits principaux, a évolué avec le temps, car dans bien des Chartreuses, on n'avait pas le bénéfice exceptionnel d'un site naturel aussi solitaire, vaste et clos que celui de la Grande Chartreuse. Aussi, pour maintenir l'élément de solitude essentiel à la vie des frères, on en vint peu à peu à

64. *Lettre de saint Bruno à ses fils chartreux*, 3, *SC* 88, p. 85.

les faire vivre au monastère des pères ; cette évolution fut achevée au XVIIe siècle. Le changement est moins profond qu'il ne paraît à première vue : la communauté des frères vint se placer à côté de celle des moines de chœur, sans se confondre avec celle-ci, et conserva les traits fondamentaux de la vocation des frères chartreux : demeurer un rempart de protection pour la garde de la cellule par les pères, tout en procurant aux convers une solitude préservée.

14. Composition des *Coutumes de Chartreuse*. Style et langue de Guigues

A en juger par les premiers mots du Prologue des *Coutumes* et par les derniers mots de la conclusion, il s'agit d'une lettre écrite par Guigues à quelques prieurs des nouvelles fondations cartusiennes. De fait, cela est vrai en un sens : les *Coutumes* sont bien une réponse à une demande venant de ces prieurs.

Mais la ressemblance avec une lettre se limite à ces quelques mots du début et de la fin. Comme il était fréquent à cette époque, la lettre n'est qu'une fiction conventionnelle pour mettre tout un traité sous son couvert. Rien, dans tout le corps de l'ouvrage, ne rappelle le genre littéraire d'une lettre.

Si l'on considère l'ouvrage dans son ensemble, on y distingue :

– un prologue,
– trois parties : la liturgie, la vie des pères, la vie des frères,
– une conclusion.

Mais à l'intérieur de cette apparence quelque peu ordonnée, on ne trouve aucun plan, aucun souci de composition régulière, d'une bonne présentation. C'est au contraire par moments un véritable désordre. Il y a là un défaut certain, voulu ou non. Les phrases sont souvent juxtaposées sans aucun lien entre elles. Sous ce rapport, on retrouve ici le Guigues des *Méditations*, qui faisait se suivre sans ordre des éléments disparates et brefs.

Pourtant Guigues était capable de compositions bien faites : ses *Méditations* s'achevaient par un exposé construit de façon magistrale, transcendant la masse informe des pensées, et traitant d'un sujet de haute valeur, qui pouvait être comme l'âme de tout ce qui avait été dit auparavant.

De même dans les *Coutumes*, avec une similitude frappante, l'œuvre mal composée s'achève en un chapitre parfaitement ordonné et construit, où Guigues parle de l'âme de la vocation cartusienne, en un éloge de la vie solitaire qui est un sommet de la pensée et de la littérature monastiques dans ce domaine.

Le manque de plan, la sécheresse de bien des prescriptions, la mosaïque disparate de coutumes de toutes sortes ainsi juxtaposées sans lien, donnent à l'ensemble de l'œuvre un caractère un peu abrupt. En outre la langue de ce Moyen Age est bien loin des périodes d'un beau latin classique. Mais ces défauts sont compensés par les éclairs profonds qui traversent toute l'œuvre, comme nous l'avons vu, et lui assurent, dans l'ordre de l'esprit, une unité puissante. Guigues a tellement réfléchi sur les points essentiels de la vocation cartusienne que l'on sent cette donnée présente à l'intérieur de toutes les observances.

Guigues se retrouve lui-même, avec ses qualités personnelles, dans les petits tableaux de détail, soigneusement ciselés, avec des réussites de style parfois remarquables. Là, il est de nouveau à l'aise et on retrouve le Guigues des *Pensées* ; c'est son domaine, il y excelle, il y reprend le genre littéraire que spontanément il préfère. On s'émerveille alors devant des formules lapidaires, où se jouent la profondeur de la pensée et le rythme intérieur de certaines phrases, avec la sobriété franche et l'étonnante sûreté de l'expression, avec l'art de dire tout le nécessaire dans les mots qu'il faut, sans en ajouter un seul de trop.

Faute d'une attention suffisante à un plan, Guigues perd donc par moments la vue d'ensemble de son œuvre, mais de temps à autre, saisi par telle ou telle idée importante, il la pousse à fond, se laisse captiver par le soin de la phrase qui l'exprimera et ne pense plus au reste de l'exposé, tout en le dominant et l'informant.

Guigues cherche toujours à exprimer sa pensée avec la plus grande exactitude. C'est une caractéristique fondamentale de son tempérament. D'où le soin apporté à trouver juste le mot qui convient, à nuancer même ce mot quand il le faut. Dans ce dessein, il fait appel à toutes les ressources du langage. Quelques exemples mettront ces points en lumière.

On trouve dans les *Coutumes* les trois verbes *consuescere, assuescere, insuescere* : le dictionnaire consulté donne à ces trois mots le même sens : « s'accoutumer », sans différence de nuances. Mais Guigues, plus précis, les emploie à propos, chacun avec une nuance différente :

consuescere (on rencontre ce mot plusieurs fois dans les *Coutumes*) : ce mot est appliqué par Guigues à des coutumes déjà établies, *avec* lesquelles on vit, d'où le préfixe *cum* — « avec » : *con*suescere.

assuescere (46, 4) : les habitants du village ne doivent pas prendre l'habitude de venir nous déranger le dimanche ; cette coutume n'existe pas et ne doit pas s'établir ; ils ne doivent pas *marcher vers* cette habitude, d'où le préfixe *ad* : *as*suescere.

insuescere (31, 1) : le Chartreux doit aimer la cellule ; s'il prend l'habitude d'en sortir, s'il s'établit *à l'intérieur* de cette mauvaise coutume, *dans* cette habitude, la cellule lui deviendra vite odieuse ; d'où le préfixe *in : in*suescere.

Guigues a donc une prédilection pour les préfixes ; il joue volontiers avec eux : ceux-ci donnent plus de précision et de force à ce qu'il veut dire. Il use ainsi à bon escient de mots qui nous paraissent à première vue rigoureusement synonymes, mais qui ne le sont pas pour lui ; l'examen attentif de son texte révèle qu'entre ces mots semblables il y a des nuances, non point pour l'agrément d'une variété littéraire dans le style, mais toujours pour une signification très précise qu'il lui paraît utile d'exprimer. Pour fournir des exemples, on trouve ainsi : *legere* et *perlegere* — *aspergere*, *spargere* et *dispergere* — *scri-*

bere, conscribere, transcribere – *venire, convenire* et *pervenire* – *sequi* et *assequi* – *fugere, aufugere, effugere* – *portare* et *deportare* – *poscere* et *exposcere* – *raro* et *perraro* – *orare* et *exorare* – *osculari* et *exosculari* – *transire* et *pertransire* – *horrere* et *abhorrere* – *anteferre* et *praeferre*...

Notre traduction s'efforcera de rendre toutes ces nuances secrètes, puisqu'elles ont été sans aucun doute délibérément voulues par l'auteur dans ces mots choisis chacun avec tant de soin. Mais c'est une tâche difficile : en français, une suite inélégante de plusieurs mots est nécessaire là où un seul mot d'une concentration admirable suffit au génie du latin.

Dans ce recueil, pourtant si bref, on trouve toute une série de préfixes combinés avec *mittere* : *ad*mittere, *com*mittere, *di*mittere, *e*mittere, *inter*mittere, *intro*mittere, omittere, *per*mittere, *prae*mittere, *pro*mittere, *trans*mittere, onze préfixes pour un seul verbe... Parfois, plus rarement, on ne peut distinguer le pourquoi des nuances employées ; ainsi on a toute la gamme : *cantare, decantare, canere, concinere.* Il est intéressant de remarquer que Bruno aimait jouer avec les adjectifs, tandis que Guigues est un virtuose de l'usage des verbes.

Notons encore quelques détails : quand il le faut, Guigues se sert de *resalutare* au lieu de *salutare.* Le frère qui ne sait pas écrire et doit signer d'une croix sa profession va dessiner cette croix : *depingere* ; c'est le mot juste. Le jour du Mercredi des Cendres, pour décrire le rite de l'imposition des cendres à chacun, Guigues a cette belle formule : tous les reçoivent en partage *(participant).*

Quand l'exécution d'une prescription ne dépend pas uniquement du bon vouloir de l'exécutant, Guigues ne dit pas : « Il faut faire ceci », mais « on s'efforcera de faire ceci », v.g. : *signi finem praevenire satagunt,* et *ut dormiant satagunt,* etc. Pour nuancer des affirmations qui ne seraient pas suffisamment exactes à son goût, Guigues fait appel fréquemment au mot *pene* (13 fois). Dans le même ordre d'idées, il dispose à l'occasion d'une série de diminutifs dont certains sont pittoresques : *plusculum, quantulus, tantillus, grandiusculus, parvu-*

lus, sacculus ; sur ce dernier point, la familiarité de Guigues avec saint Jérôme pourrait l'avoir inspiré.

Il est rare de voir un auteur prendre autant de soin que Guigues dans le choix de ses mots. Quand on a la bonne fortune de pouvoir le saisir à partir de l'une de ses sources, et de voir comment il a élaboré, depuis la formule banale du texte-source, la concentration dont il a tiré une belle formule lapidaire, on demeure dans l'admiration.

Les *Consuetudines Cartusiae* ont une étendue de 12082 mots, et leur vocabulaire comprend 1907 mots différents, soit 15,8 % de l'ensemble. En comparant avec d'autres écrits du même genre, on trouve toujours en faveur de Guigues une nette prédominance dans la richesse et la variété du vocabulaire ; cela est certainement dû à son attention soutenue pour le choix du mot propre.

Le style de Guigues en reçoit une tonalité vigoureuse, à l'image de sa pensée. Cela procure au lecteur des *Coutumes*, surtout quand on les lit en latin, la rencontre de mots imprévus, très bien choisis, riches de saveur. En même temps, tout est dit avec une simplicité franche et droite.

D'où la perfection de certains textes, par exemple, le commentaire sur Marthe et Marie, la garde de la cellule, l'éloge de la vie solitaire.

Il faut enfin noter que, dans l'art du raccourci, de l'économie des mots, Guigues est seul en son siècle, comme on le remarque déjà à un degré exceptionnel dans ses *Méditations*. Il doit à cette caractéristique la modernité de son style, qui n'a pas vieilli comme tant de pages si prolixes et pleines de redondances d'autres auteurs du XIIe siècle. Les textes des *Coutumes* qui se trouvent encore aujourd'hui dans les Statuts cartusiens rendent un son très actuel, soit pour la valeur de leur contenu, transcendant toute époque, soit grâce à la sobriété de leur style.

Traduire l'œuvre d'un tel maître du mot latin sans le trahir est une entreprise difficile. La construction de la phrase de Guigues appartient au latin du Moyen Age et il a quelques mots de bas-latin. Cela peut tromper le traducteur qui pensera devoir employer de préférence un dictionnaire de latin chrétien avec un glossaire de bas-latin. De fait, ces ouvrages lui seront très utiles. Mais il s'aperçoit vite que bien des mots et maints passages, à tous moments, ne peuvent être traduits qu'en faisant appel à un bon dictionnaire de latin classique. Après de longues années de familiarité avec Guigues, on demeure confondu devant la vivacité de son intelligence et la remarquable valeur de sa culture classique.

15. **La première approbation pontificale des *Coutumes de Chartreuse***

Déjà quelques Souverains Pontifes, depuis Urbain II, l'ami de saint Bruno, avaient approuvé le genre de vie établi par ce dernier et en avaient souhaité le maintien.

Le 22 décembre 1133, le Pape Innocent II adressait à Guigues la première approbation officielle des *Coutumes de Chartreuse.*

Or ce Pape était très bien informé au sujet des Chartreux. Tout d'abord, pendant qu'il présidait un concile à Reims, en octobre 1131, il avait reçu une lettre écrite par Guigues [65], qui avait été lue au concile ; elle y avait été apportée par l'abbé cistercien de Pontigny qui venait de visiter la Chartreuse et parla aux Pères du concile de la vie des ermites de Chartreuse ; les Pères s'y intéressèrent, au dire de la Chronique de Morigny [66], contemporaine de ce concile. De plus, au cours du même voyage du Pape en France, le cardinal Aimeric, chancelier de la Sainte Église, vint visiter Guigues en Chartreuse. Quand on étudie les déplacements très fréquents du Pape pendant ce séjour en France, on ne voit pas d'autre date possible pour la montée en Chartreuse du cardinal que l'inter-

65. *Lettre 3*, SC 88, p. 167.
66. *Ibid.*, p. 163.

valle du 8 au 16 mars 1132, durant lequel Innocent II séjourna à Valence. C'était un mois et demi après l'anéantissement de la première Chartreuse et la mort de sept sur douze des ermites de Chartreuse par l'écrasement d'une avalanche, le 30 janvier 1132 ; il est possible que la nouvelle de cette catastrophe ait été un motif de plus pour la visite du cardinal à Guigues. En tout cas le cardinal Aimeric et Guigues s'entretinrent ensemble à loisir et cette conversation fit naître entre eux une amitié profonde, dont témoigne une lettre de Guigues adressée au cardinal peu après cette visite [67].

Ce cardinal s'intéressait aux problèmes spirituels : c'est lui qui demanda un jour à saint Bernard : « Comment faut-il aimer Dieu ? » Cette question fut pour saint Bernard l'occasion d'écrire son célèbre traité *De l'amour de Dieu* qu'il dédia au cardinal. Celui-ci était donc à même de comprendre en profondeur l'idéal que poursuivaient les Chartreux. Il avait dû aussi être très impressionné par la garde de la solitude telle qu'elle était préconisée et réglée par les *Coutumes*, en particulier par la règle selon laquelle le prieur ne sort jamais des limites du désert. En effet, en ces mêmes années, il adressa une semonce à saint Bernard, trouvant que celui-ci sortait trop ; l'avertissement devait être sérieux car saint Bernard écrivit au cardinal pour se justifier avec une fougue passionnée [68].

Innocent II et son chancelier Aimeric qui rédigeait et signait aussi ses bulles avaient donc une excellente information de première main au sujet de la vie cartusienne, grâce surtout à cette visite du cardinal en Chartreuse. Cela donne une particulière valeur au texte de l'approbation des *Coutumes de Chartreuse*. En voici quelques extraits :

« Innocent, évêque, serviteur des serviteurs de Dieu à son fils aimé dans le Christ, Guigues, Prieur de Chartreuse, et à ceux qui lui succéderont régulièrement pour toujours... Bien-aimé

67. *Lettre 5, au cardinal Aimeric, SC* 88, p. 185.

68. Vers 1130 : Saint BERNARD, *Lettre 48*, 2, *Opera*, VII, Rome, 1974, p. 138 ; *PL* 182, 154.

dans le Seigneur, nous souvenant de l'amour que tu as toujours eu pour le Siège Apostolique avec l'Église qui t'est confiée, et de l'honneur et du service que tu nous as efficacement rendus jusqu'à présent, à l'exemple de nos prédécesseurs de bienheureuse mémoire Urbain, Pascal, Calixte et Honorius, Pontifes romains, nous louons et approuvons vos saintes constitutions et coutumes, pour tous ceux qui doivent les suivre et les observer, depuis maintenant jusqu'à la fin du monde... Afin que, *à la louange de Dieu pour laquelle est spécialement institué le saint Ordre érémitique cartusien,* et pour l'honneur de la Sainte Église romaine à laquelle il est entièrement dévoué, il fleurisse pour toujours en ce lieu sous des pasteurs sages et éprouvés... Donné à Pise, par la main d'Aimeric, chancelier de la Sainte Église, le 11 des calendes de janvier, en l'an 1133 de l'Incarnation du Seigneur (22 décembre 1133), en la quatrième année du pontificat du seigneur Innocent II, Pape [69]. »

En quelques mots, la parole du Pape souligne les deux pôles de la vie cartusienne : la louange et la solitude. Or on peut dire qu'en ces deux mots se résume toute l'âme du *propositum* cartusien. L'appellation d'*Ordre érémitique* de la part de la chancellerie romaine témoigne de l'information personnelle du cardinal chancelier ; elle est tout à fait typique et donne une consécration officielle à la vocation des Chartreux.

La joie de Guigues et des siens dut être profonde quand ils reçurent cette bulle. Le Pape y remerciait Guigues avec délicatesse pour la manière dont il avait adhéré sans hésitation au Pontife légitime Innocent II, contesté après son élection par un antipape, Anaclet ; la lettre de Guigues au Pape Innocent II et au concile de Reims avait en effet contribué au ralliement de la chrétienté au Pape légitime. Mais bien plus encore, Guigues dut être heureux de recevoir cette approbation solennelle de son œuvre des *Coutumes de Chartreuse*, pour lui, pour ses frères et pour les siècles à venir.

69. *Annales Ordinis Cartusiensis,* I, 375 ; B. BLIGNY, *o.c.,* Acte XX, p. 50.

16. *Coutumes de Chartreuse* et *Statuts* cartusiens

Un siècle et demi après les *Coutumes de Chartreuse*, le Chapitre Général de l'Ordre promulgua en 1271 un recueil législatif comprenant le texte de ces *Coutumes* augmenté des décisions du Chapitre Général, que l'on jugeait bon de retenir définitivement, parmi toutes celles parues depuis l'institution du Chapitre vers 1140. Ce recueil reçut encore le nom officiel de *Coutumes* : on l'intitula *Antiquae Consuetudines.* Mais déjà, à cette époque, on employait couramment pour en parler l'appellation de *Statuta.*

Un siècle plus tard, une addition fut donnée à cette collection ; cette addition reçut le titre de *Novae Constitutiones.* Dans son prologue, les auteurs de ce nouveau recueil qualifiaient la précédente collection de : « Compilation de statuts et de coutumes ».

Un siècle et demi plus tard, en 1509, une nouvelle addition fut promulguée, qui reçut le titre de *Troisième Compilation de Statuts.*

En même temps, l'Ordre faisait imprimer pour la première fois, chez Jean Amorbach à Bâle, toutes les rédactions dont nous venons de parler, en reportant sur chacune d'elles l'appellation de *Statuts.* Ainsi les *Coutumes de Chartreuse* voyaient-elles un nouveau titre superposé à leur titre d'origine : « Statuts de l'Ordre cartusien, édités par Guigues, prieur de Chartreuse », ou plus brièvement, en haut de chaque page, le titre courant : *Statuta Guigonis.*

Toute la législation cartusienne s'appelait donc désormais : *Les Statuts.* Ainsi a définitivement prévalu cette dénomination : elle est encore celle d'aujourd'hui.

L'appellation de Statuts a plusieurs avantages. Tout d'abord elle englobe sous une seule dénomination des textes dont les uns ont le caractère de règles, les autres de coutumes. Puis elle avait déjà été utilisée par Guigues lui-même dans les *Coutumes* : « Il est statué que... » Enfin le Chapitre Général a toujours employé, dès les actes du tout premier Chapitre, la formule : *Statuimus...* Quant au mot *Statuta* lui-même, employé pour désigner l'ensemble des règles cartusiennes, il se trouve pour la première fois, à notre connaissance, dans une Bulle du Pape Urbain III, en 1186, puis dans les Constitutions du Prieur de Chartreuse Dom Jancelin en 1222.

17. **Les sources des *Coutumes de Chartreuse***

A. *Problèmes des sources*

Guigues a dit lui-même aux siens, dans le Prologue des *Coutumes*, que son œuvre est solidement fondée sur des sources :

« ... Presque tout ce que nous avons coutume de faire ici en matière d'observances religieuses est contenu soit dans les *Lettres* de saint Jérôme, soit dans la règle de saint Benoît, soit dans d'autres écrits authentiques » (Prologue, 2).

Par l'expression « écrits authentiques », Guigues n'entend certainement pas la Sainte Écriture, car celle-ci eût été nommée en premier, s'il avait eu l'intention de la mentionner ; mais ce n'était pas nécessaire, car il allait de soi pour un auteur du XIIe siècle d'avoir la Sainte Écriture pour source : on la citait alors sans cesse, et les *Coutumes* offrent maintes citations ou allusions scripturaires.

La Chronique des premiers Prieurs de Chartreuse, dans la notice consacrée à Guigues tout de suite après sa mort, s'exprime ainsi : « Il montra un zèle infatigable pour rechercher des livres authentiques, les copier et les corriger... [70] » Nous savons d'autre part, selon son propre témoignage, qu'il fit une édition des *Lettres* de saint Jérôme, et qu'il fit le même travail sur les écrits d'autres auteurs [71]. Il fut donc un chercheur

70. *La Chronique des premiers Chartreux*, éditée par A. WILMART, dans *Revue Mabillon*, 16 (1926), pp. 77-142 (ici p. 126 = p. 50 du tirage à part).
71. *Lettre 8, SC* 88, p. 215.

sérieux, s'intéressant avec compétence aux écrits de valeur et d'autorité incontestables. Il avait du goût pour la recherche et l'étude des textes.

Nous sommes ainsi avertis : les sources de Guigues doivent être nombreuses et diverses. Dès lors, il n'y a rien d'étonnant si, d'un bout à l'autre de son œuvre, on se trouve en présence de phrases qui ont visiblement derrière elles toute une chaîne de textes traditionnels, en particulier dans les écrits monastiques. On est frappé de voir à quel point il a été fidèle à cette ligne de conduite dans tout son travail, combien sont nombreuses et solides ses sources. Par goût, par la pente naturelle de son tempérament, Guigues était porté à scruter la tradition et à fonder sa réflexion sur des textes préexistants. Il est hors de doute que les *Coutumes de Chartreuse* ont reçu de cette tendance de leur auteur une armature d'une incomparable solidité, car il leur a été donné ainsi de bénéficier de la sagesse et de l'expérience des siècles dans le domaine des observances monastiques.

A côté des sources proprement dites, il faut signaler les « lieux parallèles », bien plus nombreux : telle observance, notée dans l'une ou l'autre des règles anciennes, figure aussi, mais en termes différents, dans les *Coutumes de Chartreuse*. L'étude de ces lieux parallèles est extrêmement intéressante, aussi fructueuse et féconde que celle des sources, et souvent même plus utile. Elle permet en effet de mettre en lumière comment se situent les observances cartusiennes, semblables sous certains rapports à celles des autres formes de vie monastique, mais différentes sous d'autres aspects à cause de la vocation particulière des Chartreux, en raison de son accent plus poussé sur la solitude. On peut mieux cerner ainsi dans toutes ses nuances les particularités de la vie semi-érémitique établie au désert de Chartreuse, discerner le pourquoi de tel ou tel choix, distinct d'autres observances de façon minime en apparence, et de manière pourtant parfois grande de conséquences.

Parmi les lieux parallèles, il en est qui ont joué un rôle tout particulier : ce sont ceux qui ont été dans l'esprit de Guigues et sous sa plume sources de réaction et non d'imitation. Par exemple, telle page de saint Pierre Damien, consacrée à dire que les pénitences surérogatoires sont absolument libres au gré de chacun dans les observances de Font-Avellane, a été source littérale de plusieurs mots et membres de phrases dans un passage où Guigues a mis ces données au service d'une thèse diamétralement opposée : il tient à ce qu'en Chartreuse ces pénitences demeurent toujours sous le contrôle de l'obéissance. Or de tels cas ne sont pas rares dans les *Coutumes de Chartreuse*. Le lieu parallèle est devenu pour ainsi dire un lieu « anti-parallèle », la source est devenue une « anti-source », si l'on ose risquer ces expressions qui font image.

Un écrit, par les réactions qu'il provoque chez son lecteur, peut servir à la construction d'un autre édifice : l'opposition même qu'il suscite engendre un travail de réflexion fécond, qui ne se serait pas exprimé avec autant de force sans ce stimulant. Guigues aurait-il repensé ces problèmes avec autant de soin et de sagesse, s'il n'avait été frappé à la lecture de saint Pierre Damien par les fréquents manques de mesure de ce dernier dans ses écrits sur les coutumes de ses ermites ? Guigues a su ainsi préserver pour l'avenir la Chartreuse de l'abandon d'observances qui eussent été trop fortes pour l'humaine nature.

Voici quelques exemples au sujet d'autres « anti-sources ». Au chapitre 41 des *Coutumes* se trouve une grave adjuration contre l'usage des repas supplémentaires à l'occasion des célébrations d'anniversaires ; or Guigues s'oppose ici expressément à des textes des coutumiers des chanoines de Saint-Ruf, auxquels il a fait de fréquents emprunts d'autre part. Au sujet de la réception des hôtes, les chapitres 19 et 20 sont opposés, parfois même avec véhémence, aux points de vue de la règle de saint Benoît et aux coutumiers qui en dépendent. Aux chapitres concernant le noviciat et la profession, on voit Guigues emprunter et s'opposer tour à tour à la règle de saint Benoît, à la règle des reclus de Grimlaïc le solitaire, aux écrits de saint Pierre Damien.

En dehors des textes écrits dont s'est servi Guigues pour la rédaction de ses *Coutumes*, soit en les suivant, soit en réagissant contre eux, il existe aussi des sources non écrites dont l'importance a été très grande pour dessiner la physionomie de la Chartreuse. Il convient d'en citer quelques-unes.

Voici un exemple remarquable : nous savons avec quelle force Guigues a déclaré aux siens, dans les *Coutumes*, qu'ils devaient avoir les sorties en horreur et refuser absolument de vagabonder hors du désert. Aucune législation monastique n'offre des textes aussi énergiques sur cette question des sorties. Or la première génération des Chartreux a beaucoup souffert de l'agitation d'un groupe de faux moines, gyrovagues et vagabonds, qui avaient établi leur centre dans le site de Currière, à quelques kilomètres de la Chartreuse, mais à l'intérieur du massif cartusien. Déjà saint Bruno, dans sa *Lettre à ses fils*, en 1100, avait mis en garde les frères convers de Chartreuse contre ces faux moines : « Fuyez comme une peste cette bande malsaine de laïcs pleins de vanité, qui colportent leurs écrits et critiquent par derrière ce qu'ils ne comprennent pas et n'aiment pas et ce qu'ils contredisent en paroles et en actes. Oisifs et gyrovagues, détracteurs de tout être bon et religieux... [72]. » Et trente ans plus tard, Guigues écrivait dans une note rédigée au moment où Boniface, seigneur de Miribel, venait de donner Currière aux Chartreux pour mettre fin à la plaie de ces gyrovagues : « Il serait trop long de dire tout ce que nous ont causé d'ennuis et de troubles, sous prétexte de religion, et tout ce qu'ont reçu de nous en bienfaits et en secours ces hommes disputeurs et instables... [73]. » Il est certain que les textes consacrés par Guigues à interdire aux siens les sorties n'auraient jamais été exprimés avec la puissante vigueur dont ils sont revêtus, s'il n'y avait eu, tout proche, le triste exemple des gyrovagues de Currière, si gênants pour les ermites de Chartreuse. Ainsi ces malheureux vagabonds ont-ils

72. *Lettre 2, SC* 88, p. 85.
73. *Annales Ordinis Cartusiensis*, I, 322.

été, par réaction, la source d'un des traits les plus caractéristiques de la vocation et de la législation cartusiennes ; et ces instables ont-ils été une source d'un des plus puissants facteurs de la stabilité de l'Ordre cartusien depuis neuf siècles !

Autre exemple : au chapitre 41 des *Coutumes*, Guigues déclare que les Chartreux ne possèdent rien hors des limites de leur désert, « ni champs, ni vignes, ni jardins, ni églises, ni cimetières... ». Cette prescription a évidemment pour source principale le « propos » de solitude des ermites chartreux. Mais il est en outre possible d'établir avec certitude que des directives de l'évêque saint Hugues de Grenoble ont dû intervenir ici. Ce dernier, en effet, qui fonda plusieurs maisons religieuses dans son diocèse et fut un grand ami des Chartreux, n'était pas pour autant homme à laisser empiéter qui que ce soit sur ses droits épiscopaux, comme il a été dit plus haut. Il était de ces évêques qui, à cette époque, se plaignirent amèrement de la mainmise des moines sur des églises de leur juridiction, notamment au concile de Reims de 1119, peu avant que Guigues écrive le texte ci-dessus.

Sources, lieux parallèles, anti-sources, sources écrites, sources non-écrites : voilà bien des pistes qui s'ouvrent au chercheur. Mais il y a d'autres problèmes encore.

Voici un trait notable des *Coutumes de Chartreuse*, qui mérite quelques renseignements sur ses sources. Au chapitre 23, dans la formule de profession des Chartreux, ne figure pas la clause *secundum regulam beati Benedicti.* Cette omission attire l'attention par son caractère exceptionnel dans tout le monachisme d'Occident à cette époque, car la clause se trouvait dans toutes les formules de profession monastique depuis le temps de saint Benoît d'Aniane au IXe siècle. Une telle omission faite dès le début de l'Ordre, dans un endroit aussi important que la formule même de profession et son caractère unique dans le monachisme occidental impliquent nécessairement une grave réflexion chez le rédacteur des *Coutumes*, ses conseillers et son entourage. Elle a dû faire l'objet d'une décision mûrie avec beaucoup d'attention.

Quelques autres particularités sont à noter dans cette formule de profession : le changement du mot partout habituel de « monastère » en celui d'« ermitage », et la mention du patronage de la Sainte Vierge ainsi que de celui de saint Jean-Baptiste sur cet ermitage. Ces précisions montrent avec quel soin tous les mots de la profession cartusienne ont été choisis et pesés. Le terme d'ermitage et la protection de saint Jean-Baptiste, traditionnellement considéré comme modèle de la vie érémitique à cause de l'exemple de sa vie au désert, soulignent le fait d'avoir voulu exprimer fortement dans cette profession le caractère érémitique de la vie cartusienne. L'omission de la clause susdite est à voir dans ce contexte.

La règle de saint Benoît, en son premier chapitre, après avoir énuméré les différents genres de moines, cénobites, ermites, sarabaïtes et gyrovagues, déclare qu'elle va s'occuper uniquement du *fortissimum genus* des cénobites, et omettre les autres catégories.

Pour l'esprit toujours précis de Guigues, il eût été anormal de parler de l'érémitisme cartusien comme il l'a fait tout au long des *Coutumes de Chartreuse* et de faire profession selon une règle dont l'auteur avait déclaré ne pas s'occuper des ermites, mais seulement des cénobites. C'eût été pour lui se mettre avec les siens dans une situation ambiguë, car sur bien des points de grande importance les Chartreux ne pouvaient suivre les prescriptions de cette règle. Il a donc su, avec la même exactitude, dire que certaines des coutumes de Chartreuse étaient empruntées à la règle de saint Benoît et supprimer la mention « selon la règle de saint Benoît » dans l'engagement du Chartreux devant Dieu par la profession. L'extrême précision de Guigues dans chaque phrase et pour chaque mot est une des caractéristiques les plus remarquables de son œuvre, comme nous l'a montré plus haut l'étude attentive de son vocabulaire. De soi, l'érémitisme cartusien impliquait l'omission de la clause susdite.

On peut en outre se demander si d'autres raisons n'auraient pas joué dans le même sens. Un bref coup d'œil sur l'histoire des débuts de la Chartreuse sera sur ce point assez éclairant. Comme il a été dit plus haut, saint Bruno, avant de fonder la Chartreuse, avait vécu en ermite à Sèche-Fontaine, en Champagne, sur une terre qui appartenait à l'abbaye de Molesme. Au bout de peu de temps, les deux compagnons du saint dans cet ermitage optèrent pour la vie cénobitique et commencèrent à construire là un prieuré sous la juridiction de l'abbaye de Molesme qui avait déjà autour d'elle bien des prieurés de ce genre. Bruno, frustré de son désir de vie solitaire, s'éloigna. Sur les indications de l'évêque de Grenoble, saint Hugues, il s'établit au désert de Chartreuse. Les terres de Chartreuse furent données à Bruno par Humbert, seigneur de Miribel ; à Humbert s'adjoignirent quelques autres seigneurs laïcs de la région « qui avaient des droits en ce lieu », et, au troisième rang, Seguin, abbé de la Chaise-Dieu en Auvergne, « qui paraissait y avoir des droits [74]. » (Il y avait un prieuré casadéen dans la vallée de l'Isère, en aval de Grenoble, au pied du massif de Chartreuse).

Six ans plus tard, le Pape Urbain II appela auprès de lui saint Bruno, son ancien maître de Reims. Les compagnons de Bruno estimèrent ne pouvoir continuer sans lui leur vie au désert et décidèrent de se disperser. Saint Bruno, devant l'anéantissement de son œuvre, céda les terres de Chartreuse, non pas à tous les donateurs dont il les avait reçues, mais au seul Seguin, abbé de la Chaise-Dieu. Bernard Bligny a justement pensé que, derrière cette décision de saint Bruno, il dut y avoir une pression ou un conseil de l'évêque de Grenoble saint Hugues sur saint Bruno. Hugues était en effet engagé à ce moment dans un combat de tous les instants contre des laïcs détenteurs de biens d'Église et il devait désirer soustraire par avance le domaine cartusien à la convoitise des laïcs [75]. De plus, saint Hugues était un grand ami de la Chaise-Dieu où, au

74. B. BLIGNY, *o.c.*, Acte I, pp. 3-5.
75. B. BLIGNY, *o.c.*, p. 13, note 1.

début de son pontificat, un moment découragé, il s'était réfugié pendant plusieurs mois, jusqu'à ce qu'un ordre du Pape le rappelât dans son diocèse. Enfin l'évêque se rendit lui-même à la Chaise-Dieu pour appuyer de son autorité la cession par saint Bruno des terres de Chartreuse à l'abbaye.

Cependant les compagnons de saint Bruno se ressaisirent très vite et rentrèrent au désert de Chartreuse. Urbain II, informé de ces faits par saint Bruno lui-même, adressa à l'abbé Seguin une Bulle où on lit ce qui suit : « Nous le demandons à votre affection, et en le demandant nous vous en donnons l'ordre : remettez cet ermitage dans sa liberté antérieure, restituez, par amour pour nous, l'écrit que notre fils Bruno avait rédigé pour vous au sujet de cet ermitage, au moment de la dispersion de ses frères, afin que l'ermitage puisse demeurer dans sa liberté antérieure. Car, maintenant, les frères qui s'étaient dispersés sont revenus, sous l'inspiration de Dieu, et ils n'acceptent pas de demeurer autrement en ce lieu. Après avoir reçu notre lettre, vous ne tarderez pas, dans les trente jours qui suivront, à restituer l'écrit en question, par respect pour l'ordre que nous vous donnons... [76] »

Sous la décision des Chartreux de ne demeurer au désert de Chartreuse que si la Chaise-Dieu libère entièrement celui-ci, on sent percer une préoccupation : ils ne veulent pas courir le risque de voir se renouveler pour eux l'aventure de saint Bruno à Sèche-Fontaine et ils connaissent l'évolution semblable vers le cénobitisme de tant d'autres essais érémitiques contemporains. C'est Bruno lui-même qui a exposé cela au Pape ; il savait mieux encore que ses fils, par son expérience personnelle, l'enjeu d'une telle situation...

Seguin de la Chaise-Dieu ne fit aucune difficulté pour obéir à l'ordre que lui avait personnellement adressé le Saint-Père. Il réunit sa communauté et lui fit part de l'ordre d'Urbain II.

76. B. BLIGNY, *o.c.*, Acte II, p. 10 ; *Annales Ordinis Cartusiensis*, I, 60-61.

Mais certains moines furent très réticents à l'idée de rendre le site de Chartreuse aux Chartreux. Bien que menacés d'interdit par l'archevêque de Lyon, légat du Pape en France, qui se trouvait présent, et par leur propre abbé Seguin, ils prétendirent qu'ils ne pouvaient retrouver l'écrit de saint Bruno, reçu de celui-ci quelques mois seulement plus tôt ! Sans doute étaient-ils heureux d'avoir la pleine propriété d'une terre sur laquelle ils n'avaient eu auparavant que des droits assez incertains. Les craintes des Chartreux n'étaient pas vaines, ni l'intervention personnelle du Pape sans fondement. Seguin, obéissant au Pape, passa outre et rédigea une charte qui rendait sans condition aux Chartreux leur désert (17 septembre 1090). Grâce à l'intervention du Souverain Pontife lui-même, la destinée de l'Ordre cartusien fut ainsi préservée pour les siècles à venir dans la ligne de sa vocation érémitique. L'original de cette charte capitale pour les Chartreux existe encore aujourd'hui [77].

Guigues, à l'esprit si pénétrant, et formé par la première génération cartusienne, connaissait très bien tous ces événements. Il conduisit les siens dans la même ligne et montra une vigilance très attentive contre les dangers qui auraient pu faire courir à la Chartreuse le risque de perdre son « propos » d'érémitisme. Il sut par exemple refuser la subtile séduction du nombre, toujours si tentante, mais surtout pour une fondation encore jeune. A saint Étienne d'Obazine qui venait offrir de s'affilier à la Chartreuse avec ses nombreux moines, il répondit : « Les Cisterciens, récemment fondés, suivent une voie royale, et leurs statuts peuvent conduire à toute perfection. Pour nous, nous avons un nombre limité de personnes et des bornes à nos possessions. Mais toi qui en as déjà rassemblé beaucoup au service de Dieu et qui as décidé d'en recevoir

77. Elle est conservée aux Archives de l'Isère, à Grenoble : Série 4 H 1, n° 2. Elle a été éditée par B. BLIGNY, *o.c.*, Acte IV, p. 13. Les derniers faits que nous avons rapportés se trouvent narrés dans le texte même de cette charte.

davantage encore, tu dois plutôt choisir une profession cénobitique, car celle-ci convient également au grand nombre ou au petit nombre... [78] » Ce récit, rapporté dans la *Vie* de saint Étienne par un de ses disciples, moine de son monastère et témoin de sa vie, dans un écrit rempli de détails visiblement exacts, est certainement authentique. Ces paroles de Guigues, rapprochées de ses déclarations dans les *Coutumes* sur la solitude et sur la « loi du petit nombre », sont d'un extrême intérêt pour faire connaître la pensée profonde du législateur de Chartreuse sur la vocation de son Ordre. Nous avons en effet ici, de la bouche même de Guigues, la preuve positive du refus des Chartreux de s'engager sous une règle et une profession cénobitiques. Ils estimaient que le maintien de leur forme d'érémitisme était vital à leurs yeux.

Vers la même époque, Guigues orienta aussi vers les Cisterciens Ponce de Laraze, fondateur de Silvanès, qui était venu le consulter comme saint Étienne ; le fait nous est connu par le premier chroniqueur de Silvanès dans le récit des débuts de ce monastère [79]. Ainsi deux auteurs différents, écrivant en toute indépendance l'un de l'autre, nous fournissent un même témoignage sur la position des Chartreux à l'égard de la profession cénobitique.

Or il est remarquable que Guigues donna ces réponses, à saint Étienne et à Ponce, dans les années qui suivirent immédiatement la tragique diminution de sa communauté, due à la catastrophe de l'avalanche qui venait de détruire la Chartreuse ; sur douze religieux de chœur, sept avaient péri. C'eût été le moment de se laisser tenter par un afflux de vocations. Mais, si Guigues avait accepté ces propositions, très vite les Chartreux

78. *Vita beati Stephani abbatis monasterii Obazinensis*, 26, dans Étienne BALUZE, *Miscellanea*, Mansi, Lucques 1761, I, p. 156. Voir aussi *Vie de saint Étienne d'Obazine*, texte établi et traduit par Michel AUBRUN, Clermont-Ferrand, 1970, pp. 80-83.

79. *Tractatus de conversione Pontii de Larazio et exordii Salvaniensis monasterii vera narratio*, 20, dans BALUZE, *ibid.*, p. 183.

auraient été entraînés par le courant et orientés vers la vie cénobitique par cette affiliation de nombreux moines, puis absorbés.

Nous notons ici chez Guigues une singulière force d'âme et une profonde expérience de la vie solitaire et de ses exigences, avec une belle foi dans l'avenir de la vocation cartusienne.

Il est curieux de voir que Guigues parvint à préserver l'érémitisme cartusien grâce à l'admiration qu'il nourrissait pour Cîteaux et qu'il a exprimée jusque dans ses *Coutumes*. Tandis que beaucoup de groupements, d'abord érémitiques, attirés par la grandeur de la réforme de Cîteaux, accouraient vers elle pour s'y affilier, c'est au nom de cette même grandeur que Guigues a pu garder la Chartreuse de cet entraînement général...

L'omission de la clause *secundum regulam beati Benedicti* dans la formule de profession des Chartreux et leur position par rapport à la règle de saint Benoît sont à voir et à comprendre par tout l'ensemble dont nous venons de noter les points principaux. Ces données embrassent une réflexion approfondie des premiers Chartreux sur leur vocation, ainsi que sur les conditions de sa survie, et aussi toute une série d'événements de signification convergente, vécus par saint Bruno et ses fils. Il est clair que l'attention des Chartreux fut fortement attirée par la crainte du danger de perdre les moyens de réaliser la vocation à laquelle Dieu les appelait, s'ils acceptaient au cœur même de cette vocation, dans la formule de leur profession, quelque allégeance ou inféodation au cénobitisme et à la règle de saint Benoît. Ils ont pensé ne pas pouvoir adopter une profession cénobitique sans voir disparaître un jour les éléments constitutifs propres de leur vocation érémitique.

Il est très important de noter qu'à cette époque tout fondateur était entièrement libre de composer une règle à sa guise. Un siècle plus tard, au 4e Concile de Latran en 1215, il fut statué qu'à l'avenir les fondations nouvelles devraient adopter une règle déjà approuvée. Contrairement à ce qu'ont dit bien des historiens, ce décret conciliaire ne nommait aucune des règles ainsi concernées. A cette date, les règles cartusiennes avaient déjà reçu plusieurs approbations pontificales de divers Papes, depuis Innocent II qui, par le cardinal Aimeric, avait perçu l'âme de la Chartreuse dans la personne de Guigues et par le texte des *Coutumes* et qui avait approuvé pour toujours la forme de vie érémitique cartusienne, jusqu'à Innocent III qui présida ce concile de 1215 et avait confirmé à diverses reprises les institutions cartusiennes au cours des années précédentes.

Pour achever cet exposé, comment ne pas rappeler de grands témoignages ? Ceux qui, hors de Chartreuse, en ce XIIe siècle, comprirent le mieux les traits spécifiques de la vocation cartusienne, ainsi que sa place propre au sein du monachisme et dans l'Église furent, après les Papes, trois des plus grands parmi les fils de saint Benoît : un Pierre le Vénérable, un saint Bernard, un Guillaume de Saint-Thierry. Les deux premiers, en particulier, furent de fervents amis de Guigues, visitèrent la Chartreuse et s'entretinrent personnellement avec lui.

B. *Sommaire des sources et des lieux parallèles*

La recherche des sources des *Coutumes de Chartreuse* est un travail de très longue haleine, qui demande bien des années. En rendre compte dans le détail exigerait plusieurs volumes et dépasserait donc les limites de la présente édition.

Nous donnerons seulement une liste très sèche d'auteurs avec, en note, des références aux principaux endroits où se trouvent des lieux parallèles entre le texte de Guigues et les textes de ces auteurs. Parmi ces indications, les unes concernent des sources littérales certaines ; pour d'autres, cela est douteux. Quelques-unes enfin ne pouvaient être connues de Guigues, par exemple des textes grecs ignorés au XIIe siècle ; mais il s'agit de point très utiles au chercheur pour l'intelligence des textes des *Coutumes*, et permettant de situer ces derniers dans l'ensemble de la tradition monastique. Pour chaque référence donnée, et pour bien d'autres encore, il faudrait entrer dans des nuances pour dégager les ressemblances et les différences, qui feraient ressortir l'esprit des observances cartusiennes à partir de la confrontation des textes et la raison des choix de Guigues. Il n'est possible ici que d'accomplir un survol très sommaire de la question.

IVe SIÈCLE :

Saint Antoine (+ 356) : *Vita*, par saint Athanase [80].

Saint Pacôme (+ 346) : *Règles, Sentences*, connues par saint Jérôme [81].

Horséise, successeur de saint Pacôme à la tête des moines de Tabenne : *Doctrina de institutione monachorum* [82].

Vitae Patrum – Verba seniorum – Apophtegmes [83].

Saint Basile (+ 379) : *Règles longues – Règles brèves* [84].

80. *PL* 73, 164 (Cc. 31, 1 ; à partir de maintenant, nous remplaçons *Consuetudines Cartusiae* par cette abréviation Cc., plaçant entre parenthèses ce sigle suivi des références pour les passages des *Coutumes* parallèles aux textes anciens) ; *PG* 26, 910 (Cc. 80, 9).

81. *Regula sancti Pachomii, PL* 23, ch. 96 (Cc. 9, 1) ; ch. 51 (Cc. 18, 1) ; ch. 81 (Cc. 28, 1) ; ch. 89 et 112 (Cc. 30, 3) ; ch. 176 (Cc. 37, 2) ; ch. 60 (Cc. 45, 1) ; ch. 106 (Cc. 46, 2) ; ch. 66 (Cc. 46, 3) ; ch. 131 (Cc. 46, 3) ; ch. 112 et 89 (Cc. 50, 2) ; ch. 31 et 33 (Cc. 55, 1) ; ch. 113 (Cc. 59, 1) ; ch. 85 (Cc. 62, 2) ; ch. 57 et 86 (Cc. 62, 2) ; ch. 81 (Cc. 75, 1) ; ch. 136 (Cc. 77, 1) – *Vita sancti Pachomii, PL* 73, ch. 10 (Cc. 29, 3).

82. *PL* 103, 453 et suivantes, ch. 13 (Cc. 15, 2) ; ch. 24 et 25 (Cc. 37, 2) ; ch. 39 (Cc. 59, 1) ; ch. 26 (Cc. 64, 2).

83. *Vitae Patrum, PL* 73, III, n° 200 (Cc. 7, 9) ; V, 2, n° 1 (Cc. 33, 1) ; V, 7 (Cc. 31, 1) ; I, 52 (Cc. 33, 1) ; *PL* 74, IX, ch. 12 (Cc. 33, 1) – *Apophtegmes, PG* 65, 111, nos 8 et 9 (Cc. 14, 5).

84. *Règles longues, PG* 31, 901 et suivantes ; interrogation 33 (Cc. 17, 2) ; int. 20 (Cc. 19, 1) ; int. 22 (Cc. 28, 1) ; int. 49 (Cc. 37, 2) ; int. 55 (Cc. 38, 1) ; int. 32 (Cc. 58, 1) ; int. 38 (Cc. 79, 3) – *Règles brèves, PG*, 31, 1079 et suivantes : int. 180 (Cc. 7, 8) ; int. 220 (Cc. 17, 2) ; int. 104 (Cc. 37, 1 et 4) ; int. 145 (Cc. 46, 2) ; int. 141 (Cc. 46, 2) ; int. 146 (Cc. 46, 3) ; int. 144, 147, 148 (Cc. 46, 3) ; int. 148 (Cc. 64, 1) – *Règles traduites et adaptées par Rufin, PL* 103, 485 et suivantes : int. 11 (Cc. 57, 3) ; int. 140 (Cc. 80, 12).

Saint Jean Chrysostome (340-407) : en des endroits très divers [85].

Vᵉ SIÈCLE :

Saint Jérôme (+ 420) : *Lettres* et traductions des textes des Pères du désert [86].

Pallade (+ 425) : *Histoire lausiaque* [87].

Règles des IV Pères, à Lérins (407-410) [88].

Cassien (+ 435) : *Institutions cénobitiques* (vers 420) – *Conférences* (420-428) [89].

85. *Homélies sur la pénitence*, V, *PG* 49 (Cc. 16, 2) ; *Contre les détracteurs de la vie monastique*, III, 11, *PG* 47 (Cc. 16, 2) ; *Sur la componction à Stelechius*, II, *PG* 47 (Cc. 16, 2) ; *Homélies sur Matthieu*, L, *PG* 58 (Cc. 16, 2) ; *Homélies sur la Première Épître à Timothée*, ch. 5, *PG* 62 (Cc. 16, 2) ; *Contre les détracteurs de la vie monastique*, III, 17, *PG* 47 (Cc. 80, 7) ; *Ibid.*, I, 8 (Cc. 80, 12) ; *Homélies sur la pénitence*, V, *PG* 49 (Cc. 80, 6) ; *Homélies sur Matthieu*, X, 4, *PG* 57 (Cc. 80, 9) ; *Ibid.*, L, *PG* 58 (Cc. 80, 10) ; *Ibid.* LXX, *PG* 58 (Cc. 28, 1 ; 80, 7) ; *Homélies sur Jean*, XLII, *PG* 59 (Cc. 80, 10).

86. *Epistolae, CSEL* 54-56 ; *PL* 22 : *57*, ch. 11 (Cc. Prologue, 2) ; *125* (Cc. 17, 1) ; *22*, ch. 24 (Cc. 20, 3) ; *130* (Cc. 20, 5) ; *52*, ch. 5, et *79* (Cc. 21, 2) ; *120, 52, 125* (Cc. 28, 1) ; *125, 5,* (Cc. 28, 2) ; *52, 24, 22* (Cc. 33, 1) ; *22* (Cc. 33, 2) ; *22* (Cc. 38, 1) ; *58* (Cc. 38, 3) ; *130, 125* (Cc. 41, 1) ; *22* (Cc. 52, 3) ; *22* (Cc. 55, 1) ; *108* (Cc. 61, 1) ; *22* (Cc. 70, 1) ; *125, 58* (Cc. 80, 6) ; *22* (Cc. 80, 8) ; *22, 125* (Cc. 80, 9) ; *58, 22* (Cc. 80, 11) ; *52* (Cc. 80, 12) – *Praefatio in Regulam sancti Pachomii, PL* 23, 3 (Cc. 26, 1) ; 5 (Cc. 52, 2) – *Contra Vigilantium, PL* 23, 15 (Cc. Prologue, 3) – *Adversus Jovinianum, PL* 23, II, 11 (Cc. 80, 12) – *Liber hebraicarum quaestionum in Genesim, PL* 23, 1025 (Cc. 80, 5).

87. *Histoire Lausiaque, PG* 34, et *PL* 73 ; ch. 26 (Cc. 38, 2) ; ch. 22 (Cc. 50, 1).

88. *Règle des quatre Pères, SC* 297 : VII (Cc. 22, 1.5) ; VIII (Cc. 44, 1 et 3).

89. *Institutions cénobitiques, SC* 109 : Préface (Cc. Prologue, 2 et 4) ; III, 6 (Cc. 4, 27) ; IV, 17 (Cc. 7, 8) ; II, 14 (Cc. 16, 2) ; IV, 36 (Cc. 23, 1) ; I, 4 (Cc. 24, 1) ; IV, 20 (Cc. 25, 2) ; IV, 12 (Cc. 25, 2) ; I, 4, 1 et 3 (Cc. 28, 1) ; IV, 12 et V, 39 (Cc. 28, 2) ; IV, 12 (Cc. 29, 2) ; III, 2 (Cc. 29, 6) ; V, 23 (Cc. 33, 1) ; I, 3 (Cc. 35, 1) ; IV, 10 (Cc. 35, 2) ; IV, 12 (Cc. 35, 3) ; X, 7

Saint Augustin (+ 430) : en des endroits très divers [90].

2e Règle des Pères, à Lérins (vers 427) [91].

Saint Eucher de Lérins : *Epistola De laude eremi* (en 427) [92].

Saint Léon le Grand (+ 461) : Sermons [93].

Saint Euthyme le Grand (+ 473) : *Vita* [94].

Sacramentaire Gélasien (495) [95].

VIe SIÈCLE :

Saint Césaire d'Arles (470-543) : *Regula ad virgines – Recapitulatio* (en 534) – *Regula ad monachos* (entre 534 et 542) [96].

(Cc. 38, 1) ; IV, 16 (Cc. 46, 3) ; IV, 17 (Cc. 55, 1) ; IV, 16 (Cc. 62, 2) ; X, 1-25 (Cc. 64, 2) ; V, 24 (Cc. 72, 2) ; IV, 39 (Cc. 74, 1) ; Préface (Cc. 80, 1) ; IV, 36 (Cc. 80, 8) ; IX, 7 (Cc. 80, 8) – *Conférences, SC* 42, 54 et 64 : *XXIV*, 25 (Cc. 22, 1) ; *XXIV*, 23 (Cc. 25, 2) ; *II*, 16 et 17 (Cc. 29, 5) ; *VI*, 15 (Cc. 31, 1) ; *II*, 19 (Cc. 33, 1) ; *XI*, 8 (Cc. 74, 1) ; *X*, 6 et *XIX*, 5 et 6 (Cc. 80, 4) ; *X*, 6 et *XVIII*, 6 (Cc. 80, 6) ; *XVIII*, 13 (Cc. 80, 8) ; *XVIII*, 6 (Cc. 80, 9) ; *XIV*, 4 et *XVIII*, 6 (Cc. 80, 11).

90. *Regula ad servos Dei, PL* 32 : ch. 13 (Cc. 7, 8) ; ch. 45 (Cc. 7, 9) ; ch. 43 (Cc. 15, 2) ; ch. 25 (Cc. 62, 2) – *Epistola 211, PL* 33 (Cc. 15, 2 ; 59, 1 ; 72, 2) – *De moribus Ecclesiae catholicae, PL* 32 : I, 31 (Cc. 33, 1) – *Enarratio in psalmum XXXI, PL* 36 : *II*, 15 (Cc. 20, 2) – *Tractus in Joannis Evangelium 101, PL* 35 (Cc. 80, 7) – *De vera religione, PL* 34 : ch. 35, n° 65 (Cc. 14, 5) ; *Sermones, PL* 38 : *83* (Cc. 7, 10) ; *96* (Cc. 14, 5) ; *178* (Cc. 60, 1) ; *340*, 1 (Cc. 15, 2) – *De Civitate Dei, PL* 41 : XIX, 19 (Cc. 15, 2) ; XXII, 30 (Cc. 20, 2) – *Contra Faustum, PL* 42, XXII, 56 (Cc. 15, 2).

91. *Seconde Règle des Pères, SC* 297 : ch. 1 (Cc. 46, 2) ; ch. 3 (Cc. 50, 1) ; *Ibid.* (Cc. 62, 2).

92. *PL* 50 et suivantes : nos 37 et 38 (Cc. 31, 1) ; nos 3, 7 et 8 (Cc. 80, 6) ; n° 21 (Cc. 80, 9) ; nos 22-26 (Cc. 80, 10) ; nos 31, 33, 40 et 43 (Cc. 80, 11).

93. *Sermones, PL* 54 : *5* (Cc. 15, 2) ; *21* (Cc. 72, 2).

94. *Vita*, par CYRILLE DE SCYTHOPOLIS, *Acta sanctorum*, janvier II : « La vie des Laures » (Cc. 7, 9 ; 14, 5 ; 16, 2).

95. *PL* 74 (Cc. 12, 6).

96. *Regula ad virgines, Opera*, édition de G. MORIN, t. 2, Maredsous, 1942 : ch. 18 (Cc. 7, 8) ; ch. 40 (Cc. 18, 1) ; ch. 42 (Cc. 20, 6) ; ch. 5 et 6

Regula Magistri [97].

Saint Benoît : *Regula monachorum* (vers 530) [98].

Cassiodore (v. 480 - v. 575) : *De institutione divinarum litterarum* (vers 540) [99].

Saint Aurélien d'Arles : *Regula ad monachos* et *Regula ad virgines* (vers 550) [100].

Saint Ferréol d'Uzès : *Regula ad monachos* (v. 560-570) [101].

Regula Tarnatensis (après 550 - avant 573) [102].

(Cc. 22, 5) ; ch. 7 (Cc. 27, 1) ; ch. 44 et 45 (Cc. 28, 1) ; ch. 3 et 28 (Cc. 50, 2) ; ch. 43 (Cc. 57, 2) ; ch. 42 (Cc. 64, 1) – *Recapitulatio, Ibid.* : ch. 58 (Cc. 22, 1) – *Regula ad monachos, Ibid.* : ch. 1 (Cc. 59, 1) ; ch. 15 (Cc. 62, 2).

97. *SC* 105, 106, 107 : ch. 24 (Cc. 7, 8) ; ch. 16 (Cc. 16, 1) ; ch. 30 (Cc. 29, 4) ; ch. 1 (Cc. 31, 1) ; ch. 78 et 79 (Cc. 36, 1) ; ch. 30 (Cc. 43, 6) ; ch. 17 (Cc. 46, 3) ; ch. 81 (Cc. 57, 1) ; ch. 82 (Cc. 59, 1) ; ch. 10 (Cc. 74, 1).

98. *SC* 180 à 186 : ch. 9 (Cc. 1, 1) ; ch. 10 (Cc. 5,5); ch. 46 (Cc. 7, 4) ; ch. 38 (Cc. 7, 8) ; ch. 31 (Cc. 16, 1) ; ch. 31 et 23 (Cc. 16, 3) ; ch. 53 (Cc. 17, 2) ; ch. 1 et 66 (Cc. 19, 2) ; ch. 58 (Cc. 22, 1) ; ch. 58 (Cc. 22, 3) ; ch. 4 (Cc. 25, 2) , ch. 63 (Cc. 26, 1) ; ch. 55, couleurs des vêtements (Cc. 28, 1) ; ch. 22 et 43 (Cc. 29, 2) ; ch. 19 (Cc. 29, 2) ; ch. 31 et 32 (Cc. 31, 1) ; ch. 3 (Cc. 35, 1) ; ch. 2 et 63 (Cc. 35, 2) ; ch. 3 (Cc. 37, 2) ; ch. 3 et 69 (Cc. 37, 2) ; ch. 3 (Cc. 37, 3) ; ch. 36 (Cc. 38, 1) ; ch. 36 (Cc. 38, 2) ; ch. 22 et 43 (Cc. 42, 1) ; ch. 48 (Cc. 42, 2) ; ch. 42 (Cc. 42, 3) ; ch. 53 (Cc. 44, 3) ; ch. 43 et 48 (Cc. 50, 1) ; ch. 4 et 57 (Cc. 50, 2) ; ch. 4 (Cc. 58, 2) ; ch. 71 (Cc. 58, 3) ; ch. 54 (Cc. 59, 1) ; ch. 22 (Cc. 60, 2) ; ch. 67 (Cc. 62, 2) ; ch. 51 (Cc. 76, 1) ; ch. 29 (Cc. 77, 1).

99. *De Institutione divinarum litterarum, PL* 70 : ch. 30 (Cc. 28, 2 et 28, 4).

100. *Regula ad monachos, PL* 68 : ch. 49 (Cc. 7, 8) ; ch. 14 (Cc. 10, 1) ; ch. 48 (Cc. 18, 1) ; ch. 3 (Cc. 22, 5) ; ch. 54 (Cc. 28, 6) ; ch. 30 (Cc. 29, 2) ; ch. 52 (Cc. 33, 6) ; ch. 48 (Cc. 36, 1) ; ch. 45 (Cc. 57, 2).

101. *Regula ad monachos, PL* 66 ; voir édition critique par Dom V. DESPREZ, *Revue Mabillon*, t. 60 (1982), p. 117-148 : ch. 20 (Cc. 19, 2) ; ch. 10 (Cc. 25, 2) ; ch. 28 (Cc. 28, 2) ; ch. 7 (Cc. 38, 1) ; ch. 23 (Cc. 50, 2) ; ch. 31 (Cc. 61, 1).

102. *PL* 66 : ch. 8 (Cc. 7, 8) ; ch. 23 (Cc. 15, 2) ; ch. 7 (Cc. 30, 3) ; ch. 8 (Cc. 45, 1) ; ch. 7 (Cc. 46, 2) ; ch. 13 (Cc. 60, 1) ; ch. 12 (Cc. 63, 1) ; ch. 12 (Cc. 64, 2) ; ch. 10 (Cc. 72, 1) ; ch. 10 (Cc. 76, 1).

Saint Grégoire le Grand (+ 604) : *Moralia in Iob – Homélies sur Ézéchiel* – Plusieurs *Sermons* [103].

SS. Pauli et Stephani Regula (Date incertaine) [104].

VIIe SIÈCLE :

Saint Donat de Besançon : *Regula ad virgines* (vers 650) [105].

Regula cuiusdam patris ad virgines (Date incertaine) [106].

Saint Jean Climaque (+ 650/680) : *Échelle du Paradis* [107].

Saint Fructueux de Braga : *Regula monachorum* (vers 675) [108].

IXe SIÈCLE :

Saint Benoît d'Aniane (v. 750-821) : *Codex Regularum* et *Concordia Regularum* [109] ; par ces recueils de toutes les règles anciennes, Guigues a connu les textes de celles-ci.

103. *Morales sur Job, SC* 32 bis, 121, 221 (jusqu'au l. XVI ; à partir du l. XVII, *PL* 76) : XX, 15 (Cc. 14, 5) ; VI, 37 (Cc. 20, 3) ; VIII, 7 (Cc. 22, 1) ; VI, 37 (Cc. 74, 1) ; XXIII, 20 (Cc. 80, 6) ; IV, 30 (Cc. 80, 7) – *Homiliae in Ezechielem, PL* 76 : I, *Homélie 10* (Cc. 14, 5) ; II, *Homélie 2* (Cc. 20, 3) ; II, *Homélie 2* (Cc. 80, 7) – *Homiliae in Evangelia, PL* 76 : I, *Homélie 9* (Cc. 15, 5) ; I, *Homélie 14* (Cc. 31, 1) – *Regulae pastoralis liber, PL* 77 : II, 7 (Cc. 14, 5) ; II, 6 (Cc. 15, 2) ; II, 7 (Cc. 15, 4) – *Dialogues, SC* 260 : III, 16 (Cc. 22, 1) – *Epistolae, PL* 77 : I, 5 (Cc. 20, 3).

104. *PL* 66 ; voir aussi l'édition critique de Dom J.E.M. VILANOVA, Montserrat, 1959 : ch. 26 (Cc. 46, 2).

105. *Regula ad virgines, PL* 87 ; voir aussi l'édition critique par Dom A. DE VOGÜÉ, dans *Benedictina*, t. 25 (1978), pp. 237-313 : ch. 54 (Cc. 27, 1) ; ch. 49 (Cc. 31, 3) ; ch. 58 (Cc. 41, 5).

106. *PL* 88 : ch. 4 (Cc. 16, 1) ; ch. 12 (Cc. 29, 3) ; ch. 3 (Cc. 62, 2) ; ch. 3 (Cc. 64, 1).

107. *PG* 88 : Degré 27 (Cc. 16, 2 ; 64, 2 ; 80, 4 ; 80, 7).

108. *Regula monachorum, PL* 87 : ch. 4 (Cc. 28, 1) ; ch. 5 (Cc. 33, 6) ; ch. 8 (Cc. 50, 2) – *Regula monastica communis, PL* 87 : ch. 11 (Cc. 37, 4) ; ch. 7 (Cc. 38, 1).

109. *PL* 103 (à vrai dire, seule la *Concordia* a connu une certaine diffusion).

Concile d'Aix-la-Chapelle (816-817) [110].

Agobard de Lyon (+ 840) : *Liber de correctione Antiphonarii* [111].

Grimlaïc : *Regula solitariorum* (IXe ou Xe siècle) [112].

XIe SIÈCLE :

Saint Pierre Damien (+ 1072) : Guigues a connu et utilisé toutes les œuvres de saint Pierre Damien, mais surtout les *Opuscules XI, XIV et XV*, puis les *Lettres* [113].

Jean de Fécamp (+ 1078) : *Confessio theologica – Deploratio quietis et solitudinis derelictae* – Lettre *Tua quidem* [114].

110. *Concile d'Aix-la-Chapelle*, voir HERRGOTT, *Vetus Disciplina monastica*, Paris, 1726 ; voir aussi l'édition critique du *Capitulum monasticum* du 10/7/817 dans *MGH, Capitularia regum francorum*, t. 1 (1883), pp. 343-349 : canon 34 (Cc. 22, 2) ; can. 22 (Cc. 28, 1) ; can. 5 (Cc. 29, 3) ; can. 52 (Cc. 36, 1) ; can. 48 et 52 (Cc. 36, 4) ; can. 80 (Cc. 37, 2) ; can. 8 et 9 (Cc. 38, 3) ; can. 11 (Cc. 39, 1) ; can. 43 (Cc. 50, 2) ; can. 22 (Cc. 57, 3) ; can. 13 (Cc. 58, 3).

111. *Opera*, édition par L. VAN ACKER (*CCCM* 52, 1981), pp. 337-351 ; voir aussi la Préface de l'Antiphonaire de Guigues (cf. ci-dessus n. 60).

112. *PL* 103 et Dom Luc D'ACHERY, *Regula solitariorum*, Paris, 1653 : ch. 15 (Cc. 22, 4) ; ch. 49 (Cc. 24, 1) ; ch. 49 (Cc. 28, 1) ; ch. 51 (Cc. 28, 5) ; ch. 40 (Cc. 29, 3) ; ch. 48 (Cc. 38, 2) ; ch. 23 (Cc. 41, 1) ; ch. 24 (Cc. 72, 1).

113. *Opuscules, PL* 145 : *XI*, 19 (Cc. 16, 2 ; 31, 1 ; 80, 6 ; 80, 7 ; 80, 8 ; 80, 10 ; 80, 11) ; *XII*, 24 (Cc. 19, 2 ; 31, 1) ; *XIV* (Cc. 41, 1) ; *XV*, 5 (Cc. 14, 5), 28 (Cc. 15, 1), 28 (Cc. 15, 2), 28 (Cc. 15, 4), 11 (Cc. 17, 2), 7 (Cc. 22, 1), 29 (Cc. 22, 3), 10 (Cc. 22, 3), 29 (Cc. 22, 4), 18 (Cc. 25, 2), 21 et 27 (Cc. 28, 1), 18 (Cc. 28, 3), 17 (Cc. 29, 1 ; 29, 2 ; 29, 3), 22 (Cc. 29, 3), 17 (Cc. 29, 5), 18 (Cc. 30, 1), 10 (Cc. 30, 3), 18 (Cc. 31, 1), 6 et 15 (Cc. 33, 1 ; 33, 2), 6 (Cc. 33, 3), 18 (Cc. 35, 2 ; 35, 3 ; 39, 3), 7 (Cc. 42, 1), 11 (Cc. 46, 2), 15 (Cc. 52, 3), 7 (Cc. 58, 2), 18 (Cc. 64, 2), 7 (Cc. 73, 3), 7 (Cc. 74, 1), 18 (Cc. 80, 2), 2 (Cc. 80, 6), 5 (Cc. 80, 7), 2 (Cc. 80, 11) ; *XXIX*, 3 (Cc. 28, 1) ; *XXXIV*, 6 (Cc. 15, 1) ; *XXXXVI*, 16 (Cc. 27, 1) ; *LV* (Cc. 8, 1) – *Epistolae, PL* 144 : VI, *32* (Cc. 16, 2 ; 40, 2 ; 41, 1 ; 80, 7) ; VII, 6 (Cc. 80, 7) – *Vita sancti Romualdi, PL* 144 : ch. 64 (Cc. 44, 2) – *Vita sancti Dominici Loricati, PL* 144 : ch. 6 (Cc. 7, 9) – *Vita sancti Petri Damiani, PL* 144 : ch. 4 (Cc. 22, 3) ; ch. 5 (Cc. 28, 5 ; 33, 2).

114. Dom Jean LECLERCQ et Jean-Paul BONNES, *Un maître de la vie spirituelle au XIe siècle, Jean de Fécamp*, Paris, 1946.

Lanfranc de Cantorbéry (1005-1089) : *Decreta pro Ordine sancti Benedicti* (vers 1075) [115].

Bernard de Cluny : *Ordo Cluniacensis* [116].

Ulrich de Cluny : *Consuetudines Cluniacenses* (vers 1085) [117].

Coutumes de Camaldoli (fin du XIe siècle) [118].

Coutumes de Saint-Ruf : *Ordo ruffien* du XIe siècle [119]. L'importance de cette source canoniale, qui se remarque surtout dans la partie liturgique des *Coutumes de Chartreuse*, est certainement due à la présence de deux anciens chanoines de Saint-Ruf parmi les premiers compagnons de saint Bruno.

Consuetudines Hirsaugienses (vers 1090) [120].

XIIe SIÈCLE :

Saint Bruno : *Lettres* (entre 1096 et 1100) [121].

115. *PL* 150 : ch. 1, section 1 (Cc. 1, 1 ; 1, 2) ; ch. 1, sect. 4 (Cc. 4, 27) ; ch. 18 (Cc. 7, 9) ; ch. 1, sect. 7 et 8 (Cc. 8, 1) ; ch. 1, sect. 2 (Cc. 8, 4) ; ch. 17 (Cc. 73, 3).

116. HERGOTT, *Vetus Disciplina monastica*, Paris, 1726, pp. 133-364.

117. *PL*, 149 : I, 44 (Cc. 2, 4), 12 (Cc. 4, 19), 2 (Cc. 4, 27), 14 (Cc. 4, 28), 55 (Cc. 4, 31), 31 (Cc. 5, 1), 46 (Cc. 5, 8), 31 (Cc. 7, 3) ; 3 (Cc. 7, 4), 18 (Cc. 7, 8) ; II, 20 (Cc. 7, 9) ; I, 46 (Cc. 8, 2), 42 (Cc. 11, 1) ; III, 33 (Cc. 11, 2), 2 (Cc. 11, 2), 2 (Cc. 15, 4) ; II, 1 (Cc. 22, 1 ; 22, 2), 27 (Cc. 22, 5) ; III, 10 (Cc. 28, 1 et 3) ; II, 35 et 36 (Cc. 28, 5) ; I, 18 (Cc. 29, 2 ; 29, 4), 41 (Cc. 29, 5) ; III, 18 (Cc. 47, 1), 20 (Cc. 63, 1).

118. *Annales Camaldulenses*, t. 3, Appendice : *Coutumes dites de 1080*, ch. 18 (Cc. 14, 5) ; ch. 48 (Cc. 15, 1) ; ch. 49 (Cc. 15, 2) ; ch. 38 (Cc. 16, 2) ; ch. 30 (Cc. 17, 1) ; ch. 37 (Cc. 18, 1) ; ch. 29 (Cc. 28, 1) ; ch. 18 (Cc. 29, 2) ; ch. 36 (Cc. 31, 1) ; ch. 26 (Cc. 39, 1) ; ch. 3 (Cc. 80, 5) ; 6 (Cc. 80, 11) – *Coutumes dites de 1085*, col. 548 (Cc. 4, 28 ; 6, 1) ; col. 549 (Cc. 17, 2) ; col. 549 (Cc. 46, 2).

119. Dom D. MISONNE, « La législation canoniale de Saint-Ruf d'Avignon à ses origines », dans *Actes du colloque de Moissac* de 1963, *Annales du Midi*, t. 75 (1963), pp. 471-489.

120. *PL* 150, 927-1146 : *Consuetudines Hirsaugienses*, II, ch. 23 (Cc. 7, 1) ; II, 12 (Cc. 15, 4) ; I, 34 (Cc. 43, 1) – *Ibid*., 901-922 : *Vita Guillelmi Hirsaugiensis*, ch. 23 (Cc. 42, 1 ; 42, 2 ; 43, 4 ; 50, 2 ; 58, 2).

121. *SC* 88 : *Lettre à Raoul le Verd*, 9 (Cc. 16, 2) ; 6 (Cc. 20, 2 ; 80, 4 ; 80, 7 ; 80, 8 ; 80, 9 ; 80, 11 ; 80, 12) – *Lettre à ses fils chartreux*, 2

Bernold de Constance : *Micrologus de ecclesiasticis observationibus* (vers 1100) [122].

Lietbert, Abbé de Saint-Ruf : *Liber ecclesiastici et canonici Ordinis,* ou *Ordinarium* (entre 1100 et 1110) [123].

Saint Hugues, évêque de Grenoble de 1080 à 1132.

Guigues : *les Méditations.* Cet ouvrage, antérieur aux *Coutumes de Chartreuse,* fut pour Guigues comme un banc d'essai où il approfondissait et mûrissait sa pensée jour après jour, sans savoir que c'était au service de l'œuvre de législateur monastique qu'il aurait à réaliser plus tard. Maintes « pensées », sans être des sources textuelles proprement dites pour les *Coutumes,* sont parfois des commentaires anticipés de tel texte des *Coutumes,* ou encore se présentent comme des explications autorisées pour l'intelligence de certains passages, ou comme des réflexions parallèles utiles. Nous ne pouvons donner ici qu'une nomenclature sommaire de ces textes, en note [124].

(Cc. 16, 2) ; 3 (Cc. 17, 2) ; 4 (Cc. 19, 2) ; 3 (Cc. 25, 2) ; 5 (Cc. 35, 1) ; 3 (Cc. 35, 3) ; 3 (Cc. 70, 1) ; 2 (Cc. 72, 2) ; 1, 2 et 3 (Cc. 80, 7) ; 3 (Cc. 80, 8).

122. *PL* 151.

123. *Ordinarium de Lietbert de Saint-Ruf,* B.N., *lat. 1233* : fol. 24 v. (Cc. 2, 2) ; fol. 11 r. (Cc. 4, 4) ; fol. 10 v. (Cc. 4, 7) ; fol. 32 (Cc. 4, 28) ; fol. 32 (Cc. 4, 35) ; fol. 3 v. et 19 r. (Cc. 8, 5) ; fol. 8 v. (Cc. 8, 8) ; fol. 25 v. (Cc. 12, 1 ; 12, 2 ; 12, 5) ; fol. 25 v. (Cc. 13, 2 ; 13, 3 ; 13, 4 ; 13, 5 ; 13, 7 ; 13, 8) ; fol. 25 (Cc. 22, 1) ; fol. 27 (Cc. 23, 2) ; fol. 28 (Cc. 29, 1).

124. *Méditations, SC* 308 (on donne le numéro des « pensées ») : 309, sur l'élaboration des lois (Cc. Prologue, 2) ; 190, 288, 18, 20, être enseigné plutôt qu'enseigner (Cc. Prologue, 3) ; 299, 275, rasure monastique (Cc. 9, 1) ; 50, 62, rien de plus laborieux que de demeurer sans labeur (Cc. 14, 5) ; 133, qualités du prieur (Cc. 15, 2) ; 346, 219, 350, 238, 211, 106, *prodesse magis quam praeesse* (Cc. 15, 2) ; 175, 294, humilité du prieur (Cc. 15, 5) ; 475, 471, sobriété à l'égard du monde (Cc. 19, 1 ; 79, 3) ; 262, 426, ne pas sortir (Cc. 19, 2-3 ; 31, 1 ; 79, 1) ; 369, 370, 371, 288, 98, la vraie utilité (Cc. 19, 3) ; 223, la solitude ne permet pas de s'adonner au soulagement matériel des pauvres et des voyageurs (Cc. 20, 1 ; 20, 4 ; 20, 6) ; 443, 8, 146, obéissance (Cc. 25, 2) ; 152, 156, 319, la désobéissance est une idolâtrie (Cc. 25, 3) ;

C. *Guigues et l'utilisation de ses sources*

Tout ce qui vient d'être dit révèle chez Guigues une excellente connaissance des anciens écrits monastiques. En fait, toute son œuvre est enracinée à un degré remarquable dans le riche terreau des antiques règles des moines d'autrefois.

Mais à l'heure où Guigues prit la plume pour écrire les *Coutumes*, il n'avait pas à établir une observance à venir : une grande partie des coutumes qu'il devait consigner avait été vécue et éprouvée pendant une quarantaine d'années dejà ; les autres avaient achevé d'être mises au point par lui-même au cours des premières années de son priorat. Il lui fallait trouver des termes propres pour exprimer une vie qui existait déjà dans ses détails. Il eût pu le faire en se tenant plus ou moins loin des textes que lui offrait la tradition monastique. Il a préféré, quand cela était possible, retrouver les textes traditionnels, évitant mieux ainsi les lacunes et les directives insolites.

Il pouvait être traditionnel en renvoyant nommément à ses sources, mais à peine l'a-t-il fait deux ou trois fois ; d'ailleurs ce n'était guère l'usage à cette époque de donner des référen-

194, 69, les vêtements (Cc. 28, 1) ; 365, travail de copie et enluminure (Cc. 28, 2) ; 413, cuisine en cellule (Cc. 28, 5) ; 36, 69, 194, 13, le froid (Cc. 28, 5 ; 57, 3-4) ; 421, contre la discorde (Cc. 37, 2) ; 95, 134, 140, 150, 164, 167, 168, 175, 200, 210, 219, 223, 236, 246, 289, 346, 381, 382, 416, 420, le prieur dans sa fonction service-charité (Cc. 38, 1) ; 276, 411, 407, 209, 454, contre la cupidité (Cc. 41, 1) ; 297, 8, 56, 57, 400, 410, 436, pauvreté (Cc. 58, 2 ; 75, 1) ; 125, inutilité des nouvelles, *rumores* (Cc. 62, 2) ; 90, *alacritas* (Cc. 72, 2) ; 359, crainte (Cc. 74, 1) ; 400, 436, ressources modestes (Cc. 79, 3) ; 298, 56, 336, esprit de pauvreté (Cc. 79, 3) ; 375, 413, 475, 296, détachement du monde (Cc. 79, 3) ; 186 et beaucoup d'autres « pensées », amour (Cc. 79, 3) ; 11, 26, 36, 295, 298, prier plus librement (Cc. 80, 4) ; 467, 468, 469, 470, 471, 475, le désir ardent des biens célestes (Cc. 80, 7) ; 14, 71, 73, 99, 179, 331, 445, *appetere* au sens de désir de Dieu (Cc. 80, 7) ; 262, 69, 183, 391, 469, 475, humilité et patience, essentielles (Cc. 80, 8) ; 390, la liste des « œuvres de la dévotion » (Cc. 80, 11).

ces, comme on le ferait aujourd'hui. Il a été traditionnel d'une autre manière, en assumant dans sa propre synthèse, sans le dire explicitement, les textes qu'il voulait utiliser.

Guigues, en effet, ne copie jamais servilement. Il repense ses sources. Il choisit et pèse tous les mots dont il se sert. Quand parfois son point de vue diffère d'une tradition monastique autre que la sienne, il prend avec soin ses distances par rapport à telle de ses sources et s'exprime en termes irréductibles à une interprétation qui permettrait de confondre les deux vocations distinctes. A chaque instant, il assure ses positions avec le plus grand soin, pour qu'il n'y ait aucune ambiguïté. Il sait parfaitement ce qu'il veut et ne s'affilie à personne. Il construit sa synthèse, délibérément autonome et bien personnelle. S'il agit ainsi, ce n'est pas du tout par esprit d'indépendance systématique, c'est parce qu'il possède une parfaite maîtrise de son sujet et une claire vue des exigences de la vocation cartusienne ainsi que de ses conditions de vie. Ainsi s'explique en lui l'union de la plus profonde admiration pour d'autres genres de vie monastique et l'utilisation de très nombreuses sources avec le souci d'une indépendance très nette pour sa propre observance.

Il a eu la sagesse de se servir sans cesse des sources les plus pures de la tradition, la hardiesse de les retoucher souvent pour les adapter avec exactitude aux nécessités de la vie cartusienne, et la maîtrise d'avoir fait un tel travail sans tomber dans l'utopie ou dans l'illusion. Il savait qu'il devait être très ferme sur deux points : que rien ne fasse tort à la pureté de la solitude, que rien ne nuise à une sage organisation de la vie en fonction de l'idéal à poursuivre.

En résumé, Guigues a emprunté à la façon des maîtres, nullement gênés de prendre leur bien où ils le trouvent, parce qu'ils sont assurés de mettre les éléments préexistants au service d'une intention parfaitement nette, assez puissante et assez simple, pour les assumer sans s'altérer. Saint Bruno avait suscité une structure apte à vivre et à durer. Les matériaux empruntés ont été intégrés dans cet organisme.

Guigues a donc été en même temps traditionnel et original. Il n'a pas été original hors de la tradition, ce qui eût risqué d'être utopique ou trop hasardeux, mais original avec modération, au sein de la tradition, en réussissant à unir dans une synthèse équilibrée des éléments assez divers, qui ont été glanés de-ci de-là.

L'originalité dans le cas d'une fondation monastique est une qualité si une direction a été trouvée, par où passeront désormais des âmes qui cherchent Dieu, si les matériaux traditionnels adaptés à la nouvelle construction ont été retaillés de telle sorte que le nouvel édifice soit apte à traverser les siècles sans fléchissements essentiels, malgré les modifications de détails et les corrections nécessaires en raison des enseignements de l'expérience, de l'apparition de circonstances nouvelles, ou aussi des faiblesses humaines. Or la Chartreuse a duré avec les traits qui lui sont propres.

L'originalité de l'ensemble dont Guigues a rédigé les lois n'était réductible ni aux règles et coutumiers des cénobites ni même aux coutumiers d'autres ermites. Les *Coutumes de Chartreuse* sont riches d'éléments substantiels d'autres observances monastiques, mais très neuves par leur adaptation et leur organisation dans la synthèse précise d'un *propositum* bien spécifique.

Guigues a-t-il eu des sources préférées ? En ce qui concerne la liturgie et les petites observances disciplinaires de la vie concrète, on n'aperçoit aucune source preférée. Guigues a butiné partout, dans un éventail de sources très ouvert et étendu. Comme nous l'avons vu, il déborde le groupe des seuls textes de législations monastiques, il englobe aussi les coutumiers canoniaux, s'étend jusqu'à des écrits spirituels, des œuvres des Pères de l'Église. Dans le temps, ses sources s'étalent des origines du monachisme jusqu'au XIIe siècle.

En ce qui concerne les textes fondamentaux des *Coutumes*, sur l'esprit de la vocation cartusienne, on peut mieux préciser les principales sources où a puisé Guigues : ce sont surtout Cassien, saint Augustin et saint Jérôme. Il leur doit quelques phrases fondamentales de son œuvre, qui ont situé pour toujours la Chartreuse dans la gamme des vocations monastiques.

Dans la rédaction du texte des *Coutumes*, il y eut donc à la fois tradition et originalité. Mais au-dessus de la présence et de la combinaison de ces deux données, un autre facteur a joué dans la destinée des *Coutumes de Chartreuse* et de l'Ordre cartusien : la personne même de Guigues.

Les textes où il a fait connaître, au-delà de la lettre, l'esprit de la vocation cartusienne, révèlent en effet une des sources d'où les Coutumes ont reçu une force capable de soutenir l'Ordre cartusien pendant des siècles : c'est la puissante personnalité de Guigues, la richesse et la profondeur de son idéal spirituel, sa conviction de la valeur nécessaire de la vocation contemplative dans l'Église, de la fonction de la Chartreuse auprès du Christ et dans le Christ au sein de l'Église. L'influence de Guigues dans les *Coutumes* est celle d'une âme fascinée par Dieu selon la ligne d'une vocation précise qui l'a captivé, et au service de laquelle il dispose de dons exceptionnels. L'idéal est exprimé avec une sorte de ferveur, tout ensemble ardente et contenue, génératrice de force spirituelle.

La force des *Coutumes* leur est donc venue, avec l'aide de la grâce de Dieu, de la solidité de leur enracinement dans la tradition, d'une saine originalité, de la puissante personnalité de leur auteur, et aussi, comme nous l'avons vu, du site même de Chartreuse.

18. **Bruno et Guigues**

La mise en lumière des dons remarquables de Guigues, de la valeur de son œuvre, du rôle de celle-ci et de son maintien au cours des siècles, ne saurait en aucune manière diminuer la part de saint Bruno dans la destinée de l'Ordre cartusien.

Bruno a fait naître et vivre la Chartreuse. Il lui a donné le genre de vie qu'elle a toujours conservé. Il l'a enfantée dans le Seigneur et formée selon son esprit et a imprimé parmi ses fils l'orientation spirituelle de son âme. Il a acheté au prix de son sacrifice les grâces nécessaires à la stabilité de cette forme de vie religieuse. Il en demeure à jamais le Père qui la soutient de son esprit et de sa prière.

Guigues a reçu toute sa formation dans l'atmosphère spirituelle entretenue depuis saint Bruno par la première génération de Chartreux, qui vivait encore lors de son entrée en Chartreuse.

Très conscient de l'héritage qui lui était confié, Guigues a lui-même exprimé, avec délicatesse et profondeur, sa vénération filiale pour saint Bruno, en deux endroits de ses écrits : dans la notice consacrée à saint Bruno en tête de la *Chronique des premiers Prieurs de Chartreuse* [125], et dans plusieurs passages de la *Vie* de saint Hugues de Grenoble. Ces textes doivent être cités ici :

« Maître Bruno, de nationalité germanique, né de parents notables en l'illustre ville de Cologne, très cultivé aussi bien dans les lettres séculières que dans les études religieuses, chanoine de l'Église de Reims qui n'est inférieure à aucune autre parmi les Églises de Gaule, et maître des écoles, ayant quitté le monde, fonda l'ermitage de Chartreuse et le gouverna pendant six ans. Par ordre du Pape Urbain II dont il avait été jadis le maître, il se rendit à la curie romaine, afin d'aider le Pape de son assistance et de ses conseils dans les affaires de l'Église. Mais, comme il ne pouvait supporter les agitations et le genre de vie de la curie, brûlant de l'amour de la solitude qu'il avait quittée et du repos contemplatif, délaissant la curie et refusant aussi l'archevêché de Reggio auquel il avait été élu

125. Dom WILMART (cf. ci-dessus, n. 70) a intitulé « Catalogue » la Chronique des cinq premiers prieurs de Chartreuse, et « Chroniques » les états successifs de cet écrit, peu à peu augmenté au cours des siècles. Ce parti surprend le lecteur averti et déroute le lecteur non averti. Nous donnons le nom de « Chronique » à cet écrit et à toutes ses additions : *Chronique Magister, Chronique Laudemus, Chronique Quoniam, Chronique Dilexi* : il s'agit toujours du même ouvrage continué.

à l'instigation du Pape lui-même, il se retira dans un désert de Calabre qui s'appelait La Tour ; et là, ayant réuni plusieurs laïcs et clercs, il pratiqua tant qu'il vécut la vocation de vie solitaire, puis il mourut et y fut enseveli, la onzième année environ après son départ de Chartreuse [126]. »

« Maître Bruno, un homme très célèbre pour sa piété et sa science, un modèle de probité, de gravité et de toute maturité... un homme au cœur profond [127]. »

Bruno, appelé de façon inattendue par le Pape, avait quitté la Chartreuse en laissant son œuvre bien fragile encore. D'ailleurs il eût été prématuré d'écrire une règle après trop peu de temps ; il fallait que les observances fussent auparavant dûment expérimentées.

Bruno n'était donc plus là ; mais rien ne s'est fait sans lui, sans sa prière, sans le rayonnement de son souvenir, sans l'impulsion qu'il avait donnée à la première Chartreuse et dont l'esprit dure à jamais parmi les siens. De lui, qui avait jeté la semence, par Guigues, dont le génie a su formuler l'expression de la vie solitaire cartusienne, jusqu'à nous, c'est le même esprit qui anime cette vie. Sur le fond monastique traditionnel, ils ont élevé une forme de vie dont l'originalité propre est due à une conjonction de personnes et à une disposition de lieux où s'est manifesté un dessein de la Providence, comme l'histoire de neuf siècles écoulés l'a montré ensuite.

Sur tous les points essentiels de la vie cartusienne, amour de la solitude, primauté de la vie contemplative pure, proportion entre l'érémitisme et le cénobitisme, charité fraternelle attentive, sagesse et esprit de modération, on trouve la pensée de Guigues coïncidant avec celle de saint Bruno. Cela est d'autant plus intéressant à constater que leurs tempéraments sont très divers, on dirait mieux encore foncièrement dissemblables. Leur communion dans l'idéal de vocation de la Chartreuse se

126. *Chronique...*, éd. A. Wilmart (cf. ci-dessus n. 70), p. 119 (43 du tirage à part).

127. *Vita sancti Hugonis Gratianopolitani*, *PL* 153, 769 et 770.

trouve ainsi être un enseignement très fécond pour leurs fils de tous les temps. Tous deux ont contribué, chacun avec ses dons propres, mais dans une continuité parfaite du premier au second, à édifier l'Ordre cartusien.

Guigues a tenu le gouvernail au cours d'années décisives. En pleine maturité, sûr des caractères spécifiques de la vocation cartusienne, il en a tracé les traits définitifs dans ses *Coutumes*.

Son œuvre est venue parachever exactement comme il le fallait l'œuvre fondée par saint Bruno dans les âmes et au désert de Chartreuse, afin de doter de tous les moyens nécessaires pour durer un Institut entièrement ordonné à une fin purement contemplative dans la solitude. La stabilité de l'Ordre a reçu son fondement, son assise la plus profonde, de la sagesse de ces deux hommes qui ont présidé à la naissance et au développement de la Chartreuse. Grâce à eux, les Chartreux ont pu demeurer fidèles à quelques-unes des valeurs essentielles et permanentes du monachisme dans l'Église.

Il règne dans les *Coutumes de Chartreuse*, sous leur rédaction un peu fruste, une visible unité d'inspiration, comme dans l'œuvre de tout grand législateur. Qu'il s'agisse des textes puisés dans des sources antérieures ou des parties les plus originales, Guigues a tout unifié par sa personnalité si forte et imprimé à l'œuvre la marque personnelle de son génie. Il a su aussi bien fixer des détails particuliers que formuler à leur occasion des enseignements généraux profonds sur la vocation de solitude et les rapports mutuels au sein de ce genre de vie. Sa pensée est demeurée l'armature de l'Ordre cartusien.

L'érudit bénédictin Dom Wilmart, qui s'intéressait aux origines de Chartreuse et à Guigues, écrivait il y a une cinquantaine d'années :

« Guigues, flamme vive jaillie du foyer de l'Évangile, pur reflet de la "Lumière du monde", qui, devant l'histoire, et réserve faite des desseins particuliers de la Providence, donne raison de la persistance de l'Ordre cartusien jusqu'à nos jours [128]. »

Il y a là une réflexion fort juste, mais pour nous, au terme de cette étude, nous nous garderons bien de séparer Guigues des desseins particuliers de la Providence. Au contraire, puisque la Providence a coutume d'utiliser des intermédiaires humains pour réaliser ses intentions, il est clair pour nous, avec le recul du temps et les enseignements de l'histoire, que Bruno et Guigues furent tous deux des instruments choisis par la Providence et guidés par l'Esprit-Saint pour fixer la destinée de la Chartreuse. Ce fut une des marques d'attention de Dieu sur ce cheminement particulier dans le monde monastique.

19. **Conclusion**

Il nous reste à dire un mot de la survie des textes des *Coutumes de Chartreuse* dans les *Statuts* cartusiens d'aujourd'hui. A l'époque du Concile de Trente, les Chartreux avaient leurs Statuts composés de quatre recueils : les *Coutumes de Chartreuse*, et trois groupes d'additions successives faites par le Chapitre Général au cours des cinq siècles écoulés. Ils décidèrent alors de fondre ces Statuts en un seul tout, qui reçut le nom de *Nova Collectio Statutorum*. On fit cette refonte en supprimant ce qui était désuet et en ne gardant que ce qui était toujours valable.

Sur 80 chapitres des *Coutumes*, le texte de 51 d'entre eux passa entièrement dans ces *Statuts* refondus ; 15 autres passèrent en partie ; 14 furent laissés de côté. On avait donc encore, dans les Statuts ainsi rénovés, une très grande partie du texte des *Coutumes* primitives.

Mais, à cette époque, l'heure était à la prépondérance du juridisme dans les textes législatifs. Certains paragraphes spirituels des plus profonds et des plus beaux disparurent alors malheureusement des *Statuts* dans cette refonte.

L'aggiornamento d'après le Concile Vatican II fournit l'occasion de réintroduire dans les Statuts des éléments de toute

128. Dans *RAM*, 14 (1933).

première valeur, intéressant l'esprit de la vocation cartusienne, provenant de sept chapitres des *Coutumes*.

Au moment où les Chartreux célèbrent le neuvième centenaire de leur Ordre, ils vivent encore en un cadre identique à celui de leurs origines, dans le recueillement de leurs cellules, le même idéal de solitude contemplative qui attira jadis au désert saint Bruno et ses six premiers compagnons. L'esprit de saint Bruno, cet esprit dont Guigues a si fortement animé les *Coutumes de Chartreuse*, demeure ainsi plus que jamais aujourd'hui l'esprit de l'Ordre cartusien, exprimé dans ses *Statuts*.

II

LE TEXTE DES « COUTUMES »

20. **La tradition du texte**

Quand parut en 1510 la première édition imprimée des *Consuetudines Cartusiae*, environ 216 Maisons de moines chartreux avaient été fondées depuis l'origine de l'Ordre jusqu'à cette date, et 196 subsistaient alors. Il y avait en outre 5 Maisons de moniales.

Depuis l'origine, chaque moine du cloître doit avoir dans sa cellule un exemplaire des *Statuts* (comme le rappelle encore une ordonnance de 1676). Pendant des siècles, jusqu'à cette édition de 1510, la copie des *Coutumes de Chartreuse* pour en doter chaque cellule fut pour les copistes chartreux un travail prioritaire ; nous en verrons des exemples. Or le plus grand nombre des chartreuses comporta les douze cellules de règle au cloître, ou plutôt treize avec celle du prieur. Les quelques monastères qui furent plus grands sont bien connus avec les dimensions précises de leurs cloîtres. Il est donc facile de connaître le nombre des cellules de Chartreux ayant existé depuis l'origine de l'Ordre jusqu'à la date de la première édition imprimée des *Statuts*, qui mit fin au travail de copie de ces derniers. Ce nombre est 2625 à peu d'unités près.

Nous avons ainsi la possibilité tout à fait exceptionnelle,

grâce au genre de vie des Chartreux, de pouvoir supputer avec une bonne approximation le nombre de manuscrits des *Coutumes* qui ont pu exister. Au chiffre des cellules, il faut ajouter les exemplaires copiés à l'usage des frères convers et des moniales ; leur nombre est moins facile à évaluer. D'autre part, ce n'était pas l'usage de donner des exemplaires des règles cartusiennes en dehors de l'Ordre, sauf de rares exceptions. Cela étant, on peut estimer le nombre total des copies des *Consuetudines Cartusiae* ayant existé avant l'imprimerie à un chiffre voisin de 4 000 sans se tromper beaucoup. Or aujourd'hui nos recherches nous ont permis d'en atteindre 17, soit environ 0,4 %. Telle est la sévérité des ravages du temps en ce domaine.

Nos 17 manuscrits, de provenances fort diverses, se répartissent ainsi, quant à leur âge :

2 du XIIe siècle ;
3 du XIIIe siècle ;
3 du XIVe siècle ;
9 du XVe siècle.

Notre édition critique des *Coutumes* est établie à partir de ces 17 témoins.

La première édition imprimée, parue chez Jean Amorbach à Bâle en 1510, est d'un grand intérêt, car les éditions postérieures ont jusqu'ici dérivé de celle-là sans recours aux manuscrits. Aussi nous a-t-il paru intéressant de lui consacrer une courte étude et de joindre ses variantes textuelles à celles de nos 17 témoins manuscrits.

21. **Présentation des manuscrits**

Nous suivrons l'ordre chronologique pour les onze premiers manuscrits, réservant pour la fin six exemplaires en provenance de Bâle, qui ne peuvent être étudiés séparément les uns des autres.

S Paris, Bibliothèque Nationale, *lat. 4342*, XIIe siècle, 21,5 × 15.

Ce magnifique manuscrit provient de l'abbaye cistercienne de Signy, dans les Ardennes, non loin de Charleville-Mézières. Il contient 32 folios, en 4 cahiers de 8 ; chaque cahier est soigneusement numéroté en bas du verso du dernier folio, par un chiffre romain, dans un petit motif ornemental.

Au bas du recto du folio 1, où se lisent les *capitula* des *Consuetudines*, figurent les *ex-libris* des bibliothèques successives auxquelles le volume a appartenu :

Lib. Scę Mariaę Signiaci (XIIe s.)
Codex D. Faure 161
Reg. 4505.4

Au verso du folio 32, en bas : *liber iste pertinet ad eccliam Signiacen.* Au-dessus de cette inscription, une autre, difficile à lire et plus tardive, qui commence par : *hic liber signatur lra* (littera) *d numero IIII.* Une indication plus tardive a été grattée. La reliure est moderne.

Dans tout le manuscrit, l'écriture est d'une même main, régulière et appliquée : un modèle de calligraphie, un très beau spécimen d'écriture du XIIe siècle. Dom Wilmart l'attribue à la première moitié du siècle. Tout naturellement, ces constatations orientent vers la Chartreuse du Mont-Dieu, proche de Signy, et vers la personne de Guillaume de Saint-Thierry, l'illustre moine de Signy, qui visita le Mont-Dieu en 1142 ou 1143 et dédia la fameuse *Lettre d'Or* aux Frères du Mont-Dieu en 1144. On se souvient que, dans la préface dédicatoire de cette lettre, Guillaume annonce aux Chartreux qu'il leur envoie ses ouvrages. Un tel cadeau en appelle un autre en retour, ou répond à un autre. Il paraît très probable que les Chartreux ont offert à Guillaume un exemplaire des *Consuetudines Cartusiae*, où se trouvaient codifiées les règles de la vie cartusienne dont leur insigne ami faisait dans sa lettre un si bel éloge. Notre manuscrit serait cet exemplaire même : sa provenance suggère cette hypothèse.

Il ne porte aucune addition postérieure et se trouve dans un excellent état ; visiblement aucune manipulation prolongée ne l'a fatigué. S'il avait été conservé dans une Chartreuse, il eût été davantage utilisé. Tout porte à croire qu'il fut donné à Signy aussitôt après avoir été copié. On pourrait même préciser la date, car Guillaume de Saint-Thierry est mort en 1149. Le manuscrit aurait donc été copié entre 1143 et 1149. Nous avons ainsi un texte transcrit une quinzaine d'années après que les *Consuetudines* eussent été écrites par Guigues. Entre l'original de la main de Guigues et ce manuscrit, il doit n'y avoir qu'un seul intermédiaire : l'exemplaire emporté de la Grande Chartreuse au Mont-Dieu pour la fondation de cette Maison en 1136.

Le copiste était très soigneux. Une dizaine de fois, il s'est corrigé lui-même. Cinq ou six fois seulement, l'orthographe d'un mot n'a pas suivi les règles observées dans tout le volume. Il est rare de rencontrer un manuscrit d'une exécution aussi parfaite. A première lecture et avant la collation avec d'autres manuscrits, le texte donne confiance. Sans doute subsiste-t-il quelques fautes de distraction : nul n'en est exempt. Les autres témoins du texte nous révéleront le nombre de ces fautes, mais ce manuscrit restera en fin de compte le premier de tous pour la qualité du texte comme il l'est pour la date.

La ponctuation est remarquable. Parfaitement égale à elle-même d'un bout à l'autre et très attentive, elle analyse les idées et les distingue plutôt que de s'attacher comme de nos jours à la structure de la phrase au point de vue grammatical. Comme cette ponctuation se retrouve dans tous les manuscrits anciens des *Coutumes*, quoique plus altérée ici ou là, il faut donc la faire remonter jusqu'à Guigues en personne. C'est pour nous une nouvelle preuve, minime mais non négligeable, de la pénétration de son esprit. Avec la ponctuation vont les majuscules. Là où le copiste ne met pas de majuscules (v.g. les noms propres), nous avons l'habitude d'en mettre aujourd'hui et, là où il en met, nous ne les considérerions pas toujours comme indispensables. Si ces usages nous déconcertent parfois, la règle de notre copiste est cependant très simple : il ne met de majuscule qu'au commencement des phrases, jamais aux noms propres ; il traite ordinairement comme des phrases les citations de la Sainte Écriture ou autres. En raison de ces principes, il n'hésite pas à clore certains chapitres – v.g. XXII, XXIII, XXIV – et à commencer un nouveau chapitre, là où nous continuerions en mettant deux points et en évitant la rupture d'une division tranchée. La connaissance de ce détail particulier nous sera très utile pour résoudre un petit problème auquel se sont heurtés quelques commentateurs à un autre endroit des *Coutumes*. Comme c'est l'usage au XIIe siècle, notre scribe remplace la diphtongue *ae* à la fin d'un mot par l'*e* cédillé : ę. Au contraire, il a coutume d'écrire *aecclesia* pour *ecclesia*...

D Dijon, Bibliothèque Municipale, *616* (364). XIIe siècle, 27 × 17.

Ce manuscrit provient de l'abbaye de Cîteaux, dont la reliure (XVIIe ou XVIIIe siècle) porte le fer armorié.

Le manuscrit contient 7 cahiers. Les 4 premiers ont 4 feuilles doubles, le 5e, 3 seulement, le 6e se compose de 3 feuilles simples, le 7e a une unique feuille double. Les *pages* ont été numérotées au crayon de 1 à 85. La page 1 porte, d'une écriture du XVIIe ou XVIIIe siècle, les indications suivantes :

Consuetudines Carthusiae
sub Guigone V priore ejusdem.
Hae sunt primae Leges
statuta, et ritus tum ecclesiastici
cum monastici Ord^{nis} Carth^{sis}.
In hoc exemplari desunt
Capita 57, 58, 59 et 60, quae ab alio
describenda sunt et
huic addenda.

En dessous, d'une main ancienne, mais différente du reste du manuscrit :

Liber Scę Marię cistercii.

A la page 2 commencent les *capitula* des *Consuetudines*, et à la page 5, sous l'*explicit* des *capitula,* on trouve l'inscription :

Liber cistercii.

Cette inscription est encore reproduite au bas de la page 49, dans la marge inférieure du texte, et une dernière fois en bas de la page 85, de la même main qu'aux pages 5 et 49.

A trois reprises, au bas des pages 20, 32 et 86, on lit d'une écriture cursive postérieure à celle du manuscrit (XIVe ou XVe siècle : *f. petrus de divione.*

D'après l'écriture, ce manuscrit pourrait être daté de la première moitié du XIIe siècle [129]. On peut essayer d'atteindre une date plus précise : il fut sans doute donné aux Cisterciens à l'occasion des relations d'amitié entre les premiers Chartreux et les premiers Cisterciens. Goswin, abbé de Cîteaux de 1152 à 1155 [130], était auparavant, de 1141 à 1152, abbé de Bonnevaux dans l'Isère [131], non loin de la Chartreuse des Écouges et dans la même province que la Grande Chartreuse. En outre saint Bernard et l'abbé de Cîteaux Rainard vinrent à Bonnevaux en 1150 [132], pendant que se débattait à Grenoble la nomination d'un nouvel évêque : les Chartreux avec leur prieur saint Antelme furent impliqués dans les controverses que suscita la nomination de cet évêque, et saint Bernard y intervint pour soutenir auprès du Pape l'autorité méconnue du Prieur de Chartreuse sur quelques-uns de ses religieux. Il y eut donc des contacts entre Chartreuse et Cîteaux à l'époque même qui correspond à l'arrivée de ce manuscrit à Cîteaux.

Le manuscrit comprend :

1. Les *Consuetudines Cartusiae*, de la page 2 à la page 76, à l'exception des chapitres LVII à LX inclus, qui manquent aujourd'hui entre les pages 64 et 65.
2. Le premier « Supplément » aux *Consuetudines* que l'annaliste Dom Le Couteulx a justement attribué à saint Antelme.

L'écriture du manuscrit change brusquement en haut de la page 34, au milieu du chapitre XVII des *Consuetudines* ; la deuxième main, contemporaine de la première, va jusqu'à la fin des *Consuetudines* ; le Supplément est de la main du premier copiste. Celui-ci a donc exécuté 41 pages (32 des *Coutumes* et les 9 du Supplément) et le second 33.

129. Réponse de M.P. GRAS, Conservateur de la Bibliothèque de Dijon (3 mai 1950).

130. *Gallia Christiana*, IV, 986.

131. *Gallia Christiana*, XVI, 209.

132. *Cartulaire de l'Abbaye Notre-Dame de Bonnevaux*, par Ulysse CHEVALIER, Grenoble, 1889, pièce n° 32.

A l'étude attentive de ce manuscrit, on ne peut se défendre de l'impression qu'il a été écrit avec une certaine hâte. Le deuxième copiste a fait beaucoup plus souvent que le premier des erreurs et des oublis ; il a réparé lui-même une trentaine de mots ou de passages omis en portant en marge ou au-dessus de la ligne des mots oubliés ; cela n'était arrivé que trois fois dans les dix-sept premiers chapitres. A l'inverse, un certain nombre de mots ont été écrits deux fois ; il a fallu les annuler, soit en les exponctuant, soit en les barrant. Et malgré ces nombreuses corrections, il reste encore plus de 100 variantes qui n'ont pas été rectifiées : c'est tout à fait anormal pour un manuscrit si proche de l'original. Pour quiconque a fréquenté la centaine de manuscrits du XIIe siècle copiés à la Grande Chartreuse ou à la Chartreuse de Portes et conservés aujourd'hui à la Bibliothèque de Grenoble, le contraste est frappant. La perfection d'exécution de ces travaux ne se dément jamais ; cela est d'autant plus remarquable qu'un grand nombre d'entre eux sont des œuvres considérables, Bibles, Homiliaires, ouvrages des Pères. Comment se fait-il que ce travail si court porte la marque de tant de négligences ?

D'autres constatations trahissent la hâte dans l'exécution. On remarque en particulier que si le 5e des cahiers dont se compose le manuscrit avait primitivement 4 feuilles doubles comme les 4 précédents, au lieu de 3, les chapitres manquants des *Consuetudines* devaient se lire au recto et au verso d'un folio perdu par lequel commençait ce cahier 5. Mais alors, il faut également supposer la perte d'un autre folio, solidaire du premier, qui prendrait place entre les actuelles pages 76 et 77, c'est-à-dire entre la fin des *Consuetudines* et le début du Supplément ; ce folio aurait donc été vierge, ce qui est surprenant, tant le parchemin était matière précieuse.

Voici l'explication que nous proposons : il semble que le premier copiste, ayant passé la main à son confrère à partir du chapitre XVII, se soit mis ensuite aussitôt à copier sur d'autres feuilles le Supplément aux *Consuetudines* avant d'attendre la fin de l'exécution de celles-ci ; ils auraient travaillé simultanément. Si cette hypothèse est vraie, une fois le travail terminé, il sera resté un folio entièrement blanc entre les *Consuetudines* et leur Supplément ; ce folio de parchemin inutilisé aura plus tard tenté quelqu'un qui l'aura détaché ; par suite, l'autre moitié qui portait les chapitres LVII à LX inclus, n'étant plus retenue par la couture de la reliure, se sera un jour échappée : ainsi se trouve parfaitement expliquée sa disparition aujourd'hui.

Derniers détails curieux qui soulignent la hâte ; le copiste, en écrivant le texte dans lequel il laissait libre selon l'usage la place nécessaire pour mettre ensuite les titres en rouge, avait transcrit ceux-ci en tout petits caractères noirs, en longueur sur le bord de la marge, vis-à-vis de l'emplacement futur de chaque titre, comme s'il avait craint que le modèle ne fût plus disponible au moment de rubriquer les titres [133]. Devant cet ensemble de constatations convergentes, on est donc amené à penser que les exécutants de ce travail ont été très pressés, pour une cause inconnue. Si ce n'était sans doute pousser trop loin le désir de trouver des solutions à tous les problèmes, on pourrait proposer l'explication suivante : saint Bernard, l'abbé de Cîteaux et l'abbé de Bonnevaux montèrent peut-être jusqu'en Chartreuse à l'occasion de la visite de saint Bernard à Bonnevaux en 1150. De fait saint Bernard, dans sa lettre au Pape Eugène III sur l'élection d'un Chartreux à l'évêché de Grenoble, se montre singulièrement au courant du trouble causé à l'intérieur de la Chartreuse par cet incident, et il ne peut guère avoir été si bien informé que par des confidences personnelles de saint Antelme [134]. Ce dernier, à cette occasion, aurait fait copier très rapidement le manuscrit qui nous occupe pour le donner aux abbés cisterciens, toujours très intéressés par les observances cartusiennes.

Autre hypothèse possible : La Grande Chartreuse aurait prêté aux Cisterciens un exemplaire des *Consuetudines* ; il aurait été copié rapidement à Cîteaux et rendu aux Chartreux. Quelle que soit l'hypothèse retenue, le résultat est le même quant à la tradition du texte.

R Abbaye cistercienne de Rein (Autriche), n° *XLIII*, commencement du XIIIe siècle, 24,5 × 17 (cf. *Xenia Bernardina...*, II, *Die Handschriften-Verzeichnisse der Cistercienser-Stifte...* Vienne, 1891, I, p. 33).

133. Signalons encore des mots altérés de façon curieuse et non corrigés : *crrcumeant* pour *circumeant* – *duducimus* pour *ducimus* – *instute* pour *institute* – *copetentibus* pour *competentibus* – *carstino* pour *crastino* – *vul* pour *vult* – etc.

134. *PL* 182, 473.

C'est un épais volume (7,5 d'épaisseur), composé d'éléments entièrement indépendants les uns des autres, reliés ensemble sans raison particulière de ce groupement, comme il arrivait souvent pour les manuscrits anciens. La reliure est très antique et en partie rongée par le temps : nous ne sommes pas capable de la dater. Il appartient à l'abbaye cistercienne de Rein, tout près de Gratz en Styrie. On y trouve :

1. Un sermonnaire, fol. 1 à 38 : sans doute des sermons capitulaires. Cette partie, du XIIIe siècle, n'est pas cartusienne, comme on le voit d'après son contenu ; elle paraît être cistercienne (*Incipit : Sermo in adventu Domini. Tempus requirendi Dominum cum venerit).*

2. Un second sermonnaire, fol. 39 à 76, dû à des mains très diverses, et qui paraît plus tardif.

3. Honorius Augustodunensis, Expositio in Canticum Canticorum (*PL* 172, 347-496), fol. 77 à 115, d'une écriture du XIVe siècle.

4. Jacobus de Voragine, O.P., Legenda aurea sanctorum, XIVe siècle. Seulement les 57 premiers chapitres, sur 182 annoncés. Les légendes s'achèvent en avril avec celle de saint Marc (fol. 116 à 201).

5. Vient ensuite la partie qui nous intéresse : fol. 202 à 215. Elle contient trois documents qui ont été écrits bout à bout d'un seul jet par un même copiste, sans aucune solution de continuité entre ces éléments :

a. Le début de la *Chronique Magister*, réduite à la première moitié de la notice concernant saint Bruno : haut du folio 202 recto.

b. Les *Consuetudines Cartusiae* : fol. 202 r° à 213 v°.

c. Le premier « Supplément » aux *Consuetudines* ; il n'est précédé d'aucun titre : fol. 213 v° à 215 r°.

Cette partie cartusienne est d'un format un peu plus réduit que le reste du volume : 24 × 15,5. Elle se compose de deux cahiers : un quaternion et un de trois feuilles seulement. La dernière page du second cahier, qui devait porter à son recto les trois ou quatre dernières lignes du « Supplément » aux

Consuetudines, a connu une singulière aventure : elle a été coupée et a disparu ; sans doute ce parchemin presque entièrement vierge a-t-il tenté quelqu'un, mais le larcin a été réparé avec propreté : on a substitué immédiatement, au lieu et place de la page enlevée, une page de papier collée par un onglet à la feuille dont faisait partie la page de parchemin ; le cahier s'est trouvé ainsi reconstitué dans son intégrité, à ce détail près que son dernier folio de parchemin est devenu papier. Au recto de ce folio, on a retranscrit avec soin les dernières lignes du « Supplément » aux *Consuetudines*, qui se trouvaient sur la page enlevée. L'opération a été faite avant la reliure, ou juste au moment de celle-ci, car le cahier était déjà ainsi constitué quand on l'a relié. Enfin le verso de ce dernier folio de papier a été collé par toute sa surface sur l'envers de la couverture du volume.

L'écriture est de la fin du XIIe siècle ou au plus tard du début du XIIIe. L'ę cédillé est encore d'un emploi constant. Le texte est très serré : 43 lignes à la page, dans un cadre de 19 × 11,5. Les titres des chapitres ont été écrits au fil du texte, dans les mêmes caractères que le texte lui-même et avec la même encre noire ; les numéros des chapitres se trouvent dans la marge, en rouge, en face du titre correspondant ; une petite majuscule rouge, très sobre et sans aucun ornement, marque le début du texte de chaque chapitre. En outre un très petit liseré suit le contour de la majuscule de chaque début de phrase : il est jaune pour le recto de chaque folio et rouge pour le verso ; ce détail facilite beaucoup l'étude de la ponctuation. Bien que petite et serrée, l'écriture est très soignée. Ce copiste était bien précis dans les détails d'exécution : il avait visiblement du métier. Aussi est-on surpris de trouver dans une copie si bien faite un nombre de fautes comparable à celui du manuscrit de Dijon. L'explication réside, croyons-nous, dans l'existence d'un intermédiaire de plus entre l'original et cet exemplaire. Les distractions des deux copistes se seront additionnées.

Nous sommes en présence d'un des plus précieux témoins de la tradition textuelle des *Consuetudines*. Il est curieux de constater que les plus anciens manuscrits connus nous viennent tous trois d'abbayes cisterciennes. Peut-on connaître l'origine de ce manuscrit et savoir comment il est parvenu à l'abbaye de Rein ? Quelques mots d'histoire éclaireront sans doute ce problème.

Après la Grande Chartreuse, les quinze premières fondations cartusiennes se situèrent toutes dans les limites de la France actuelle. La seizième allait être le premier essaimage à distance lointaine : la Chartreuse de Seitz en Styrie en 1160. Elle fut fondée par le marquis Ottokar de Styrie ; les Chartreux ne parvenant pas à se décider à une fondation si éloignée, le marquis fit intervenir le Pape lui-même, et c'est sur l'intervention d'Alexandre III auprès du R.P. Dom Basile que Seitz fut enfin fondée [135]. Une dizaine d'années après prenait naissance une seconde maison cartusienne, à peu de distance de Seitz, celle de Geirach. Au Chapitre Général, on appelait alors ces deux chartreuses les Maisons de Sclavonie. Ces deux fondations furent suivies plus tard par celles de Freudenthal en 1255 et de Pleterje en 1403. Cette dernière Maison, toujours vivante, atteste que depuis 8 siècles la région a toujours été une terre cartusienne.

Les premiers pères qui partirent pour fonder Seitz en 1160 emportèrent évidemment de Chartreuse un exemplaire des *Consuetudines*, et sans aucun doute notre manuscrit dérive de cet exemplaire. D'où viendrait-il en effet sans cela, puisqu'on ne rencontrait aucune autre Maison de l'Ordre à cette époque sur la longue distance entre la Grande Chartreuse et Seitz ? Ce fait a un grand intérêt pour l'histoire des textes cartusiens : car nous venons de voir dans le manuscrit de Cîteaux la présence du premier « Supplément » aux *Consuetudines* et il se trouve aussi dans celui du Rein. Nous sommes donc en droit de croire que les copies des *Consuetudines* qui partaient de Chartreuse dans les années 1150-1160 avaient pour accompagnement normal ce Supplément.

La présence d'un extrait de la *Chronique Magister* en tête des *Consuetudines* est significative elle aussi. Dom Wilmart avait signalé incidemment l'existence du manuscrit de Rein dont il avait aperçu la mention dans un catalogue, mais il n'en avait pas pressenti l'intérêt

135. Le premier prieur, Bérémond, vint de la Grande Chartreuse avec quelques moines en 1160 ; ils s'installèrent provisoirement en attendant les constructions. La charte officielle de fondation fut octroyée en 1164 (Cf. *Chartreuse de Seitz*, par Mgr J. H. STEPISCHNEGG, prince-évêque de Harbourg, 1884, avec les documents).

pour les travaux dont il s'occupait alors. L'édition de la *Chronique Magister* par Dom Wilmart se fonde sur divers manuscrits dont le plus ancien est de 1258. Or notre manuscrit est un témoin de l'existence de la *Chronique Magister* soixante ans plus tôt et, comme il se rattache à un exemplaire parti de Chartreuse en 1160, nous remontons ainsi quarante ans plus haut encore. Sans doute savions-nous déjà par des renseignements de Dom Le Couteulx que cette chronique se trouvait dans un manuscrit du Mont-Dieu peu après 1136, mais il n'est pas indifférent de trouver un témoin, aujourd'hui tangible, qui nous ramène si près de l'origine de la *Chronique*.

Il reste à savoir comment ce manuscrit se trouve à Rein. L'abbaye cistercienne de Rein a été fondée comme Seitz par un marquis de Styrie, Léopold, mais trente ans avant Seitz, dès 1129. Trois ans plus tard, Rein donnait déjà naissance à l'abbaye de Sittich tout près de Laybach. Ainsi, dès 1160, abbayes cisterciennes et maisons cartusiennes voisinaient déjà dans ces régions. Il est permis de penser que des liens d'amitié se nouèrent en Styrie comme en France entre Chartreux et Cisterciens des premières générations, et notre manuscrit pourrait être un cadeau des Chartreux de Seitz aux Cisterciens de Rein, comme le manuscrit de Signy fut un cadeau du Mont-Dieu à l'abbaye de Signy.

Les occasions de contacts ne manquèrent pas au cours des siècles entre Seitz et Rein. Il advint même une chose curieuse : Seitz connut au XVIe siècle des jours difficiles ; à la suite du massacre du prieur par les Turcs en 1531, la Maison ne parvint pas à se relever et le caprice d'un gouverneur de Styrie la donna en commende à des supérieurs étrangers de 1564 à 1593. Or l'un des commendataires, de 1589 à 1591, fut l'abbé de Rein... Faudrait-il reporter à cette date l'entrée à Rein du manuscrit des *Consuetudines* dont nous nous occupons en ce moment ? Nous ne le savons pas : le manuscrit ne porte aucune indication pour nous éclairer à cet égard. La Chartreuse de Seitz, récupérée par l'Ordre en 1593, fut supprimée par Joseph II en 1782. Les deux monastères, de Rein et de Seitz, avaient voisiné pendant six siècles. L'essentiel pour nous est de savoir l'existence de ce précieux manuscrit, de plus de sept siècles et demi, et soigneusement conservé depuis bien longtemps sans doute par les Cisterciens de Rein.

Une surprise nous attendait à la collation de ce manuscrit. Il présente 57 variantes de texte communes avec le manuscrit de

Cîteaux déjà recensé, et il s'agit de leçons qui ne sont pas dans le manuscrit de Signy. Devant cette constatation, nous avons tout d'abord songé à renoncer à l'hypothèse qui vient d'être exposée sur l'origine de cet exemplaire de Rein et à lui en subsituer une autre : ce manuscrit aurait-il été copié sur celui de Cîteaux et serait-il venu à Rein par une voie cistercienne au lieu de la voie cartusienne de Seitz ? Tout de suite il a fallu laisser de côté cette nouvelle hypothèse, car le manuscrit de Cîteaux contient, en dehors de ces 57 variantes, une bonne quarantaine d'autres qui eussent été pour la plupart recopiées par le manuscrit de Rein s'il avait servi de modèle à ce dernier. Une seule solution reste possible : les exemplaires de Cîteaux et de Rein viennent d'un exemplaire de la Grande Chartreuse.

Mais une nouvelle question se présente immédiatement : ne serait-ce pas ce groupe Cîteaux-Rein qui donnerait le meilleur texte et Signy le moins bon ? Une telle opinion ne résiste pas à l'examen attentif des différences de textes entre Signy d'une part et Cîteaux-Rein d'autre part. De toute évidence, Signy est bien meilleur. Dès lors une seule solution reste possible : il y avait à la Grande Chartreuse, à côté de l'original, une ou plusieurs copies de celui-ci ; l'une d'entre elles, contenant déjà un certain nombre de fautes, a servi pour établir l'exemplaire de Cîteaux et celui de Seitz qui devait à son tour engendrer celui de Rein.

Cette conclusion n'a rien qui puisse étonner. En effet, au jour où Guigues achevait d'écrire les *Consuetudines*, cinq ou six Maisons en attendaient déjà une copie et dans les années qui suivirent il fallut pourvoir d'autres fondations encore. Pour faire face à tous ces besoins, l'archétype n'était peut-être pas toujours disponible ; les copistes de la Grande Chartreuse durent se servir tantôt de l'un, tantôt de l'autre des exemplaires qui avaient sans doute été copiés pour l'usage de chacun des moines de Chartreuse dans sa cellule.

Tout ce que nous venons de proposer va trouver une surabondante confirmation dans la suite de cette étude. En ce qui concerne l'origine du manuscrit de Rein, notre première hypothèse reste donc la seule vraisemblable.

G XIIIe siècle.

A la séance du 2 juillet 1877 des Sociétés Savantes de la France fut lue une communication d'Augustin Chassaing, du

Puy, présentant un manuscrit appartenant alors à l'archiviste de la Haute-Loire, Aymard [136]. Au début de ce manuscrit on lisait : *Statuta domni Gyguonis quae omnino debent legi quolibet anno bisextili*, puis, d'une écriture du XVIIe siècle : « Ce ms. est du XIIIe siècle et appartient à la Chartreuse du Glandier à qui il doit être rendu. » Aux derniers feuillets se lisait une notice sur la fondation de cette même Chartreuse du bas Limousin (1219) et un catalogue de ses prieurs, du XIIIe au XVe siècle.

Ce manuscrit du Glandier, prêté au XVIIe siècle à la Grande Chartreuse, comme l'indique la notice ci-dessus, réapparut en 1909 entre les mains du libraire Rosenthal à Munich. Il n'avait pas encore trouvé acquéreur en 1912. Sa trace se perd ensuite. Par bonheur, la Grande Chartreuse en possède une analyse détaillée et – ce qui vaut mieux encore – une photocopie fort bien faite qui a été prise vers 1910. Il est donc possible de connaître avec précision le contenu de ce témoin disparu de la législation cartusienne en vigueur avant le milieu du XIIIe siècle.

Le manuscrit, de format 23 × 15, avait perdu sa reliure, et depuis longtemps sans doute : la première et la dernière page étaient usées. Les folios sont numérotés. Voici sa composition :

fol. 2 r° à 3 r° : la liste des *capitula* des *Consuetudines*.

fol. 3 r° à 46 r° : le texte des *Consuetudines*.

fol. 46 r° à 48 v° : la *Chronique* des cinq premiers Prieurs de Chartreuse.

fol. 48 v° à 50 v° : le préambule du premier Chapitre Général tenu sous le R.P. Dom Basile en 1155.

fol. 50 v° à 123 v° : la compilation d'ordonnances du Chapitre Général connue sous le nom de *Statuts de Jancelin*, datée de 1222-1223. Etc.

136. *Revue des Sociétés savantes des Départements*, 6e S., t. VI (1877), pp. 312-313 (le catalogue des prieurs est édité pp. 314-315).

C'est à partir du f. 125 que se lit le catalogue des prieurs du Glandier qu'a publié A. Chassaing ; les noms inscrits de première main sont les quatre premiers, de Geoffroy à Pierre ; celui-ci était en charge en 1239. La liste a été complétée à plusieurs reprises et jusqu'à la fin du XVe siècle.

La copie des *Consuetudines* dans ce manuscrit avait d'abord été transcrite conformément à l'original. Un peu plus tard, quelques passages ont été barrés en divers endroits et on leur a substitué un peu au-dessus de la ligne ou en marge un texte modifié, en renvoyant plusieurs fois explicitement aux Constitutions de Jancelin. Il est vraisemblable que ce travail fut effectué quand furent promulgués ces Statuts de Jancelin. On devrait donc dater la copie du texte primitif avant 1222, donc dans les premières années de la fondation de Glandier, entre 1219 et 1222.

Le texte des *Consuetudines* dans ce manuscrit est de fort médiocre valeur : plus de 200 leçons diffèrent de celles de notre édition critique. Aussi doit-on croire qu'il y a eu plusieurs copies intermédiaires depuis l'archétype original jusqu'à cet exemplaire. Parmi ces variantes, on en trouve 32 qui se trouvaient déjà dans les deux manuscrits précédents, de Cîteaux et de Rein. Il faut donc conclure que ces trois manuscrits proviennent au départ de Chartreuse d'un même exemplaire, distinct de l'original. Ils constituent une famille dont nous ne rencontrerons plus d'autres témoins.

P Archives de Chartreuse, *I Stat. 23* (anciennement *B.I. 551)*, XIIIe siècle, 22,5 × 16.

Ce manuscrit provient de la Chartreuse de Paris. Il a 114 folios, en cahiers de 4 bifolios , à l'exception du cahier 2 qui compte 5 bifolios ; chaque cahier est numéroté en bas du verso du dernier folio. Au dos de la couverture, une note de la main de l'annaliste de l'Ordre au XVIIe siècle, Dom Le Couteulx, indique le nom du copiste, « Balduin ». Sur la page de garde en papier se trouve un sommaire du contenu, de la même main. Au recto du premier folio, Dom Le Couteulx a écrit : « Ce ms. est du XIIIe siècle et nous a été donné par le V.P.D. Maurin, Prieur de Paris » ; et des notes marginales de sa main se trouvent un peu partout dans le volume.

En bas du folio 112 v°, on lit : *Misereatur dominus famuli sui Balduini qui hunc librum cum magno labore fecit mediante obedientia.* Le volume est en effet tout entier de la même main, mais à la fin la plume est plus grossière et le calligraphe moins appliqué. Balduin était un homme âgé, comme l'a remarqué Dom Wilmart, car si nous ne connaissions pas la date que nous allons établir avec précision, nous croirions l'écriture plus ancienne ; d'ailleurs la main n'est plus toujours très ferme. La reliure est du XVIIe siècle. Voici le sommaire du contenu :
fol. 1 r° à 2 v° : La *Chronique Magister.*
fol. 2 v° à 4 r° : La liste des *capitula* des *Consuetudines.*
fol. 4 v° à 35 v° : Le texte des *Consuetudines.*
fol. 35 v° à 114 v° : Divers textes législatifs cartusiens postérieurs aux *Consuetudines* et des ordonnances du Chapitre Général allant jusqu'en 1258.

Nous sommes donc en présence d'un volume qui contient toute la législation cartusienne jusqu'à la veille de la refonte d'où sortirent les *Antiqua Statuta* élaborés de 1259 à 1271. Or en 1257, le roi saint Louis s'adressa à la Grande Chartreuse pour qu'une fondation fût faite aux abords de la capitale. La décision fut prise et les premiers pères et frères désignés pour cette fondation de Paris au cours d'un « chapitre privé » tenu à la Grande Chartreuse le 4 août 1257. Notre manuscrit est selon toute apparence l'exemplaire des lois cartusiennes destiné à cette nouvelle Maison, et il dut être copié entre le 4 août 1257 et le 1er mai 1259, date de la décision de la refonte législative qui s'appellerait les *Antiqua Statuta.*

Un détail intéressant vient confirmer cette hypothèse : diverses notes portées de temps à autre en marge du texte montrent que ce volume fut celui-là même qui servait pour la lecture régulière des *Statuts* au Chapitre de None à la Chartreuse les jours de fêtes de Chapitre. Nous avons donc bien en mains l'exemplaire officiel qui servit à guider les premiers pas de la Chartreuse de Paris. L'envoi de ce volume à la Grande Chartreuse en 1690 le sauva du désastre de la Révolution où disparurent presque tous les manuscrits du monastère de Vauvert.

Sans être excellent, le texte demeure encore fort bon : un peu plus de 100 variantes par rapport au texte pur. Ces variantes ne sont pas celles des manuscrits précédents. La filiation de ce texte à partir de l'original est donc entièrement indépendante de celle des quatre manuscrits déjà décrits. C'est là une constatation fort précieuse pour notre édition.

C Grenoble, Bibliothèque Municipale, *327* (Catal. 588), XIVe siècle, 24 × 15.

Ce manuscrit de 33 folios se compose de quatre quaternions ; en outre un folio qui porte la liste des *capitula* des *Consuetudines* a été cousu avec le premier cahier. Le texte s'achève vers le début du folio 32 recto ; le reste est blanc. Il y a 23 lignes à la page, soigneusement réglée.

Point d'ex-libris ancien. Une feuille de garde en parchemin plus blanc que celui du manuscrit se trouve entre la couverture et le folio 1. Au verso de cette feuille de garde, on lit : « Ce MS est du 13e ou 14e siècle. Ce sont les Coustumes de nre R.P. Guigue. » L'écriture de cette phrase est celle de Le Couteulx (XVIIe siècle) que l'on rencontre si souvent dans les anciens manuscrits de Chartreuse. Sous cette inscription, une autre main à écrit : XIVe siècle, et signé cette affirmation (signature illisible). On comprend l'hésitation de Dom Le Couteulx, car à première vue on daterait l'écriture du XIIIe siècle plutôt que du XIVe ; mais un examen plus approfondi révèle des détails qui sont bien du XIVe. Ce ne peut être en tout cas bien tard dans ce siècle, mais plutôt vers le début.

Ce manuscrit est arrivé à Grenoble en provenance du fonds de la Grande Chartreuse au moment de la Révolution ; il appartenait déjà à la Grande Chartreuse au XVIIe siècle, puisque Le Couteulx l'a eu entre les mains. Mais n'a-t-il pas appartenu à une autre Maison pour laquelle il aurait été copié ? A la fin du volume, sur la face intérieure de la couverture, se lit dans le sens vertical l'inscription suivante :

Charta visitatorum Domus mīe Dei
prope Franckford.

Il s'agit de la Chartreuse de la Miséricorde de Dieu à Francfort-sur-Oder, fondée en 1397. Mais ce n'est point là un ex-libris : ni le libellé de cette inscription, ni sa place dans le volume, ni le sens dans lequel elle est écrite n'autorisent à voir en elle un ex-libris. D'ailleurs, au verso de cette feuille de garde adhérant au plat de la reliure, on entrevoit un texte. Le relieur a tout simplement employé pour son travail une ancienne « carte » de la visite canonique de cette Maison, et cela peut avoir été fait aussi bien en Chartreuse qu'à Francfort. Il se pourrait encore que le volume ait été prêté en Allemagne et relié là-bas avant d'être rendu à la Grande Chartreuse.

Ce manuscrit offre un excellent texte, dont la filiation par rapport à l'archétype est indépendante de celle des autres manuscrits déjà recensés, et dont la qualité rivalise avec celui de Signy. Le copiste était extrêmement soigneux et a cherché avec beaucoup d'attention à être fidèle à son modèle ; il tombe rarement dans le travers de tant de scribes qui inversent sans scrupules la place des mots dans des phrases. Malheureusement une distraction dépare le texte de temps à autre : la place des majuscules avait été laissée en blanc comme d'habitude pour les tracer ensuite à l'encre rouge ; mais le rubricateur s'est plusieurs fois trompé de lettre : on lit ainsi *Cumque* au lieu de *Dumque, Ideo* pour *Adeo, Inde* pour *Unde*, etc. ; cet accident s'est produit 16 fois. Sans cette faute malencontreuse, ce manuscrit, au lieu d'avoir 7 fautes de plus que celui de Signy, en aurait 9 de moins et se classerait au tout premier rang pour la valeur du texte.

Des constatations si intéressantes pour notre édition nous ont suggéré l'idée d'un contrôle supplémentaire. Nous avons fait une comparaison attentive de la ponctuation pour les trois plus anciens manuscrits et pour celui-ci. L'accord est remarquable entre les quatre, mais le présent exemplaire est celui qui se rapproche le plus de celui de Signy : le nombre des majuscules de débuts de phrases, un peu supérieur à 600, ne diffère que de neuf unités. Dans ces neuf cas de désaccord, on donnerait plutôt la préférence à celui-ci. Or on sait combien vite se dégradent le texte et la ponctuation des ouvrages à travers les copies successives. Un exemplaire aussi remarquable se révèle très proche de l'archétype. Tout porte à croire qu'il a été copié en Chartreuse. On conservait donc encore à la Grande Chartreuse vers 1300 un texte très pur des *Consuetudines*, sans doute l'original lui-même.

Notons encore ce détail : en marge du texte, d'une écriture plus cursive, et plus tardive aussi, croyons-nous, un mot indique de temps à autre le sommaire du contenu du texte qui se trouve en regard. A plusieurs reprises, un petit dessin, traité d'une manière assez pittoresque, représente une main dont l'index démesurément long pointe vers les endroits du texte où Guigues, délaissant pour un instant les prescriptions disciplinaires, a livré des enseignements spirituels sur la vocation cartusienne. Voici quelques exemples de ce dessin :

« Praecipue studium et propositum nostrum est silentio et solitudini cellae vacare...

« Amicis hujus mundi nihil esse laboriosius quam non laborare. »

XIV. 5

« Quasi ad tutissimum et quietissimum portus sinum ad cellam semper recurrit procurator. »

XVI. 2

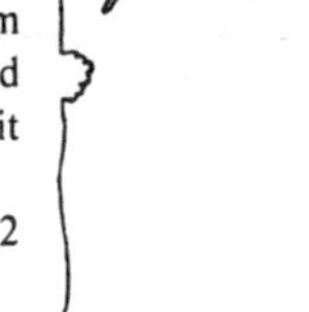

« De mulieribus : nec posse hominem ignem in sinu suo abscondere, ut vestimenta illius non ardeant. »

XXI. 2

« Sicut aquas piscibus et caulas ovibus, ita suae saluti et vitae cellam deputet necessariam. »

XXXI. 1

« Sexta feria, pane et aqua, et sale si cui placet, contenti sumus. »

XXXIII. 1

« Isti igitur Christi passiones, illi suadentur attendere miserationes, ab eodem utrique Domino mercedem sui praestolantes officii, isti patiendi, illi miserendi. »

XXXVII. 2

« Nostrum qualecumque vile propositum penuriam Deo gratias raro sentit aut abundantiam. »

XLI. 5

« Omnia pene quae in hac nostra institutione sunt optima, quiete et solitudine, silentio et superiorum appetitione significans. »

LXXX. 7

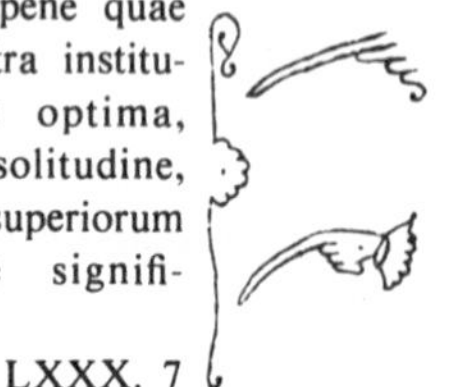

V Marseille, Bibliothèque Municipale, *701*, XIVe siècle, 22 × 17, 41 folios. La plus grande partie du dernier chapitre des *Consuetudines* (LXXX) manque, à partir du paragraphe 5.

Au bas du folio 2 r°, on lit les mots : « *Vallis benedictionis* », d'une écriture du XIVe siècle. Nous apprenons ainsi que ce manuscrit appartenait à la Chartreuse de Villeneuve-les-Avignon (*Domus Vallis Benedictionis*). Cette Maison fut fondée en 1356.

Ce manuscrit offre une curieuse particularité. Au chapitre LXXVI des *Consuetudines, De hospitio fratrum qui foras mittuntur,* Guigues avait délimité autour de Chartreuse une zone à l'intérieur de laquelle les frères ne pouvaient accepter ni nourriture, ni hospitalité de la part des étrangers ; des noms connus, tels que les Échelles, Entremont, jalonnaient les limites de cette zone. Les manuscrits des *Consuetudines* reproduisent ordinairement cette liste telle quelle. Or, dans ce manuscrit de Marseille, les noms qui nous étaient familiers se trouvent remplacés par d'autres. Nous avons rapidement identifié Bourg-Saint-Andéol, aujourd'hui chef-lieu de canton dans l'Ardèche ; un autre nom qui nous intriguait, *Balneolis*, correspond certainement à Bagnols-sur-Cèze, chef-lieu de canton du Gard. Près du milieu du tracé ainsi balisé se trouve, non point la Chartreuse de Villeneuve, mais celle de Valbonne (Gard). L'identification d'un troisième nom de lieu, *Sancti Saturnini*, nous a offert plus de résistance : aucun Saint-Saturnin ne se trouvait à proximité de la région déjà repérée. Il nous a fallu quelque temps pour trouver que la petite ville de Pont-Saint-Esprit (Gard), à 8 kilomètres de la Chartreuse de Valbonne, s'est appelée autrefois Saint-Saturnin-du-Port, jusqu'à la construction par les Frères Pontifes du célèbre pont sur le Rhône, entre 1265 et 1300. Valbonne est au milieu du triangle défini par les trois localités susdites : Bourg-Saint-Andéol, Bagnols-sur-Cèze, Pont-Saint-Esprit.

A travers le manuscrit de Villeneuve-les-Avignon, on devine donc un exemplaire des *Consuetudines* appartenant à Valbonne, ce qui est tout naturel, puisque ces deux Maisons étaient peu éloignées l'une de l'autre. La Chartreuse de Valbonne avait été fondée en 1203, et nous voyons ainsi que dans la copie des *Consuetudines* en usage dans cette Maison, on avait adapté les préceptes du chapitre LXXVI aux données géographiques du lieu.

Le texte est indépendant de celui des manuscrits précédents. Il est médiocre, ce qui n'a rien de surprenant, puisque plusieurs intermédiaires le séparent sans doute de l'original.

A Vienne, Österreichische Nationalbibliothek, *1459*, XIVe siècle, 31 × 23, 175 folios, sur 2 colonnes.

L'appartenance à la Chartreuse d'Aggsbach, fondée en 1380, en Autriche est indiquée en plusieurs endroits, notamment au folio 149 v°.

Ce manuscrit contient d'abord les *Antiqua Statuta*, puis les *Consuetudines Cartusiae* (fol. 107 v° à 126 v°). Ensuite quelques *consuetudines privatae*, enfin les *Nova Statuta*. Il est de plusieurs mains :

fol. 1 r°-1 v° : table des titres, XVIe siècle.

fol. 2 r°-140 v° : une main du XIVe siècle ; c'est dans cette partie que se trouvent les *Consuetudines*.

La suite est de mains du XIVe siècle et, à partir du folio 151, de mains du XVe et du XVIe.

En haut des pages qui contiennent les *Consuetudines* se lit un titre courant ; page de gauche, 1re colonne : *Consue* ; 2e colonne : *tudines* ; page de droite, 1re colonne : *domini* ; 2e colonne : *Guigonis*.

Cette section du manuscrit est d'une calligraphie splendide, sans une rature. Et surtout, le texte des *Consuetudines* y est excellent : seulement 8 fautes de plus que dans le manuscrit de Grenoble. Les variantes sont indépendantes de celles des manuscrits déjà étudiés : nous sommes donc une fois de plus en présence d'un témoin se rattachant à l'original indépendamment des autres.

Devant ce beau texte, on aimerait savoir par quelle voie il est parvenu à la Chartreuse d'Aggsbach. Cette Chartreuse, située sur la rive droite du Danube, en amont de Vienne, à mi-chemin entre Linz et Vienne, fut fondée en 1380. Le premier prieur et les douze premiers moines vinrent de la Chartreuse de Maurbach, non loin de là. C'était le temps du Grand Schisme. Notre manuscrit, copié dès les premières années de la fondation. ne peut avoir eu pour modèle un manuscrit venu de la Grande Chartreuse à cette date : Aggsbach, en effet, relevait du Prieur de Seitz, comme toutes les Chartreuses de l'obédience du Pape de Rome, et non plus de la Grande Chartreuse qui dépendait du Pape d'Avignon. Il n'a pourtant pas de parenté avec le manuscrit issu de Seitz, que nous connaissons déjà.

Un détail apporte quelque lumière. Les *Consuetudines Cartusiae* avaient fixé la « rasure » à six fois par an : *Sexies in anno radimur* (IX, 1). Or notre manuscrit donne à cet endroit : *Octies in anno radimur,* et énumère les huit dates fixées dans l'année pour cette rasure. Il est facile de savoir, d'autre part, que le passage de six à huit fois par an pour la rasure fut fixé par les Statuts de Jancelin en 1223. De plus l'un des jours de rasure, fixé depuis l'origine au Mercredi des Cendres, fut transféré à la veille par une ordonnance du Chapitre Général entre 1223 et 1271 (vers 1240). Or la liste donnée par notre manuscrit indique la veille du Mercredi des Cendres. On peut donc conclure avec vraisemblance que ce manuscrit descend d'un manuscrit parti de Chartreuse peu après 1240, ou du moins copié à cette date. Si maintenant nous consultons la chronologie des fondations dans la Province d'Allemagne Supérieure, nous trouvons que la Chartreuse de Freudenthal (ou Freidnitz) fut fondée en 1255 en Carniole au diocèse de Laybach (aujourd'hui Ljubljana). Le manuscrit d'Aggsbach pourrait donc être issu d'une copie partie de Chartreuse en 1255 pour la fondation de Freudenthal.

M Venise, Biblioteca Nazionale Marciana, *Cod. Marc. lat. IX, 82* (= 3053) [Indiqué dans le catalogue de G. VALENTINELLI, *Bibliotheca Manuscripta ad S. Marci Venetiarum*, tome V, Venise, 1872, p. 337, sous le n° 174 dans la classe XXI], XVe siècle, 16 × 11, 63 folios.

Ce manuscrit contient :

fol. 1-27 : la *Chronique Quoniam* des 24 premiers prieurs de Chartreuse.

fol. 28-29 : la *Chronique Magister* des 5 premiers prieurs de Chartreuse.
fol. 29-59 : les *Consuetudines Cartusiae.*
fol. 60-63 : le Premier « Supplément » aux *Consuetudines*, dans sa forme achevée.

Ce manuscrit de Venise a appartenu autrefois à la Chartreuse de Montelli, en Vénétie. L'écriture est belle et claire, plutôt du début que de la fin du XVe siècle. Mais c'est un bien pauvre texte, fort corrompu, pour les *Consuetudines* : près de 450 leçons fautives. Il occupe le dernier rang parmi nos manuscrits pour la valeur du texte. Il est sans doute l'aboutissement d'une longue série de copies successives, à partir de l'exemplaire qui dut partir pour la première fondation d'Italie, Cazottes, en 1171 ou 1172.

Chose curieuse : parmi les variantes du texte, nous en avons relevé 57 qui sont communes à ce manuscrit et à celui de la Chartreuse de Paris ci-dessus analysé. Au contraire il y a indépendance par rapport à tous les autres manuscrits. Comme d'autre part, une cinquantaine de variantes de Paris ne sont pas reproduites ici, ce manuscrit de Montelli ne dépend pas de celui de Paris. Nous aboutissons une fois de plus à déceler l'existence à la Grande Chartreuse d'une copie des *Consuetudines* distincte de l'original, et souche commune pour Paris et Montelli. Et il s'agit cette fois d'un exemplaire distinct aussi de celui qui fut la souche d'où sont descendus les manuscrits de Cîteaux, Rein et Glandier. Notre hypothèse relative à l'utilisation de plusieurs copies dans les cellules de la Grande Chartreuse se trouve ainsi confirmée. Bien que le manuscrit de Montelli soit de deux siècles postérieur à celui de Paris, il descend selon toute apparence d'une copie prise en Chartreuse près d'un siècle avant ce dernier.

F Bruxelles, Bibliothèque Royale, *10858* (Van den Gheyn 3847), XVe siècle, 18 × 13. Deux feuilles de garde papier ; 200 folios parchemin.

Au dos, le titre, doré : *Constitutio. Carthusiano. M.S.* avec une ancienne cote *F. 1247*. Tranche rouge. Foliotage moderne de 1 à 200.

Au folio 2, d'une main du XVe siècle : *Liber domus nr̄e*

done de gratia prope bruxellam ordinis carthusiensis. Il s'agit de la première Chartreuse de Bruxelles, à Scheut, sous le vocable de Notre-Dame-de-Grâces, où les Chartreux s'établirent en 1455.

Les *Consuetudines Cartusiae* s'étendent du folio 174 au folio 198 inclus et ne comportent pas d'index des *capitula.* Elles sont précédées par les *Nova Statuta* et suivies de quelques rubriques introduites par le titre : *Ista sunt declarata in Carthusia.*

Par une bonne fortune, la copie des *Consuetudines* est exactement datée. On lit en effet immédiatement après l'*explicit* et de la même main : *1465 martii 19.* Cet exemplaire fut donc écrit très peu de temps après la fondation de la Chartreuse de Bruxelles.

Le texte est très défectueux : près de 360 leçons fautives. Son seul intérêt, non négligeable d'ailleurs, est son indépendance par rapport aux autres manuscrits recensés jusqu'ici.

Il n'est guère possible d'avancer quelque donnée certaine au sujet de sa filiation, car la mauvaise qualité du texte suppose un bon nombre de copies successives, dont nous ne connaissons aucune. Constatons seulement que la Chartreuse de Bruxelles fut fondée par des pères venus de la Chartreuse de Capelle, qui avait été la première Maison de l'Ordre dans les Flandres en 1314. Capelle avait été fondée elle-même par des pères venus de Valenciennes (fondée en 1288) et du Val-Saint-Pierre (fondée en 1140). Il y a lieu de croire que ce manuscrit descend d'un exemplaire parti de Chartreuse au XIIe ou au XIIIe siècle.

H Darmstadt, Hessische Landes- und Hochshulbibliothek, *2768*, daté de 1470, 21 × 14,5, 266 folios. En provenance de la Chartreuse de Cologne (cf. *Die Handschriften der hess. L. u. H. Bibl. Darmstadt,* 4, Wiesbaden, 1979, n° 169, pp. 264-265).

C'est principalement un recueil de règles monastiques et canoniales. Les *Consuetudines Cartusiae* vont du folio 123 v° au folio 150 v°. Le chapitre LXXX manque, du numéro 4 au numéro 11 inclus ; il est remplacé par un simple renvoi aux *Antiqua Statuta,* où il figure *de verbo ad verbum.*

Le copiste est Dom Henri de Piro, personnalité assez connue de l'Ordre. Né à Cologne, professeur à Louvain, chanoine de Liège, il joua un rôle notable au Concile de Constance (1414-1418). Puis il fonda une maison d'études à Trêves et revint à Cologne où il fut professeur à l'Académie naissante. Il entra ensuite à la Chartreuse de Cologne en 1435 ; de 1438 à 1463, il fut successivement prieur de six Chartreuses, en Belgique et en Allemagne. En 1463, il revint à Cologne en sa Maison de profession comme simple religieux. Il y mourut le 19 février 1473. Cette copie des *Coutumes* fut donc pour lui une occupation des loisirs de son grand âge.

Il y a dans cet exemplaire des *Consuetudines* 147 fautes, dont 36 lui sont communes avec le manuscrit **F** de Bruxelles, précédemment recensé ; ils appartiennent donc à une même famille, mais ne dépendent pas l'un de l'autre. Les fautes communes avec d'autres manuscrits sont peu nombreuses et n'entraînent pas de dépendance.

Le groupe des manuscrits de Bâle

La Bibliothèque de l'Université de Bâle possède six exemplaires manuscrits des *Consuetudines Cartusiae*, tous du XVe siècle. Quand nous avons reçu cette information, nous avons tout d'abord pensé qu'il s'agissait de manuscrits rassemblés là autrefois en vue de l'édition des *Statuts* cartusiens par l'éditeur Jean Amorbach à Bâle en 1510. Mais après avoir avoir pris connaissance du catalogue édité par les conservateurs de cette bibliothèque [137], nous avons vu par la description de ces manuscrits qu'ils avaient été copiés à la Chartreuse de Bâle pour les cellules de cette Maison. S'ils n'avaient pas été réunis pour l'édition d'Amorbach, nous pensions du moins qu'ils avaient été utilisés à cette fin. Mais pour le savoir, une longue

137. *Die mittelalterlichen Handschriften der Universitätbibliothek Basel.* Abteilung B (Theologie), I, Bâle, 1960, pp. 736-760 ; II, Bâle, 1966, pp. 446-447.

et minutieuse étude s'imposait. Pour bien distinguer ce groupe des manuscrits précédents, nous en désignerons les exemplaires par des lettres minuscules : **a, b, c, d, e, f**. Par une chance inespérée, cinq de ces six manuscrits sont datés et signés. Ces copies des *Consuetudines* avaient attiré déjà l'attention de Mabillon visitant en 1682 la bibliothèque de Bâle [138].

La Chartreuse de Bâle fut fondée en 1401 dans un faubourg de la ville appelé le « Petit-Bâle ». La construction fut très lente. En 1416, date de la consécration de l'église, il n'y avait encore que trois cellules bâties [139]. Le premier de nos manuscrits fut copié l'année suivante.

a *B VII 23*, daté de 1417, 19 × 13, 202 folios en 22 cahiers.

Ce manuscrit contient :
fol. 2 r°-135 v° : les *Antiqua Statuta.*
fol. 136 r°-165 v° : les *Nova Statuta.*
fol. 166 r°-192 v° : les *Consuetudines Cartusiae.*
fol. 193 r°-198 v° : des appendices.

Le copiste est Dom Henri de Spire, qui devait mourir de « la peste » le 18 octobre 1418. Il exerçait alors l'office de sacristain.

Au folio 2 r° : *Iste liber est fratrum Cartusiensium domus Basilee.* Au folio 3 r° : *Ista statuta ordinis cartusiensis spectant ad domum vallis beate margarete eiusdem ordinis in Bas. minori.*

Au folio 135 v°, à la fin des *Antiqua Statuta : Anno domini M°CCCC°XVI° in octavis assumptionis marie finita sunt hec statuta per manus henrici de spira.* Au folio 166 r° : *Ista statuta sunt domus Vallis beate margarete ordinis Carthusiensis in Basilea minori Constantiensis diocesis.* Au folio 192 v°, à la

138. Renseignement fourni par l'excellente monographie de Christophe NICKLÈS, *La Chartreuse du Val-Sainte-Marguerite à Bâle,* Porrentruy, 1903, p. 181.

139. *Ibid.*, pp. 48 et 72.

fin des *Consuetudines : Expliciunt consuetudines ordinis carthusiensis Edite a priore Guigone scripte per manus Henrici de Spira Carthusiensis domus basilee anno domini M°CCCC°XVII° in die augustini finite.* Donc le 28 août 1417.

Le texte de ce manuscrit est très défectueux : 350 leçons fautives. Nous reviendrons plus loin sur son origine possible.

b *B VII 17*, date de 1453, 22,3 × 16,3, 190 folios en 16 cahiers.

Ce manuscrit contient :
fol. 1 r° : *De modo legendi statuta.*
fol. 2 r°-130 r° : les *Antiqua Statuta.*
fol. 130 v°-160 r° : les *Nova Statuta.*
fol. 161 r°-187 r° : les *Consuetudines Cartusiae.*

Au fol. 187 v°, on lit : *Scripta sunt hec et completa per manus fratris Heinrici de vullenho Traiectensis diocesis Cartusiensis in Basilea minori circa festum sanctorum Philippi et Jacobi apostolorum Anno domini millesimo Quadringentesimo Quinquagesimo tertio Etatis vero sue anno Quinquagesimo Conversacionis vero sue in ordine Anno vicesimo sexto. Deo gracias.*

Ce copiste, Henri de Vullenho, qui avait donc 26 ans de Chartreuse en 1453, était né en 1404 ; entré en Chartreuse en 1427, il devait mourir le 8 décembre 1468. Il a copié de sa main un grand nombre d'ouvrages et notamment presque tous les livres de chœur. C'est lui aussi, dit-on, qui a copié « les statuts de l'Ordre qu'on lisait au colloque [140] ». Il s'agit sans nul doute de l'exemplaire que nous analysons en ce moment. De fait, le manuscrit **a**, précédemment étudié, était d'une écriture très irrégulière et difficile à lire ; on devait sentir le besoin d'avoir un exemplaire bien lisible pour la lecture au Chapitre de None ; or l'écriture de Henri de Vullenho est très nette.

140. *Ibid.*, pp. 221-222 (notice sur Henri de Vullenho).

Malheureusement, le texte est très mauvais : 400 leçons fautives, dont 300 lui sont communes avec **a**, et nous avions tout d'abord pensé que **b** avait été copié sur **a**. Mais ce n'est pas possible, car un grand nombre de fautes de **a** ne se sont pas transmises à **b**. Il s'agit donc de deux copies d'un même exemplaire dont le texte était déjà fort contaminé. D'où était venu jusqu'à Bâle ce mauvais texte ? Au début de la fondation de la Chartreuse de Bâle, le premier prieur et les premiers pères furent fournis par la Chartreuse de Strasbourg. Nous aurons à revenir sur cette question.

c *B VII 21*, daté de 1460, 20,8 × 15,2, 293 folios.

Ce manuscrit contient :
fol. 1 v° : *De modo legendi statuta.*
fol. 2 (1) r° - 204 (202) v° : les *Antiqua Statuta.*
fol. 205 (203) r° - 249 (247) v° : les *Nova Statuta.*
fol. 250 (248) - 290 (288) r° : les *Consuetudines Cartusiae.*

Au folio 290 (288) v°, on lit : *Scripta sunt hec et completa per manus fratris Rodolphi de Campis Traiectensis diocesis Cartusiensis in Basilea minori circa festum Ascensionis domini Anno domini millesimo Quadringentesimo Sexagesimo.*

Le copiste, Rudolph von Kampen, devait mourir le 29 octobre 1467 à la Chartreuse de Fribourg-en-Brisgau.

Ce texte très mauvais – 420 fautes – reproduit servilement toutes les fautes du manuscrit **b** sur lequel il a été copié sans aucun doute.

d *B VII 22*. La date incertaine de ce manuscrit nous oblige à reporter son étude à la fin de la série des exemplaires de Bâle : il nous sera plus facile alors de le situer par rapport aux autres. Mais nous le mentionnons ici avec ce numéro d'ordre, car il viendra sans doute se placer par ordre chronologique entre **c** et **e**.

e *B VII 19*, daté de 1478, 20,3 × 14, 230 folios en 23 cahiers.

Ce manuscrit contient :
fol. 1 v° : *De modo legendi statuta.*
fol. 2 r°-173 v° : les *Antiqua Statuta.*
fol. 174 r°-210 v° : les *Nova Statuta.*
fol. 212 r°-228 v° : les *Consuetudines Cartusiae.*
fol. 229 r°-230 r° : *Index provinciarum et domorum ordinis Cartusiensis anno 1490.*

Au folio 228 v°, on lit : *Scriptum et completum est hoc totale volumen per fratrem Ludovicum Moser de Thurego tunc temporis procuratorem ac monachum professum huius inclite domus vallis beate margarete Anno professionis sue quarto etatis vero XXXVI° scilicet Anno domini 1478. In vigilia sancti iohannis baptiste Et pertinet hic liber ad cellam littera K signatam que eciam pro eo fuit primo fundata Anno 1474 in vigilia sancti iacobi apostoli die scilicet adventus sui ad monasterium hoc.*

A l'intérieur de la couverture, on lit : *hic liber statutorum fundationi celle littere K incorporatus incole eiusdem celle non debet auferri similiter biblia mametractus et legenda sanctorum de littera impressa qui libri ad eandem cellam per speciales amicos eiusdem fundatoris sunt donati et non aliter neque enim phas est ipsos aliter rendere vel ordinare quam secundum donatorum voluntatem. ut. c(apitulo) VI° 2e partis antiquorum con(suetudinum). Et est carta capituli anni domini 1446.*

Ce copiste, Louis Moser, qui avait 36 ans en 1478, devait être ensuite prieur de la Chartreuse d'Ittingen de 1482 à 1486 ; il revint ensuite à Bâle et y mourut bien plus tard, le 16 juillet 1510. Il fut un infatigable traducteur d'ouvrages de piété du latin en allemand [141]. On notera l'intérêt de la petite bibliothèque offerte pour la cellule qu'il inaugurait : en plus des *Statuta*, une Bible, un *Mametractus* ou *Mamotrectus*, bref commentaire biblique du XIVe siècle, et, jointe à ces manuscrits, une *Legenda sanctorum* incunable : *de littera impressa.*

141. *Ibid.*, pp. 238-239.

En abordant la collation de ce manuscrit, nous nous attendions à trouver un nouvel exemplaire du mauvais texte donné par les trois précédents, mais nous avons été surpris de trouver un texte bien meilleur, loin d'être parfait cependant : environ 140 fautes. Il n'est certainement pas dérivé du même exemplaire que **a b c**.

f *B IX 36*, daté de 1479, 16,3 × 11,6, 290 folios en 29 cahiers de 10 f. (sauf XI et XV : 9 f. ; XXIX : 12 f.).

Ce manuscrit contient :
fol. 1 r° : *Suma eorum ex statutis capitulorum quae gravissima videntur* (1 v° : miniature représentant la décollation de sainte Barbe : *Sancta Barbara succurre mihi servo tuo in extrema hora Amen*).
fol. 2 r°-206 r° : les *Antiqua Statuta.*
fol. 206 v°-251 v° : les *Nova Statuta.*
fol. 252 r°-287 v° : les *Consuetudines Cartusiae.*

Au folio 287 v°, on lit : *Completur opus istud anno domini millesimo quadringentesimo septuagesimo nono in profesto sancti iohannis baptiste per manus fratris iohannis gypsmüller* (23 juin 1479).

Dom Jean Gypsmüller devait mourir le 20 décembre 1485. Il fut lui aussi le copiste de plusieurs ouvrages.

La valeur de ce texte est du même ordre que celle du précédent : 130 fautes, dont 80 sont communes avec l'exemplaire **e**. Il n'a pas été copié sur ce dernier ; mais il a certainement utilisé le même modèle que lui.

Il est donc clair que, entre 1460 date de **c** et 1478 date de **e**, on s'est rendu compte de la corruption du texte qui avait servi de modèle pour **a b c** ; et on a cherché à se procurer un meilleur exemplaire. Ce souci de perfection doit être attribué sans doute au prieur Dom Henri Arnold, l'ancien notaire du concile de Bâle. Né en 1407, à Alfeld près d'Hildesheim en Saxe, il connut les Chartreux de cette ville. Après de brillantes études à Rome, il fut envoyé comme notaire au concile de Bâle. Il entra à la Chartreuse de Bâle en 1437 ; il devait en être prieur de 1449 à 1480 ; ayant abandonné sa charge à cause de son âge, il vécut encore sept ans et mourut le 5 juin 1487 [142]. Par sa formation antérieure et ses goûts, il devait s'intéresser aux travaux de ses moines copistes. Il est l'auteur d'une *Chronique* de la Chartreuse de Bâle, d'une *Vie* de saint Bruno et de divers opuscules de piété. On possède un indice au sujet d'échanges de manuscrits : en 1472, Dom Jean Gypsmüller copiait un manuscrit contenant des traités de saint Bonaventure, apporté de la Grande Chartreuse par le Visiteur de la Province, Dom Henri de Cologne [143].

d *B VII 22*, 2e moitié du XVe siècle, 21,2 × 14,5, 194 folios en 19 cahiers. Nous arrivons maintenant à l'étude du manuscrit signalé plus haut, qui n'est ni signé, ni daté.

Ce manuscrit contient :
fol. 2 r°-2 v° : *Additiones.*
fol 3 r°-141 v° : les *Antiqua Statuta.*
fol. 142 r°-169 r° : les *Nova Statuta.*
fol. 170 r°-192 v° : les *Consuetudines Cartusiae.*

Le volume porte un titre général : *Statuta ordinis Cart(usiensis) pertinet ad cartusiam in minori Basilea.*

Plusieurs mains ont travaillé à ce manuscrit. Il ne nous a pas été facile de le situer dans la série. Son texte, en effet, grevé de 175 fautes, s'apparente à celui des deux manuscrits que nous venons d'examiner : il a environ 80 leçons communes avec eux. Mais d'autre part, il contient quelques détails qui ne peuvent venir que du groupe **a b c**, auquel les deux copies **e f** étaient demeurées complètement étrangères. Ces détails se trouvent presque tous dans le libellé des titres des chapitres. Nous admettons donc que le scribe de ce manuscrit avait devant lui une copie des titres tels qu'ils sont libellés dans **a b c**, mais il copiait le manuscrit qui fut le modèle de **e** et **f**. Ces

142. *Ibid.*, p. 117 et p. 141.
143. *Ibid.*, p. 243.

constatations nous portent à croire que ce manuscrit **d** est antérieur à **e** et **f** puisque ces derniers ont rejeté tout apport du groupe défectueux **a b c**. C'est pourquoi nous le situons entre **c** (1460) et **e** (1478).

Hypothèse sur l'origine des manuscrits de Bâle

Nous sommes donc en présence de deux groupes, l'un **a b c**, issu d'un exemplaire qui devait avoir 300 fautes, l'autre **d e f**, issu d'un exemplaire qui devait avoir 80 fautes. Mais ces deux groupes ne remontent pas indépendamment jusqu'à l'original de Guigues, car ils ont entre eux 34 leçons fautives communes. Nous devons donc conclure à l'existence d'un ancêtre commun à ces deux groupes, qui se distinguait déjà de l'original par 34 fautes. A partir de cet ancêtre, deux lignées indépendantes sont descendues, l'une rapidement corrompue jusqu'au groupe **a b c**, l'autre plus soignée, jusqu'au groupe **d e f**.

Est-il possible de dire quelque chose de plus ? La première Chartreuse fondée dans la vallée du Rhin fut celle de Mayence en 1320. Cette Maison de Mayence donna elle-même naissance en quinze ans à quatre autres Chartreuses : Trêves en 1331, Coblence en 1331, Cologne en 1334 et Strasbourg en 1335 ; toutes ces fondations furent faites par le même prieur de Mayence. Or nous avons vu que les premiers pères de Bâle vinrent de la Maison de Strasbourg en 1401. On peut donc croire que les manuscrits de Bâle descendent d'un exemplaire parti de Chartreuse en 1320 pour Mayence. Le groupe **a b c** aurait pour souche immédiate une copie venue de Strasbourg. Pour le groupe **d e f**, on aurait cherché dans la Province un autre exemplaire, peut-être à Fribourg-en-Brisgau qui paraît avoir eu des relations avec la Chartreuse de Bâle au milieu du XVe siècle.

Pour finir, il nous faut noter que l'examen des 34 leçons communes aux six manuscrits du groupe de Bâle montre que leur ancêtre porteur de ces 34 fautes était indépendant de tous les autres manuscrits que nous avons recensés. Les manuscrits de Bâle sont donc descendus de l'original sans interférence avec aucun des onze autres manuscrits.

22. **Les éditions**

1. *L'édition de Bâle (B)*

La première édition imprimée des *Statuts* cartusiens sortit des presses de Jean Amorbach à Bâle le 15 janvier 1510. Les textes législatifs de l'Ordre étaient jusque-là dispersés et d'utilisation difficile à cause des nombreuses répétitions, parfois accompagnées de légères modifications que présentaient les états successifs de cette législation. Tous les éléments se trouvèrent dès lors réunis en un seul volume qui contenait :
1. Les *Consuetudines Cartusiae* de 1127 : 46 pages non paginées.
2. Les *Antiqua Statuta* (1259-1271) : 207 pages.
3. Les *Nova Statuta* de 1368 : 52 pages.
4. La *Tertia Compilatio* de 1509 : 56 pages. (Précisons que les *Antiqua Statuta* avaient incorporé tout le contenu des *Consuetudines* et formaient un tout complet de la législation à la date de leur promulgation. Par contre, les *Nova Statuta* ne sont qu'un complément aux *Antiqua*. De même la *Tertia Compilatio* n'est qu'un supplément de plus.)
5. Un *Répertoire* ou *Index* très détaillé, dont la conception et la présentation sont pour l'époque un chef-d'œuvre : 132 pages. (En outre, dans chacune des collections de Statuts éditées, des références marginales accompagnent le texte, renvoyant aux lieux parallèles des autres collections données dans le volume).
6. Un *Répertoire* des *Privilèges* de l'Ordre, c'est-à-dire un index analytique du contenu de ces Privilèges, dont le texte intégral est donné plus loin : 9 pages.
7. Un *Sommaire* de chacun de ces privilèges pontificaux : 8 p.
8. Le *Bullaire cartusien* lui-même, contenant le texte de 135

privilèges : 96 pages, foliotées de 1 à 48. (Jusque-là, le volume ne présentait aucune pagination).

9. Un *Répertoire des Maisons* de l'Ordre, rangées par Provinces, achève le volume : 2 pages et demie.

Cette édition, décidée au Chapitre Général de 1509, était due à l'initiative du R.P. Dom François du Puy, qui fut Général de l'Ordre de 1503 à 1521. Il avait un goût et un talent spécial pour mettre en ordre des documents. Avant d'être Chartreux, comme official de l'évêque de Grenoble, il avait réalisé un pouillé du diocèse de Grenoble, composé avec beaucoup de méthode, et qui révèle de nombreux détails intéressants sur la vie des paroisses dauphinoises à cette époque. En Chartreuse, il fit rédiger, de 1507 à 1510, avec le plus grand soin, le *Cartulaire* de la Grande Chartreuse : deux gros volumes recopiant d'anciens actes intéressant la Chartreuse ; ces copies ont été très bien faites [144].

La direction et la surveillance de l'édition furent confiées au prieur de la Chartreuse de Fribourg-en-Brisgau, Dom Grégoire Reisch, un savant lui aussi, et même un savant de grande réputation [145].

Le célèbre imprimeur de Bâle, Jean Amorbach, fut chargé de l'exécution. Né en 1444, Jean Amorbach [146] était depuis longtemps un grand ami des Chartreux du Val-Sainte-Marguerite de Bâle. Il habitait à quelques pas de la Chartreuse. Les noms même de deux de ses trois enfants, Bruno et Marguerite,

144. Bernard BLIGNY en a contrôlé un certain nombre sur les originaux, pour l'exécution de son *Recueil des Actes* : il a constaté l'excellente qualité des copies du *Cartulaire* de Dom DU PUY (*Recueil des plus anciens Actes de la Grande Chartreuse*, Grenoble, 1958, Introduction, p. XII).

145. Voir sur Dom Grégoire Reisch : C. NICKLÈS, *Chartreuse du Val-Sainte-Marguerite*, ch. XXI, p. 253. On peut lire dans l'édition des Statuts de Bâle une lettre de Dom Grégoire REISCH au R.P. Dom François DU PUY, en tête de la partie qui contient les privilèges pontificaux.

146. Entre les deux orthographes courantes, Amerbach et Amorbach, nous choisissons celle d'Amorbach, employée par l'imprimeur lui-même dans cette édition.

témoignent de la vénération de l'imprimeur bâlois pour l'Ordre cartusien et pour la Chartreuse qu'il connaissait. Jean Amorbach devait mourir en 1515 ; son fils Bruno lui succéda comme imprimeur, mais il mourut dès 1519. Son autre fils Boniface, professeur à l'Université de Bâle, fut l'ami fidèle des Chartreux aux mauvais jours, quand la Réforme protestante ayant pris possession de la ville de Bâle condamna la Chartreuse à mourir à petit feu en interdisant tout recrutement. Boniface fut pendant quarante ans le soutien des Chartreux dans les innombrables vexations qu'ils eurent à subir. Il mourut en 1562, la même année que le dernier survivant des pères de la Chartreuse de Bâle. Les Amorbach eurent leur tombeau à la Chartreuse.

La collation de l'édition de Bâle révèle un bon texte : 95 fautes seulement. Si nous classons cette édition parmi nos manuscrits, elle vient occuper le quatrième rang, immédiatement après ceux de Signy, Grenoble et Aggsbach. C'est là un fait remarquable : une édition faite en 1510, bien supérieure à tous les manuscrits du XVe siècle, et rejoignant les meilleurs textes. Un tel fait est tout à l'honneur de l'éditeur Jean Amorbach qui s'était acquis une belle réputation pour son érudition, sa conscience professionnelle et la qualité de l'exécution de ses travaux.

Du point de vue critique, nous avons à situer cette édition par rapport à nos manuscrits et à caractériser dans la mesure du possible le travail d'Amorbach. La tâche n'est pas facile, car nous ne sommes plus cette fois en présence d'un copiste qui se propose de reproduire un seul modèle, mais d'un éditeur qui a sans doute rassemblé des matériaux divers et exercé un libre choix d'après des critères que nous ignorons.

L'édition de Bâle contient une lettre, datée du 15 janvier 1510, adressée par Jean Amorbach au R.P. Dom François du Puy [147]. L'éditeur exprime sa vénération pour l'Ordre cartu-

147. Au folio 48 v° des *Privilèges*.

sien, annonce l'achèvement de son ouvrage ; il déclare que des exemplaires des Statuts et des Privilèges lui ont été apportés par Dom Grégoire Reisch, prieur de Fribourg-en-Brisgau, au nom du Révérend Père et du Chapitre Général. On sait d'ailleurs, au sujet d'autres travaux d'Amorbach, par exemple de son édition de saint Jérôme, qu'il faisait faire des recherches pour se procurer plusieurs bons manuscrits des ouvrages qu'il se proposait de publier [148]. Malheureusement, selon l'usage de l'époque, il n'a pas spécifié de quels manuscrits il s'était servi. Il nous a donc fallu faire de longs et minitieux travaux de comparaison, confronter des tableaux de variantes textuelles, examiner les variantes une par une, essayer diverses solutions éventuelles pour nous rendre compte de l'origine possible des leçons fautives subsistant dans l'édition de Bâle. Voici le résultat de cette recherche :

1. Amorbach n'a utilisé aucun des six manuscrits de la Chartreuse de Bâle : on les savait sans nul doute trop défectueux.

2. On peut tenir pour certain qu'il a utilisé le manuscrit, aujourd'hui perdu, qui avait été source immédiate du sous-groupe **d e f** de Bâle.

3. On peut tenir pour très probable qu'il a eu entre les mains le manuscrit **C**, analysé ci-dessus et aujourd'hui à Grenoble : la Grande Chartreuse avait dû le lui prêter.

4. Si, comme hypothèse provisoire, nous admettons qu'il disposait de ces deux manuscrits, nous constatons qu'il aurait suivi 21 fois les variantes communes aux deux, qu'il aurait pris parti 51 fois pour **C** contre le manuscrit source de **d e f**, 26 fois pour **d e f** contre **C**, 42 fois contre les deux. Or il n'aurait pas pris parti 42 fois contre les deux sans une autorité pour l'appuyer. On peut donc affirmer qu'il disposait en outre d'un manuscrit au moins, très bon et aujourd'hui inconnu. Cette constatation rejoint ce que nous savons d'autre part du soin

148. C. NICKLÈS, *Chartreuse du Val-Sainte-Marguerite à Bâle*, pp. 204-205.

apporté par le R.P. Dom François du Puy aux travaux qu'il a fait exécuter.

5. On peut également affirmer que devant une incertitude laissée par les manuscrits qu'il utilisait, Amorbach est plusieurs fois intervenu de lui-même. Ces interventions ont toujours eu pour but d'améliorer la grammaire ou le style, ou de compléter d'un mot une phrase pour qu'elle soit plus claire, d'où l'addition de quelques conjonctions ou prépositions. Il s'agit toujours de retouches minimes qui ne changent rien au sens.

6. Ces interventions d'Amorbach dans les cas douteux n'allaient pas toujours dans le sens du style spontané et un peu abrupt de Guigues. S'il s'en était tenu à ce style et si ses collaborateurs avaient évité un certain nombre de coquilles typographiques, la valeur de son édition égalerait celle des meilleurs manuscrits.

Hubert Élie, dans son ouvrage sur les éditions des *Statuts* cartusiens [149] a cru pouvoir affirmer qu'il y a eu deux éditions des Statuts par Amorbach. Cette affirmation a été reprise sans examen par d'autres auteurs. Qu'en est-il en fait ?

Disons d'abord que l'ouvrage en question est rempli d'à-peu-près, de nombreuses erreurs dont certaines sont considérables et d'appréciations superficielles et fausses relatives aux sujets traités. Les chercheurs qui croient pouvoir se fier à cet ouvrage sont constamment induits en erreur sur des questions importantes.

Ici, l'auteur a remarqué que la rubrique *Runcinos*, dans le grand Répertoire des Statuts d'Amorbach se présentait sous deux formes différentes, dans deux exemplaires qu'il avait eus entre les mains : de là sa conclusion hâtive.

En fait, outre la différence signalée, trois autres folios de l'édition d'Amorbach donnent lieu à des constatations sembla-

149. Hubert ÉLIE, *Les Éditions des Statuts de l'Ordre des Chartreux*, Lausanne, 1943.

bles : le recto du folio b4 dans les *Antiqua Statuta*, le recto du folio r3 dans les *Nova Statuta*, le verso du même folio ; puis le recto et le verso du folio r4 des mêmes *Nova Statuta*. Chacun de ces folios a connu deux états différents.

Mais voici une étrange observation : s'il y avait eu deux éditions, les exemplaires de ces Statuts se rangeraient sous deux formes seulement, quant aux différences que nous venons d'indiquer. Or nous avons pu atteindre trente exemplaires de ces Statuts d'Amorbach. Selon la présence ou l'absence d'un ou de plusieurs états des pages ci-dessus mentionnées, ces trente exemplaires se rangent sous huit types différents !

Il est hautement invraisemblable qu'un tirage aussi limité que le fut celui de cet ouvrage, prévu pour les seuls besoins de l'Ordre cartusien, ait donné lieu à huit éditions successives, sans que ce fait eût été connu.

D'autre part, on remarque dans l'ouvrage un certain nombre de coquilles typographiques, quelques mots sautés ou autres fautes de ce genre (10 à 15 dans le seul texte des *Consuetudines*, qui ne sont qu'une très petite partie de l'ouvrage). Or de telles fautes, dispersées dans tout le volume, se retrouvent identiques dans tous les exemplaires que nous avons pu examiner. La plupart d'entre elles eussent certainement été corrigées dans bien des exemplaires s'il y avait eu plusieurs éditions.

On est donc amené à conclure qu'il n'y eut qu'une seule édition ; mais au cours du tirage, on a corrigé une erreur (b4), recomposé deux pages entières pour une meilleure présentation du texte (r3 et r4), complété une référence insuffisante (rubrique *Runcinos*). Il ne faut pas oublier que le tirage était très lent, feuille par feuille. Les modifications étant minimes, on n'a pas cru devoir mettre au pilon les feuilles déjà tirées. Ainsi le volume a été distribué sous plusieurs formes, dont nous avons repéré huit types différents. Cette explication paraît être la seule qui puisse rendre compte de l'identité parfaite entre tous les exemplaires dans leur presque totalité, c'est-à-dire pour plus de 600 pages, en même temps que des minimes variantes enregistrées pour quatre folios seulement.

Telle quelle, cette édition livre un bon texte. Sans la conscience professionnelle d'Amorbach et les méthodes de travail du R.P. Dom François du Puy, on eût pu craindre d'avoir à cette date une édition tributaire des manuscrits du XVe siècle, tous défectueux.

Toutes les éditions postérieures des *Consuetudines* sont en dépendance de celle-ci. Nous les citerons seulement en quelques mots pour mémoire.

2. *L'édition de Dom Le Masson*

La première édition des *Consuetudines* dérivée de celle de Bâle est celle du R.P. Dom Innocent Le Masson, publiée avec un commentaire comme premier tome des *Annales Ordinis Cartusiensis tribus tomis distributi* (Correrie, 1687). Elle est accompagnée d'un commentaire du Révérend Père. Elle suit de très près l'édition de Bâle dont elle adopte sans examen la plupart des leçons fautives. Cependant, elle témoigne d'un effort critique dans le texte, 40 mots sont affectés d'un astérisque qui renvoie à la marge où se lit une variante ; ainsi, au mot *utuntur* correspond en marge la mention : *alias : utimur.* La provenance de ces variantes n'est jamais indiquée. Sur ces 40 cas, l'édition Le Masson maintient 34 fois la leçon de celle de Bâle ; 2 fois elle adopte une leçon autre, connue par ailleurs ; 4 fois elle présente une leçon que n'atteste aucun manuscrit connu (ce qui laisse croire que l'éditeur disposait d'au moins un manuscrit aujourd'hui perdu).

3. *L'édition de la* Disciplina *par Dom Le Masson*

L'ouvrage de Dom Le Masson a connu une seconde édition en 1703, sous le nouveau titre de *Disciplina Ordinis Cartusiensis.*

4. *L'édition de la Patrologie de Migne*

La partie de la *Disciplina* concernant les *Consuetudines* a été rééditée en 1854 par Migne dans la *Patrologie, PL* 153,

635-758, sans altération notable (les variantes sont données dans le texte, entre crochets).

5. *L'édition de Montreuil de la* Disciplina

La *Disciplina* a été rééditée à la Chartreuse de Montreuil en 1894 ; dans cette édition, on a supprimé l'indication des 40 variantes dont nous avons parlé. Ce n'est certainement pas là un progrès.

6. *L'édition de Bâle rééditée à Montreuil*

Enfin l'édition de Bâle elle-même a été aussi rééditée, sans date, à Montreuil, mais amputée du grand *Index* de Dom François du Puy qui la rendait si fructueusement utilisable, ainsi que du *Répertoire des Privilèges.* Cette dernière édition est un travail médiocre.

23. **Résultats de l'étude critique**

Nous avons étudié dix-sept manuscrits qui se rattachent à huit souches descendant de l'original en toute indépendance. Récapitulons ces huits familles :

S = Signy
D R G = Cîteaux, Rein, Le Glandier
P M = Paris, Montelli
C = Grenoble
V = Villeneuve-les-Avignon
A = Aggsbach
F H = Bruxelles, Cologne
a b c d e f = Bâle

Ce premier résultat ne manquera pas de surprendre. Mais nous sommes ramenés par cette constatation au genre de vie des Chartreux et à leurs travaux, toujours personnels en cellule. Derrière ces huit familles, on aperçoit des exemplaires qui

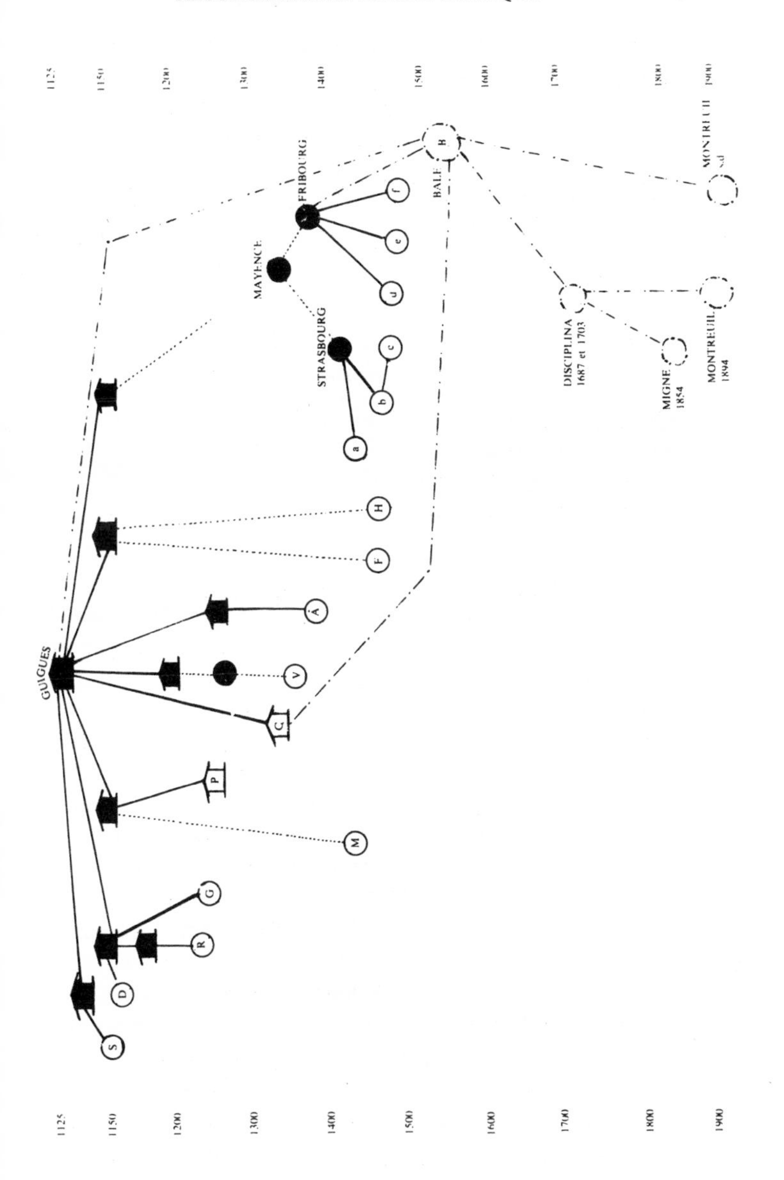
GUIGUES
S
D
R
G
M
P
C
V
A
F
H
a
b
c
d
e
f
STRASBOURG
MAYENCE
FRIBOURG
BALE
B
DISCIPLINA
1687 et 1703
MIGNE
1854
MONTREUIL
1894
1125
1150
1200
1300
1400
1500
1600
1700
1800
1900

devaient se trouver dans chaque cellule de la Grande Chartreuse, tous très proches de l'original, mais déjà distincts entre eux. Pendant les deux premiers siècles de l'Ordre, les copies destinées aux nouvelles fondations partaient toujours de la Grande Chartreuse, mais avaient été effectuées tantôt dans l'une, tantôt dans l'autre des cellules de cette Maison.

Nous représentons la position de chacun des manuscrits étudiés et des éditions dans le tableau généalogique à la page précédente.

Manuscrit copié dans une cellule de la Grande Chartreuse.
Manuscrit copié dans une autre Maison.
Manuscrits connus et étudiés.
Manuscrits qui ont certainement existé mais qui ont aujourd'hui disparu.
Généalogie des éditions.

On ne peut souhaiter de meilleures conditions pour une bonne édition critique. Avec huit souches indépendantes, les fautes de chaque manuscrit sont immanquablement révélées par l'accord des manuscrits des sept autres souches contre lui.

Une objection nous a été faite : l'original a pu être perdu de bonne heure et nos dix-sept manuscrits appartiendraient bien à huit familles indépendantes, mais descendant toutes d'un exemplaire qui ne serait déjà plus l'original... Tel est en effet le cas habituel, les éditions critiques visant normalement à reconstituer le plus exactement possible un « archétype » déjà plus ou moins éloigné de l'« original », insaisissable. Dans notre cas pourtant, les chances de rejoindre l'original se révèlent plus grandes que partout ailleurs. Le manuscrit le plus ancien se rattache immédiatement à un exemplaire parti de Chartreuse du vivant de l'auteur et neuf ans seulement après la rédaction de l'original. Le second manuscrit n'a même pas dix ans de moins d'ancienneté que le premier. Une telle proximité de l'origine est une sérieuse garantie.

Quelle est maintenant la valeur du travail de nos copistes ? On aurait tort de se laisser impressionner par un nombre de fautes de l'ordre d'une centaine et de voir là un mauvais travail. Les *Consuetudines Cartusiae* ont un peu plus de 12000 mots. Notre manuscrit le meilleur a 60 fautes ; cela fait une proportion de 5 pour 1000. On peut dire que le copiste qui n'a de distractions que pour 5 mots sur 1000 est un maître en son art. Le manuscrit le plus mauvais, avec 450 fautes, n'atteint même pas encore 4 % d'erreurs. Encore faut-il remarquer que ces 4 % ne sont pas imputables au seul copiste de ce manuscrit, mais représentent l'addition de toute une chaîne de transmissions successives. On peut affirmer en toute vérité que les *Consuetudines* ont été recopiées avec le plus grand soin au cours des siècles.

Voici le palmarès de nos témoins :

1. Signy **S** = 60 fautes
2. Grenoble **C** = 67
3. Aggsbach **A** = 75
4. Amorbach **B** = 95
5. Cîteaux **D** = 109
6. Paris **P** = 111
7. Bâle **f** = 132
8. Bâle **e** = 139
9. Cologne **H** = 147
10. Rein **R** = 151
11. Bâle **d** = 173
12. Villeneuve **V** = 174
13. Le Glandier **G** = 210
14. Bâle **a** = 351
15. Bruxelles **F** = 358
16. Bâle **b** = 401
17. Bâle **c** = 420
18. Montelli **M** = 447.

Après avoir longuement fréquenté les manuscrits des *Consuetudines Cartusiae* et en avoir scruté tous les mots, nous gardons l'impression que les Chartreux ont toujours eu le plus grand respect pour ce texte essentiel de leur Ordre. Ils auraient pu se permettre de supprimer ou de modifier certains détails qui ne convenaient pas – quant à la lettre – à des sites différents de celui de Chartreuse. Mais les modifications de ce genre sont en nombre infime dans nos manuscrits et, dans la plupart d'entre eux, on n'en rencontre point.

Partout dans l'Ordre, on a obéi fidèlement à la prescription du Chapitre Général recueillie dans les *Antiqua Statuta*, selon laquelle le texte devait être conservé intégralement, sans aucun changement :

Et quamvis in Consuetudinibus Domni Guigonis quantum ad observationem quaedam mutatae sint, statuit tamen idem Capitulum quod eaedem Consuetudines in singulis domibus nostri Ordinis ex integro quantum ad litteram sine mutatione aliqua habeantur [150].

24. Division en chapitres et en paragraphes

1. *Les chapitres*

Comme nous l'avons dit plus haut, les *Consuetudines* se présentent avec un défaut évident de plan d'ensemble : les sujets abordés ne se suivent pas toujours avec ordre ; certains chapitres, distincts, gagneraient à être groupés ; à l'intérieur même de tel ou tel chapitre se trouvent notées parfois des observances sans rapport avec le titre qui les couvre.

Cette donnée qui s'impose au lecteur a conduit quelques auteurs modernes à émettre une hypothèse : la division des *Coutumes* en chapitres ne serait pas primitive, mais due à un remaniement postérieur pour les besoins des usagers de ce code législatif. De Meyer et De Smet, dans leur étude *Guigo's Consuetudines*, ont même tenu cette hypothèse pour certaine. Selon ces auteurs :

150. *Antiqua Statuta*, II Pars, I, 7.

« Guigues lui-même n'a pas disposé ainsi le texte, et ses propres divisions ont été perdues dans les textes postérieurs... Cette nouvelle division devait nécessairement forcer plusieurs fois l'ordre adopté par l'auteur [151]. »

Ces diverses affirmations ne sont étayées d'aucune preuve, d'aucune observation textuelle, et ces historiens paraissent convaincus que la division du texte en chapitres ne remonte guère au-delà de 1259 ; c'est dire à quel point ils avaient peu étudié la question. De Meyer et De Smet ont pourtant cité à plusieurs reprises dans leur ouvrage un travail de Dom Wilmart où le savant bénédictin signalait l'existence de manuscrits du XIIe siècle présentant déjà la division en *capitula* [152].

La question doit être étudiée objectivement, et tout d'abord par l'examen des manuscrits. Tous, sans exception, présentent une division en chapitres ; la liste est partout identique, à part les erreurs de quelques copistes dans les manuscrits les plus tardifs. Considérons les deux plus anciens : la division sous cette forme était déjà antérieure à ces deux manuscrits, car dans l'un et dans l'autre les copistes, en transcrivant le texte à l'encre noire, ont laissé la place pour reporter ensuite les titres à l'encre rouge, et cette place, n'étant pas de même dimension pour chaque titre, a dû être appréciée d'après un modèle qui portait déjà les *capitula*. De plus, dans le manuscrit *616* de Dijon, le copiste avait pris la précaution, pour ne pas avoir à revenir à son modèle, de transcrire immédiatement les titres de chapitres en noir, en très petits caractères, en suivant en

151. A. DE MEYER et J.M. DE SMET, *Guigo's « Consuetudines » van de eerste Kartuizen*, dans *Meededelingen van de Koninkl. Vlaamen Acad. ..., Klasse der Letteren*, t. XIII, n° 6, Bruxelles 1951, pp. 23 et 22.

152. Le propos de ces auteurs ne les conduisait pas à s'occuper attentivement de ce problème ; ils n'ont d'ailleurs connu et utilisé aucun manuscrit des *Consuetudines* ; et ils ont parlé de la division des chapitres en paragraphes numérotés comme si elle était contemporaine de la division en chapitres, alors qu'elle est de quatre siècles postérieure.

longueur le ras du bord de la feuille de parchemin vis-à-vis de l'emplacement laissé libre pour la transcription future en rouge dans le texte, comme nous l'avons déjà signalé ; plusieurs de ces reports marginaux subsistent, d'autres ont été emportés par le couteau du relieur. Enfin les deux manuscrits portent en tête la liste des *capitula*, copiée de la même main que le texte qui suit – et de toute évidence avant ce texte – sur les premiers folios du cahier préparé pour transcrire tout l'ensemble.

D'autre part – comme nous l'avons vu –, la collation des manuscrits révèle que celui de Signy et celui de Dijon sont indépendants l'un de l'autre. Or nous savons que le premier est antérieur au milieu du XIIe siècle et le second date des alentours de 1150, moins de vingt-cinq ans après l'original de Guigues. Les exemplaires qui leur ont servi de modèle, et qui portaient déjà les *capitula*, étaient plus proches encore de l'original et pourraient avoir été écrits du vivant de Guigues et sous ses yeux. En ce qui concerne le manuscrit de Signy, il est même possible de préciser davantage : il est raisonnable en effet de croire que ce manuscrit a été copié au Mont-Dieu sur l'exemplaire que possédait cette Maison lors de sa fondation ; la haute qualité de son texte ne permet pas de croire à l'existence de plus d'un intermédiaire entre l'original et lui. Mais le manuscrit de la fondation du Mont-Dieu, aujourd'hui perdu, était selon toute apparence celui qu'a décrit Dom Le Couteulx au début de ses *Annales* [153]. Ce manuscrit avait déjà la division en *capitula*. Or il avait été apporté de la Grande Chartreuse du vivant de Guigues en 1136. De toutes manières les plus anciens manuscrits connus nous conduisent à cette conclusion certaine : les *Consuetudines* étaient déjà divisées en chapitres à la Grande Chartreuse avant la mort de Guigues.

La question peut être abordée par une autre voie. Les règles et coutumiers monastiques dont Guigues s'est inspiré pour la rédaction de ses *Consuetudines* étaient pour la plupart divisés

153. Édition de la Correrie, 1687 : exemplaire à Grenoble Y/10.

en chapitres. Pourquoi dès lors n'eût-il pas fait de même ? En outre, les Maisons de Chartreux qui reçurent les *Consuetudines* comme code législatif dès qu'elles furent écrites – ainsi Portes dès 1128 – avaient besoin pour que ce texte fût utilisable de le recevoir divisé en chapitres. En vérité tout porte à croire que Guigues lui-même est l'auteur de cette division, dont on constate l'existence de son vivant, moins de dix ans après la rédaction de l'original, et que tout postulait. Une dernière constatation vient enfin renforcer cette conclusion : si le texte et ses divisions avaient fait l'objet d'un remaniement postérieur, comme le voudraient De Meyer et De Smet, ce dernier travail eût précisément joué davantage dans le sens d'un regroupement plus logique des idées : ce n'est point ce qu'on observe à la lecture.

Il reste à savoir si Guigues a fait cette division avant, pendant ou après sa rédaction. La vérification de ce dernier point sort du champ de nos possibilités. Il est permis cependant de croire qu'il ne l'a pas faite avant, sinon le plan d'ensemble eût été mieux structuré. Il dut la faire en même temps, ou tout de suite après : bon nombre de chapitres en effet sont engendrés par une association d'idées qui s'est présentée à l'esprit de l'auteur vers la fin du chapitre précédent, en sorte que la division en chapitres apparaît comme suivant de près le mouvement de la pensée du rédacteur.

De ce chef, si le plan d'ensemble manque de logique, il y a pourtant dans l'œuvre une certaine logique interne qui est précisément celle qui convient au genre littéraire choisi : la forme d'une lettre. Dom Jean Leclercq a montré que les auteurs du XIIe siècle choisissaient à leur gré un genre littéraire avant de commencer un travail et se tenaient ensuite aux lois du genre choisi. La forme d'une lettre donnait à Guigues le droit de garder une certaine liberté dans la rédaction sans se croire astreint à suivre les cadres d'un schéma préétabli. De Meyer et De Smet l'ont d'ailleurs très justement remarqué : « Guigues a conservé, dans la composition de son travail, une certaine liberté et un léger "laisser-aller", ce qui est admissible dans un écrit sous forme de lettre [154]. »

2. *Les paragraphes*

La division du texte des chapitres en paragraphes ne figure dans aucun manuscrit ; elle est apparue pour la première fois dans l'édition d'Amorbach à Bâle en 1510. Selon l'usage de ce temps, il n'y a pas d'alinéas dans le corps de chaque chapitre, mais des signes indiquant les paragraphes y figurent de place en place ; en outre, des numéros sont placés en marge en face de chacun de ces signes. Cette subdivision a été établie par le R.P. Dom François du Puy en vue du minutieux index analytique dont il a doté le volume. L'édition suivante des *Consuetudines*, donnée par Dom Le Masson à la Correrie en 1687, ne diffère de la première sur le point qui nous occupe que par l'introduction d'un paragraphe 2 au chapitre III qui n'en comportait qu'un : introduction non justifiée et malencontreuse, car une phrase se trouve ainsi coupée en deux. Les éditions postérieures ont toutes conservé la même division en paragraphes, sans autre altération qu'une ou deux fautes de typographie.

Cette division n'est pas parfaite ; quelquefois elle subdivise un peu trop le texte, à d'autres moments pas assez. Telle quelle cependant, elle est satisfaisante et commode pour l'usage des tables et l'emploi des références. Consacrée par un usage séculaire, elle doit être conservée telle que l'a établie l'édition d'Amorbach, comme doit être gardée aussi la division en chapitres remontant à l'origine. Tout changement ne ferait qu'introduire des confusions et rendre inutilisable le magnifique index de l'édition de Bâle : ce serait une grosse perte sans bénéfice substantiel pour la compenser.

25. **La présente édition**

Nous aurions pu nous borner à faire figurer dans l'apparat

154. *Guigo's « Consuetudines »*, p. 12.

critique les variantes de huit manuscrits, choisis à raison d'un seul par famille indépendante. Mais nous avons préféré noter les variantes de tous les manuscrits connus, puisqu'ils ne sont pas trop nombreux, ainsi que celles de l'édition de Bâle. De cette façon, il sera plus facile, en cas de découverte ultérieure, de situer les manuscrits découverts par rapport aux exemplaires déjà connus.

Devant des manuscrits d'âges si divers, il fallait prendre parti au sujet de l'orthographe, dont chacun sait l'instabilité. Noter toutes les variantes orthographiques eût été grossir démesurément l'apparat critique sans profit pour l'établissement du texte : que le nom de saint Jérôme ait été écrit *iheronomi* (**SD**), *ieronimi* (**GV**), *hieronymi* (**B**), etc., il s'agit toujours de saint Jérôme ; qu'Isaïe ait été écrit *ẏsaiam* **(SDC)**, *ysaiam* **(GP)**, *ysayam* (**V**), *esaiam* (**B**), il s'agit toujours du même prophète.

Nous avons décidé de suivre l'orthographe du manuscrit de Signy ; elle a l'avantage d'être l'orthographe en usage au temps de Guigues et elle est en outre homogène dans ce manuscrit, à l'exception d'un très petit nombre de variantes : v.g. *helemosinis*, *elemosinis*. Nous la reproduirons telle quelle sans prendre parti entre les deux orthographes d'un même mot quand le cas se présentera. Cependant, pour simplifier le travail typographique, nous remplacerons l'ę cédillé du XIIe siècle par son équivalent, la diphtongue *ae*.

Pour la ponctuation, il fallait aussi choisir. Comme nous l'avons dit, cette ponctuation s'est conservée avec une remarquable stabilité dans les manuscrits les plus anciens ; nous l'avons étudiée sur Signy, Dijon, Rein et sur le manuscrit de Grenoble. La meilleure solution était de suivre ordinairement ici aussi le manuscrit de Signy, puisque cette ponctuation est bonne, à part quelques distractions du scribe. Ici ou là seulement, les exigences de la lecture nous ont amené à opérer de légers changements.

Dans ce manuscrit, le point (.) signifie en ponctuation moderne une virgule (,) quand le mot qui suit ne commence pas par une majuscule. Il signifie un point (.) quand ce mot commence par une majuscule. Le signe (⸵) signifie en ponctuation moderne un point-virgule (;) ou deux points (:) selon la nature de la phrase ; il est peu employé. Il y aussi quelques rares points d'interrogation (.∞). Pour que le texte soit intelligible à la lecture courante, nous l'écrivons avec les signes actuels, selon les équivalences qui viennent d'être énoncées. Dans un très petit nombre de cas, il paraît préférable de commencer une nouvelle phrase et de mettre une majuscule sur la foi des autres témoins, là où Signy ne l'a pas fait. Nous le signalons alors dans l'apparat critique.

Cette édition n'a été possible que grâce au travail des nombreux copistes infatigables, connus et inconnus, qui nous ont transmis le texte des *Consuetudines*, copié avec tant de soin et de vénération. Si le texte pur a pu être établi avec sûreté aujourd'hui, à eux seuls en revient tout le mérite.

Nous devons aussi tous nos remerciements à ceux qui, au cours d'une trentaine d'années de recherches, nous ont aidé à nous procurer le texte de plusieurs des manuscrits utilisés, avec des renseignements sur ces manuscrits :

aux services de la Bibliothèque Nationale de Paris qui nous ont prêté le manuscrit de Signy, le plus précieux de tous, par l'intermédiaire de Monsieur P. Vaillant, alors Conservateur de la Bibliothèque de Grenoble ; à Monsieur P. Gras, Conservateur de la Bibliothèque de Dijon, qui nous a prêté de la même manière le manuscrit de Cîteaux. Nous avons une reconnaissance toute spéciale envers le Révérendissime Père Dom Aelred Pexa, abbé de l'abbaye cistercienne de Rein, qui nous a spontanément offert de nous prêter un de ses plus précieux manuscrits, ce qui nous a permis d'en faire une étude très fructueuse ; à Monsieur le Conseiller à la Cour, le Docteur Franz Unterkircher, Directeur du Département des manuscrits à la Bibliothèque Nationale de Vienne, qui a bien voulu nous envoyer le manuscrit de Rein et nous a communiqué avec beaucoup de courtoisie divers renseignements avec la photocopie du manuscrit d'Aggsbach ; à Monsieur le Docteur Max Burckhardt, Conservateur du

Département des manuscrits à la Bibliothèque de l'Université de Bâle, qui nous a procuré des photocopies des manuscrits qui nous intéressaient ainsi que les informations complémentaires dont nous avons eu besoin ; à Madame la Directrice de la Bibliothèque Nationale de San Marco à Venise, qui nous a procuré un microfilm du manuscrit de Montelli par l'intermédiaire du prieur de la Chartreuse de Vedana ; au Docteur James Hogg qui nous a fait connaître le manuscrit de Darmstadt ; à Monsieur P. Vaillant enfin, ancien Conservateur en chef de la Bibliothèque de Grenoble, qui pendant trente années a toujours mis à notre disposition avec tant de bienveillance les manuscrits du fonds de la Grande Chartreuse dont il avait la garde à Grenoble. Nous n'oublions pas plusieurs spécialistes d'Espagne, amis de l'Ordre cartusien, qui ont effectué des recherches, malheureusement infructueuses, dans plusieurs fonds espagnols.

Nous devons aussi de grands remerciements au Directeur de l'Institut des Sources Chrétiennes, à ses collaborateurs et à son secrétariat, pour leur concours amical, les mises au point nécessaires et le minutieux travail de correction de l'édition.

Sigles des manuscrits et de l'édition princeps des Coutumes de Chartreuse

Nous rangeons ici ces sigles selon l'ordre où ils seront toujours cités (*supra,* p. 94-125 de l'introduction).

S Paris, Bibliothèque Nationale, *lat. 4342*, XIIe s.

D Dijon, Bibliothèque Municipale, *616*, XIIe s.

R Abbaye de Rein (Autriche), *XLIII*, XIIIe s.

G Ancienne Chartreuse du Glandier (photocopie à la Grande Chartreuse), XIIIe s.

P Archives de Chartreuse, *I Stat. 23*, XIIIe s.

C Grenoble, Bibliothèque Municipale, *327*, XIVe s.

V Marseille, Bibliothèque Municipale, *701*, XIVe s.

A Vienne, Österreichische Nationalbibliotek, *1459*, XIVe s.

M Venise, Biblioteca Nazionale Marciana, *Cod. Marc. lat. IX 82*, XVe s.

F Bruxelles, Bibliothèque Royale, *10858*, XVe s.

H Darmstadt, Hessische Landes - und Hochschulbibliothek, *2768*, XVe s.

a Bâle, Universitätsbibliothek, *B VII 23*, XVe s.

b Bâle, Universitätsbibliothek, *B VII 17*, XVe s.

c Bâle, Universitätsbibliothek, *B VII 21*, XVe s.

d Bâle, Universitätsbibliothek, *B VII 22*, XVe s.

e Bâle, Universitätsbibliothek, *B VII 19*, XVe s.

f Bâle, Universitätsbibliothek, *B IX 36*, XVe s.

B Édition princeps, Amorbach, Bâle, 1510.

Abréviations usuelles

Cc.	*Consuetudines Cartusiae.*
CCCM	Corpus Christianorum, Continuatio Mediaevalis, Turnhout.
CSEL	Corpus Scriptorum Ecclesiasticorum Latinorum, Vienne.
MGH	Monumenta Germaniae Historica, Berlin.
PG	Patrologia Graeca (Jean-Paul Migne), Paris.
PL	Patrologia Latina (Jean-Paul Migne), Paris.
RAM	Revue d'Ascétique et de Mystique, Toulouse, puis Paris.
SC	Sources Chrétiennes, Paris.

TEXTE ET TRADUCTION

Incipiunt capitula consuetudinum cartusiae

APPARAT CRITIQUE

Titulus. incipiunt – cartusiae : incipiunt consuetudinum capitula cartusiae *D* sequuntur capitula consuetudinum domni guigonis prioris cartusie *P manu recentiore* incipiunt capitula consuetudinum ordinis cartusie domni guigonis prioris eiusdem domus *V* incipiunt capitula consuetudinum domni (domini *Ad*) guigonis prioris cartusie *AdefB* ista capitula sunt falsa propter exemplar corruptum *M* incipiunt capitula statutorum domni

Commencement des chapitres des Coutumes de Chartreuse

1 L'Office divin.
2 De nouveau, même sujet.
3 De nouveau, même sujet.
4 De nouveau, même sujet.
5 De nouveau, même sujet.
6 De nouveau, même sujet.
7 L'Office du dimanche.
8 De nouveau, l'Office divin.
9 Combien de fois sommes-nous rasés dans l'année.
10 Quels sont les hôtes reçus au chœur.
11 L'Office des défunts.
12 La visite d'un malade.
13 Comment on devra traiter celui qui meurt.
14 Encore l'observance au sujet des morts.
15 L'institution du prieur.
16 Le procureur de la Maison-inférieure.
17 Le malade qui est envoyé à la Maison-inférieure.
18 Encore le procureur.

guigonis *a* incipiunt capitula statutorum domni guigonis prioris cartusie *b* incipiunt capitula statutorum domni guigonis prioris carthusie *c* *om. RF.*

I divino officio *Cce* || **VIII** item *om. d* || **IX** radimur *abcdef* || **X** introducuntur *P* choro *P* || **XVI** procuratione *S* || **XVII** domum inferiorem *Pbcdef*

.XVIIII. De equitaturis hospitum.
.XX. De pauperibus et helemosinis.
.XXI. De mulieribus.
.XXII. De novicio.
.XXIII. Professio novicii.
.XXIIII. Oratio super cucullam.
.XXV. Oratio super novicium.
.XXVI. De ordine congregationis.
.XXVII. De aetate suscipiendorum.
.XXVIII. De utensilibus cellae.
.XXIX. Quo tempore de cella exeatur, et de vigiliis, et distinctione horarum.
.XXX. De his qui in cella manentibus importune se ingerunt, et de coquinario.
.XXXI. Item de cella.
.XXXII. De fratribus qui aliquo opere occupantur.
.XXXIII. De ieiuniis atque cibis.
.XXXIIII. De mensura vini et casei.
.XXXV. Quod nulli liceat maiora exercitia facere, nisi favente priore.
.XXXVI. De hospitibus suscipiendis.
.XXXVII. De tractando consilio.
.XXXVIII. De cura infirmorum.
.XXXIX. De minutione.
.XL. De ornamentis.
.XLI. Ut nulla extra heremum possideantur, et de sepultura extraneorum.
.XLII. De divino officio fratrum laicorum.
.XLIII. Item de eadem re, et quo tempore ad lectos redeant.
.XLIIII. Qui presidere vel respondere debeat.
.XLV. Quod cum prelato suo fratribus loqui liceat.

|| **XIX** *ante* de equitaturis *add.* item *C* || **XXIX** et^{2} + de *Pd* || **XXXI** item de cella *om. V* || **XXXII** XXXI *V* *ante* de fratribus *add.* item *d* opere : tempore *Vd* || **XXXIII** XXXII *V* atque : et *G* || **XXXIV** XXXIII *V* et :

19 Les montures des hôtes.
20 Les pauvres et les aumônes.
21 Les femmes.
22 Le novice.
23 La profession du novice.
24 Oraison sur la cuculle.
25 Oraison sur le novice.
26 L'ordre dans la communauté.
27 L'âge auquel nous pouvons recevoir.
28 Les objets de cellule.
29 A quel moment on sort de cellule ; les veilles de la nuit et la division des heures.
30 De ceux qui se présentent avec importunité aux habitants des cellules, et du cuisinier.
31 Encore la cellule.
32 Les frères occupés à un travail.
33 Les jeûnes et la nourriture.
34 La mesure du vin et du fromage.
35 Il n'est permis à personne de faire des exercices supplémentaires sans l'approbation du prieur.
36 La réception des hôtes.
37 La manière de tenir conseil.
38 Le soin des malades.
39 Les minutions.
40 Les ornements.
41 Nous ne devons avoir aucunes possessions hors du désert – La sépulture des étrangers.
42 L'Office divin des frères laïcs.
43 Même sujet de nouveau, et à quelle heure ils se recouchent après Matines.
44 Qui doit présider et répondre.
45 Il est permis aux frères de parler avec celui qui les préside.

atque *abc* *om. de* || **XXXV** XXXIIII *V* || **XXXVI** XXXV *V* || **XXXVII** XXXVI *V* || **XXXVIII** XXXVII *V* || **XLV** loqui liceat fratribus *G* || **LIII**

.XLVI. De coquinario.
.XLVII. De pistore.
.XLVIII. De sutore.
.XLIX. De preposito agriculturae.
.L. De magistro pastorum.
.LI. Quo tempore vinum habeant fratres.
.LII. De ieiunio fratrum.
.LIII. Quo tempore vescantur avenacio pane.
.LIIII. De minutione eorum.
.LV. De silentio ad prandium.
.LVI. Quid agendum sit in periculis.
.LVII. De vestitu fratrum, et utensilibus cellae.
.LVIII. Quod loquendi cum extraneis, licentiam non quaerunt.
.LVIIII. Quid fiat de re, alicui nostrum missa.
.LX. Quid de re inventa faciendum sit.
.LXI. De braccis, et parvulis pelliciis fratrum.
.LXII. De fratre qui sagmarios curat.
.LXIII. De orto.
.LXIIII. De custode pontis.
.LXV. De disciplinis fratrum.
.LXVI. De cinere.
.LXVII. Quid faciant pro missa.
.LXVIII. De caena.
.LXVIIII. De parasceve.
.LXX. Quomodo se habeant in sollempnitatibus.
.LXXI. Quid faciant pro defuncto.
.LXXII. De rasura fratrum.
.LXXIII. De novicio suscipiendo.
.LXXIIII. Professio laici.

avenaceo pane *S* pane avenatico *A* || **LVIII** licentiam cum extraneis non quaerunt *abc* licentiam non querunt cum extraneis *def* || **LIX** LX *S* alicui nostrum missa : inventa *G* || **LX** LXI *S* de – sit : fiat de re alicui

46 Le cuisinier.
47 Le boulanger.
48 Le cordonnier.
49 Le préposé à l'agriculture.
50 Le maître des bergers.
51 Temps où les frères ont du vin.
52 Les jeûnes des frères.
53 A quelle époque ils mangent du pain d'avoine.
54 Les minutions des frères.
55 Le silence pendant le repas.
56 Que faire dans les périls.
57 Les vêtements des frères et les ustensiles de cellule.
58 Les frères ne recherchent pas la permission de parler avec des étrangers.
59 Que faire d'un objet envoyé à l'un d'entre nous.
60 Que faire d'un objet trouvé.
61 Les blouses et les petites pelisses des frères.
62 Le frère qui a soin des bêtes de somme.
63 Le jardin.
64 Le gardien du pont.
65 Les disciplines des frères.
66 Le Mercredi des Cendres.
67 Ce que les frères doivent faire pour la Messe.
68 Le Jeudi-Saint.
69 Le Vendredi-Saint.
70 Comment les frères se comportent aux jours de solennités.
71 Ce qu'ils ont à faire pour un défunt.
72 La rasure des frères.
73 La réception d'un novice.
74 La profession d'un convers.

nostrum missa *G* || **LXI** LXII *S* braccis : pracis *d* parvis *d* || **LXII** LXIII *S* saginarios *B* || **LXIII** LXIIII *S* ortu *d* || **LXIV** LXV *S* || **LXVIII** cena

Expliciunt capitula

+ domini *Aabc* || **LXXV** frater se habeat *D* || **LXXVI** qui foras mittuntur *om. abc* || **LXXIX** parvulus *V* expliciunt capitula : expliciunt capitula consuetudinum domni guigonis prioris carthusie *A* *om. GVab.*

Fin des chapitres

CONSUETUDINES CARTUSIAE

Incipit prologus consuetudinum cartusiae

1. Amicis et fratribus in christo dilectissimis, bernardo portarum, humberto sancti sulpicii, miloni maiorevi prioribus, et universis qui cum eis deo serviunt fratribus, cartusiae
5 prior vocatus guigo, et qui secum sunt fratres, perpetuam in domino salutem.

2. Carissimi ac reverentissimi nobis patris, hugonis gratianopolitani episcopi, cuius voluntati resistere fas non habemus, iussis et monitis obtemperantes, quod vestra non semel dilectio
10 postulavit, consuetudines domus nostrae scriptas, memoriae mandare curamus. A quo negocio, rationabilibus ut putamus de causis diu dissimulavimus. Videlicet, quia vel in epistolis beati iheronimi, vel in regula beati benedicti, seu in ceteris scripturis autenticis, omnia pene quae hic religiose agere
15 consuevimus, contineri credebamus ; et nos qui tale aliquid facere possemus vel deberemus, dignos minime putabamus.

Prologus. incipit – cartusiae : incipit prologus consuetudinum domni guigonis prioris cartusie *AdefB* incipit prologus consuetudinum cartusiensis ordinis *M* incipit prologus consuetudinum domni guigonis prioris quondam cartusie *F* incipiunt consuetudines primae domus carthusiae per domnum guigonem priorem ibidem conscriptae incipit prologus *H* incipit prologus *a* incipit prologus statutorum domni guigonis prioris cartusie *bc* *om. R* || 2 dilectissimis : sibi karissimis *F* || barnardo *P* || 3 portarum *om. R.* || supplicii *abcdf* || 4 fratribus *om. bc* || carthusie *abc* || 9 monitis : admonitionibus *F* || dilectio semel non *M* dilectio non semel *H* || 11 curavimus *AbcfB* || 12 de *om. abc* || 15 et : ut *C* || 15-16 et – putabamus *om. ef*

Commencement du Prologue des Coutumes de Chartreuse

1. A nos amis et frères très aimés dans le Christ, les prieurs Bernard de Portes, Humbert de Saint-Sulpice, Milon de Meyriat, et à tous les frères qui servent Dieu avec eux, Guigues, prieur de Chartreuse par appel divin, et les frères qui sont avec lui souhaitent le salut éternel dans le Seigneur.

2. Obéissant aux ordres et aux avis de notre très cher et très révérend père Hugues, évêque de Grenoble, à la volonté de qui nous n'avons pas le droit de résister, nous entreprenons de consigner pour en garder le souvenir les coutumes écrites de notre maison, ce que votre affection nous a demandé plus d'une fois. Pendant longtemps, nous n'avons pas tenu compte de ce travail, pour des motifs que nous estimons raisonnables. Nous le croyions vraiment : presque tout ce que nous avons coutume de faire ici en matière d'observances religieuses est contenu, soit dans les lettres de saint Jérôme, soit dans la règle de saint Benoît, soit dans d'autres écrits authentiques, et nous ne nous trouvions absolument pas dignes de pouvoir ou devoir accomplir une telle tâche.

3. A cela s'ajoutait que nous savions convenir davantage à la vocation de notre humilité d'être enseignés que d'enseigner, et qu'il est plus sûr de faire l'éloge des biens de l'étranger que des siens propres, car, dit l'Écriture : « Qu'un autre te loue, mais non ta bouche, un étranger, mais non tes lèvres [1]. » Et le

Prologue 1. Prov. 27, 2.

3. Huc accedebat, quia doceri magis quam docere, ad humilitatis nostrae propositum pertinere noveramus, tutiusque esse, aliena potius bona quam sua praedicare, scriptura dicen-
20 te, laudet te alienus et non os tuum, extraneus et non labia tua, domino quoque in evangelio praecipiente. Videte ne iusticiam vestram faciatis coram hominibus, ut videamini ab eis.

4. Verum quia tantorum precibus et auctoritati sive dilectioni resistere non debemus, quod dominus dederit, eodem ipso
25 iuvante dicamus ; a digniori parte officio videlicet divino sumentes exordium, in quo cum caeteris monachis multum, maxime in psalmodia regulari concordes invenimur.

Explicit prologus

Capitulum .I. De officio divino

1. A kalendis itaque novembris usque octabas pentecostes, omni die exceptis duodecim lectionum sollempnitatibus, tres lectiones cum tribus responsoriis dicimus, illud observantes, ut
5 si ante quintam feriam praedicti mensis kalendae contingerint, in praecedenti dominica responsoria et prophetas incipiamus, sequenti et deinceps feria, tres lectiones cum responsoriis de libris eisdem recitantes.

2. Sin autem quintam vel post quintam, sequenti dominica
10 eosdem prophetas cum suis responsoriis inchoemus, dierum qui inter kalendas et dominicam sunt, alterum cum tribus propter martyres, alterum cum una lectione transigentes.

|| 19 praedicare quam sua *H* || 19-20 dicente scriptura *Habcef* || 20 tuum + et *M* || 23 precibus tantorum *PM* || 23-24 et – debemus : resistere non debemus et auctoritati et dilectioni *abc* || 25 dicemus *bce* || digniore *P* || videlicet officio *abc* || 27 regulari – invenimur : concordamus *PM* regulari concordes inveniamur *abcfB* || 28 explicit prologus *om. RMFabcdf.*

I. 1 *ante* capitulum. I. *add.* incipiunt consuetudines cartusie *GP* incipiunt consuetudines domni guigonis prioris cartusie AB incipiunt consuetudines cartusie veteres sub domno guigone priore M || capitulum. I. : incipit primum capitulum *V* || divino officio *GCMFH* || 2 usque +

Seigneur a prescrit dans l'Évangile : « Gardez-vous d'afficher votre justice devant les hommes, pour vous faire remarquer d'eux [2]. »

4. Mais puisque nous ne devons pas résister aux prières et à l'autorité ou à l'affection de telles personnes, disons ce que Dieu nous donnera, avec son aide. Nous commencerons par la partie la plus digne, à savoir l'Office divin dans lequel nous nous trouvons très conformes aux autres moines, surtout dans la psalmodie régulière.

Fin du Prologue.

1
L'Office divin

1. Ainsi, des calendes de novembre jusqu'à l'octave de la Pentecôte, tous les jours excepté les fêtes de douze leçons, nous disons trois leçons avec trois répons. Et nous observons ceci : si les calendes de ce mois arrivent avant un jeudi, nous devons commencer les répons et les prophètes le dimanche précédent, et nous lisons trois leçons avec les répons des mêmes livres le lundi suivant et désormais.

2. Mais si les calendes arrivent le jeudi ou après le jeudi, nous devons commencer ces mêmes prophètes avec leurs répons le dimanche suivant ; les jours qui s'écoulent entre les calendes et le dimanche se passent, l'un avec trois leçons à cause des martyrs [1], l'autre avec une seule leçon.

2. Matth. 6, 1.

1, 1. Saint Eustache et ses compagnons : fête transférée plus tard au 20 septembre, pour réserver entièrement le 2 novembre au Jour des Morts.

---

ad *AMFabcdB* || 3 sollempnitatibus : festivitatibus *P* festis *MFabc* || 6 incipiamus : incipimus *Hdef* incipimus et primo incipimus ezechielem *abc* || 7 cum + totidem *F* || 9 quintam + feriam kalendae contigerint *abc* || 10 eosdem *iter. H* || suis *om. abc* || inchoamus *Gabcdef* || 12 transientes *M.*

Item de eadem re .II.

1. Sabbato primae adventus dominicae choerenti, commemorationem de cruce usque secundam post octabas paschae feriam, de sancta vero maria usque ad primam post
5 octabas epyphaniae diem intermittimus.

2. In praedicta dominica finitis ihezechiele et duodecim prophetis, nam danihelem in refectorio legimus, ysaiam incipimus, usque ad vigiliam nativitatis eo contenti. In quo toto spacio, capitulis, versibus, et orationibus ad adventum perti-
10 nentibus utimur, gloria in excelsis usque ad primam in nativitate missam tacentes.

3. Antiphonas o sapientia cum aliis sex, et antiphonas proprias ad matutinas laudes, ita incipimus, ut die ante vigiliam nativitatis domini finiantur.

15 **4.** Singulae adventus dominicae, propriis responsoriis et antiphonis ad matutinas laudes decorantur. Sed et ceteris diebus, semper ad magnificat et benedictus, antiphonas de adventu dicimus.

Item unde supra .III.

1. In sabbato ieiuniorum temporalium, sextam et missam, cum quinque excepta epistola lectionibus, et deinde nonam continuatim in ecclesia cantamus, idem in ceteris ieiuniis simi-
5 libus facientes, nisi quod in mense primo post nonam propter quadragesimam, in sabbato infra octabas pentecosten, inter terciam et sextam, et in mense septimo post sextam missam

II. 1 item *om. G* || de eadem re : de eodem *V* unde supra *M* || 2 dominicae *om. bc* || 3 de + sancta *bc* || usque + ad *AMFHbc* || post secundam *a* || 6-7 prophetis XII *H* || 8 nativitatis + domini *M* || 9 capitulis + et F || versiculis *bc* || 12 sex *om. F* || 13 laudes *om. F* || 17 et + ad *Fabcdef*.

III. 1 item unde supra : de eodem *G* de ieiuniis temporalibus *V* || 4 in ecclesia continuatim *FH* || 4-5 similibus facientes : similiter facientes *d* fa-

2
De nouveau, même sujet

1. Le samedi précédant le premier dimanche de l'Avent, nous omettons la commémoraison de la Croix jusqu'au lundi après l'octave de Pâques, et celle de la Vierge jusqu'au premier jour après l'Octave de l'Épiphanie.

2. En ce premier dimanche de l'Avent, ayant terminé Ézéchiel et les douze prophètes – car Daniel se lit au réfectoire – nous commençons Isaïe, qui nous suffit jusqu'à la Vigile de Noël. Dans tout cet espace de temps, nous nous servons de capitules, versicules et oraisons propres à l'Avent. Nous omettons le *Gloria in excelsis* jusqu'à la première messe de Noël.

3. Nous commençons les antiennes – *O Sapientia* et les six autres – et les antiennes propres à Laudes, de telle sorte qu'elles s'achèvent le jour qui précède la Vigile de la Nativité du Seigneur.

4. Chaque dimanche de l'Avent est honoré de répons propres et d'antiennes propres à Laudes. Mais en outre, les autres jours, nous disons toujours des antiennes de l'Avent au *Magnificat* et au *Benedictus*.

3
De nouveau, même sujet

1. Le samedi des jeûnes des Quatre-Temps, nous chantons à l'église, sans intervalle, Sexte et la Messe avec cinq leçons, sans compter l'Épître, puis None. Nous faisons de même pour les autres jeûnes semblables des Quatre-Temps, si ce n'est qu'au premier mois nous célébrons la Messe après None à cause du Carême ; le samedi dans l'octave de la Pentecôte, nous la célébrons entre Tierce et Sexte ; et le septième mois après Sexte, différant None que nous disons en cellule après le sommeil de la méridienne.

ipsam celebramus, nonam usque post dormitionem in cellulis dicendam differentes.

Item unde supra .IIII.

1. A quarto nonas ianuarii usque ad septuagesimam, beati pauli epistolas legimus.

2. Ab altera post octabas epyphaniae die usque ad septua-
5 gesimam ferialia dicimus responsoria, prima post ipsas dominica, domine in ira tua incipientes.

3. In sabbato quod primam septuagesimae dominicam antecedit, ad vesperas tantum dicimus alleluia, ad missam similiter sancti sabbati recepturi.

10 **4.** Ab ipsa autem dominica usque ad dominicam de passione domini, eptaticum tam in ecclesia quam in refectorio legimus, prima et secunda dominica in principio, caeteris vero dominicis usitata responsoria decantantes.

5. In capite ieiunii capitula nocturna et diurna, et orationes
15 mutamus, sextam et missam et nonam in ecclesia cantamus.

6. Hac die cruces cooperimus in parasceve detegendas.

7. Ante missae initium, cinis post confessionem sacerdoti benedicendus offertur. Quo benedicto, et aqua sancta resperso, omnes per ordinem genibus ante presbyterum flexis partici-
20 pant dicente ipso, recognosce homo, quia pulvis es et in pulverem reverteris, caeteris vero antiphonas istas canentibus, Exaudi nos domine, Iuxta vestibulum. Quibus finitis subdit

cientes similibus *PM* || 7 terciam et sextam : sextam et nonam *ac* || in *om. abc* || 7-8 ipsam missam *F* || post : ad *PM*.

IV. 1 item – supra : item *V* item de eadem re *F* *om. M* || 3 pauli + apostoli *defB* || epistolas + solum in ecclesia *abc* || 6 tua *om. R* || 7 dominicam septuagesimae *M* || 11 eptaticum : pentateucum *abc* || 14 et orationes *om. V* || et[1] *om. bc* || nonam *om. d* || 16 hac : ea *C* || cooperimus + ante missam *A* || 18 resperso : consperso *G* asperso *Hd* || 19 genibus... flexis *om. G* || 21 vero *om. c* || cantantibus *M* || 22 domine *om. PM* || *ante* iuxta

4
De nouveau, même sujet

1. Nous lisons les Épîtres de saint Paul du quatrième jour des Nones de janvier [1] jusqu'à la Septuagésime.

2. Du lendemain de l'octave de l'Épiphanie jusqu'à la Septuagésime, nous disons des répons fériaux, et nous commençons *Domine in ira tua* le premier dimanche après cette octave.

3. Le samedi qui précède le premier dimanche de la Septuagésime, nous disons l'Alleluia seulement jusqu'à Vêpres [2], et nous le reprendrons de même à la messe du Samedi-Saint.

4. De ce dimanche de la Septuagésime jusqu'au dimanche de la Passion du Seigneur, nous lisons l'Heptateuque à l'église et au réfectoire ; nous chantons les répons *In principio* le premier et le second dimanches et les répons habituels les autres dimanches.

5. Le Mercredi des Cendres, nous changeons les capitules de nuit et de jour et les oraisons ; nous chantons à l'église Sexte, la Messe et None.

6. Ce même jour, nous couvrons les croix ; nous les découvrirons le Vendredi-Saint.

7. Avant le commencement de la Messe, après le *Confiteor,* les cendres sont présentées au prêtre pour la bénédiction. Une fois les cendres bénites et aspergées d'eau sainte, tous en reçoivent en partage, chacun selon son rang, les genoux fléchis devant le prêtre, qui dit : « Reconnais, ô homme, que tu es poussière et que tu retourneras en poussière. » Pendant ce temps, les autres chantent les antiennes *Exaudi nos Domine, Iuxta vestibulum.* Celles-ci terminées, le prêtre ajoute *Dominus vobiscum* et l'oraison *Concede nobis Domine.* Les deux jours suivants, la Messe est à la même heure.

4, 1. C'est-à-dire le 2 janvier. 2. Vêpres incluses.

sacerdos, dominus vobiscum, et istam orationem, Concede nobis domine. Eadem hora, duobus sequentibus diebus missas
25 facimus.

8. Sabbatum sequens, missa caret.

9. In hoc sabbato, dominicalia capitula mutamus ad vesperas.

10. Capitulum domine miserere nostri, in quadragesima et
30 in adventu festivis diebus ad primam dicimus.

11. A sequenti secunda feria usque ad cenam domini, septem psalmos cum letania, post primam in cellulis cotidie, exceptis duodecim lectionum festis, exsolvimus.

12. Nonam et missam cum prefatione de quadragesima, et
35 vesperas omni die in ecclesia cantamus, si sacerdotum assit copia vel qui assunt aliqua rationabili non impediantur de causa.

13. Dominica de passione, capitula mutamus, consueta suffragia usque ad secundam post octabas paschae feriam
40 intermittimus. A quo die usque ad cenam, iheremiam partim in ecclesia, partim in refectorio, propter noctium brevitatem legimus. In quo temporis spacio nisi duodecim lectionum sollempnitas intersit, ad invitatorium et ad responsoria et ad introitum, gloriam non dicimus.

45 **14.** De festo trium lectionum commemorationem tantum facimus.

15. Sabbato quod dominicae palmarum iungitur, missam non dicimus.

16. Ad vesperas, capitulum hoc sentite. Responsorium
50 fratres mei, usque ad cenam.

17. Dominica in palmis, cantata tercia et induto casula sacerdote, post confessionem rami benedicuntur, aspersique

add. antiphonam *F* || vestibulum + et caetera *HdfB* || 22-24 quibus – domine *post* eadem – facimus *tr.* abc || 24 diebus sequentibus *G* || 27 sabbato *om. bc* || 29 nostri *om. F* || 31 feria secunda *Habcef* || 32 primam + vel post tertiam cui placuerit *C* || in cellulis cotidie : in cellis cotidie *abcdef* co-

8. Le samedi suivant n'a pas de Messe.

9. En ce samedi, nous changeons à Vêpres les capitules des dimanches.

10. Pendant le Carême et l'Avent, les jours de fêtes, nous disons à Prime le capitule *Domine miserere nostri.*

11. Du lundi suivant jusqu'au Jeudi-Saint, nous nous acquittons chaque jour des Sept psaumes de la pénitence avec les Litanies, après Prime en cellule, excepté les jours de fêtes de douze leçons.

12. Nous chantons tous les jours à l'église None et la Messe avec la Préface de Carême, puis les Vêpres, s'il y a un prêtre pour célébrer cette Messe, ou si ceux qui sont présents n'en sont pas empêchés par quelque cause raisonnable.

13. Le dimanche de la Passion, nous changeons les capitules, et nous interrompons les suffrages habituels jusqu'au lundi après l'octave de Pâques. De ce jour jusqu'au Jeudi-Saint, nous lisons Jérémie, en partie à l'église, en partie au réfectoire, à cause de la brièveté des nuits. Dans ce laps de temps, nous ne disons pas le *Gloria Patri* à l'invitatoire, aux répons et à l'Introït, à moins que n'arrive une fête de douze leçons.

14. Nous faisons seulement mémoire des fêtes de trois leçons.

15. Le samedi, veille du dimanche des Rameaux, nous ne chantons pas de Messe.

16. Aux Vêpres, le capitule est *Hoc sentite.* Le répons *Fratres mei,* jusqu'au Jeudi-Saint.

17. Le dimanche des Rameaux, après le chant de Tierce et le prêtre ayant revêtu la chasuble, les rameaux sont bénis après le *Confiteor,* puis ils sont aspergés d'eau bénite et donnés à

tidie in cellulis *F* || 33 persolvimus *d* || 36-37 non – causa : de causa non impediantur *RG* non impediantur cause *bc* || 38 passione + domini *abcf* || 39 feriam pasce *f* || 40 cenam + domini *abc* || 41 ecclesia + et *abc* || 43 interfuerit *abc* || 43-44 introitum + misse *PMF* || 45-46 commemorationem tantum facimus : commemorationem facimus *DR* *om. H* || 50 mei + et

aqua benedicta, omnibus a sacerdote traduntur, et interim cantatur antiphona collegerunt. Sequitur dominus vobiscum,
55 et oratio ista, Omnipotens sempiterne deus.

18. Si annunciatio vel festivitas sancti benedicti quartam huius ebdomadae transierint feriam, nullam postea de ipsis facimus mentionem.

19. In cena festum facimus, novem sicut clerici lectionibus
60 contenti. Ad benedictus lucernam extinguimus, ecclesiae morem tantilla ex parte imitantes.

20. Ad primam convenimus, post capitulum terciam in cellis dicimus, et mundicias singuli facimus, sextam quoque ibidem cantantes. Nonam et missam et vesperas, in ecclesia
65 celebramus.

21. In missa, hostia dominici corporis integra in parasceve a sacerdote sumenda servatur.

22. Post refectionem omnes in quantum possibile est, monachi et laici ad mandatum in capitulum convenimus.
70 Ibique pedes cunctis a priore vel cui hoc ipse iniunxerit, ipsique ab eo qui prior est ordine, abluuntur, terguntur, osculantur, ceteris congruas antiphonas concinentibus. De hinc priore aquam infundente, lotis omnibus manibus, accensa candela evangelium legitur, stantibus cunctis usque ad id, cum
75 recubuisset iterum.

23. A quo loco eandem lectionem sedentes audimus, usque dum dicatur, surgite eamus hinc. Tunc enim precedente dyacono in refectorium pergimus, quod superest lectionis sedentes audituri. Qua finita, vinum a ministris apponitur singulis.

deinde *F* || 51 sacerdote casula *PM* || 53 traduntur : tribuuntur *R* || 55 ista oratio *tr. M* || deus + da nobis ita *DR* || 56 *ante* si *add.* feria tertia *R* || annunciatio vel *om. P* || 57 transierit *P* || ipsa *PA* || 59 *ante* in cena *add.* item unde supra cap[um] V *abcd* || cena + domini *abc* || 59-60 clerici – contenti : lectionibus sicut clerici ceteri *F* ceteri clerici contenti lectionibus *G* || 61 imitamus *V* || 63 cellas *S* || facimus singuli *DRG* || quoque *om. abc* || 64 et[1] *om. Mabcd* || 65 celebrantes *V* || 66 in parasceve : et in pasce *a* || 67 reservatur *G* || 69 in – convenimus : ad capitulum convenimus *F* in capitulo

chacun par le prêtre. Pendant ce temps, on chante l'antienne *Collegerunt*. Vient ensuite le *Dominus vobiscum* et l'oraison *Omnipotens sempiterne Deus*.

18. Si l'Annonciation ou la fête de saint Benoît arrivent après le mercredi de cette semaine, nous n'en faisons ensuite aucune mention.

19. Le jour de la Cène du Seigneur est pour nous un jour de fête, mais nous n'avons que neuf leçons, comme les clercs séculiers. Au *Benedictus*, nous éteignons la lumière, imitant l'usage de l'église sur ce petit point.

20. Nous nous réunissons à l'église pour Prime ; après le Chapitre, nous disons Tierce en cellule, et chacun fait ensuite ses nettoyages ; nous disons aussi Sexte en cellule. Nous célé- ›rons à l'église None, la Messe et les Vêpres.

21. A la Messe, une hostie entière du Corps du Seigneur est réservée, pour être consommée par le prêtre le Vendredi-Saint.

22. Après le réfectoire, tous, moines et laïcs, dans la mesure où cela est possible, nous nous réunissons au chapitre pour le *Mandatum*. Et là le prieur, ou celui à qui il aura ordonné d'accomplir cet office, lave les pieds de tous, les essuie et les baise ; les siens sont lavés par le plus ancien de la communauté ; pendant ce temps, les autres chantent les antiennes appropriées. Puis les mains de tous sont lavées : le prieur verse l'eau. On allume un cierge, et on lit l'évangile, tandis que tous se tiennent debout jusqu'à ces mots : *Cum recubuisset iterum*.

23. A partir de cette phrase, nous écoutons assis la même lecture, jusqu'à ce qu'on dise : *Surgite eamus hinc*. Car alors nous nous rendons au réfectoire, à la suite du diacre, pour y entendre, assis, le reste de la lecture. Celle-ci terminée, du vin est apporté à chacun par les servants. Après la bénédic-

convenimus *Hbc* convenimus in capitulum *RG* ‖ 70 ibique : ibidemque *H* ‖ cunctis *om. PM* ‖ ipse hoc *RG* ‖ 71 est + in *FHabc* ‖ ordine + cunctis *PM* ‖ terguntur + et *FH* ‖ 72 concinentibus : canentibus *DRGabce* cantantibus *F* ‖ 73 accensa + lanterna *V* ‖ 76 loco *om. H* ‖ eandem – audimus : sedentes eamdem lectionem audimus *abc* sedentes audimus eamdem

80 Dataque a sacerdote benedictione, bibimus et abimus. Post quae nudatur altare.

24. Hac die post prandium sive post mandatum, duorum sequentium lectiones et responsoria prevident fratres, tanquam usque aa sabbatum post refectionem ad claustrum non rever-85 suri.

25. Completorium, poste sonatur.

26. In parasceve genua flectimus, miserere mei deus dicimus.

27. Totisque his tribus diebus preces singuli quique in silen-90 tio dicimus. In omnibus horis hac una oratione contenti, respice quaesumus domine, totumque fere officium iuxta clericorum morem exequimur. Psalterium aliis omissis operibus frequentamus, a sacrista laicis iuvantibus mundatur ecclesia. Signo aliquanto tardius quam solet dato, sexta et nona conti-95 nuatim in cellis dicuntur, et interim sacerdos induitur. Datoque iterum signo, ad ecclesiam convenientes, officium ex more celebramus. Praecedit lectio, sequitur tractus, et oratio deus a quo et iudas. Item alia lectio et tractus. Deinde passio absque dominus vobiscum. Post quam, orationes. Quibus 100 finitis, exuitur sacerdos casula, nudamur pedes, oblatamque a dyacono crucem venerabiliter osculamur, dicentes intra nos singuli, Adoramus te christe et benedicimus tibi, quia per crucem tuam redemisti mundum. Interim conventus cantat antiphonam, nos autem gloriari oportet, et responsoria, popule 105 meus, et expandi manus meas. Post quae ad locum pristinum

lectionem *def* || 82 post prandium die *PM* || 83 sequentium : sequentium dierum *Vabc* dierum sequentium F || 84 ad[2]: in *F* || 86 sonatur : pulsatur *M* || 87 parasceve : pasce *a* || mei deus *om. abc* || 89 preceps *V* || 90 una : unica *bc* || 92 morem exequimur : morem clericorum exequimur *Fabc* morem exequimur clericorum *def* || 92 omissis aliis F || 92-93 psalterium – frequentamus *om. M* || 94 quam solet *om. G* || 95 dicuntur in cellis *F* || interim : iterum *S* || 96-97 ex more : more solito *M* || 100 nudatur *S* nudantur *M* nudamus *FbcB* || 101-102 singuli intra nos *FH* || 102 per + sanctam *CMHdefB* || 103 interim : iterum *S* || 104 oportet *om. GF* || 105 et *om. R* || manus + ecce vidimus tradidit in mortem ego quasi agnus *G* ||

tion donnée par le prêtre, nous buvons et nous nous retirons. Ensuite, l'autel est dépouillé.

24. En ce jour, soit après le repas, soit après le *Mandatum,* les frères préparent les leçons et les répons des deux jours suivants, car ils ne reviendront pas au cloître jusqu'au Samedi-Saint après le repas.

25. L'office de Complies est sonné avec une crécelle.

26. Le Vendredi-Saint, nous nous mettons à genoux et nous disons le *Miserere mei Deus.*

27. Durant ces trois jours, chacun dit les *Preces* en silence. A toutes les Heures, nous nous servons de la seule oraison *Respice quaesumus Domine,* et nous accomplissons presque tout l'office selon l'usage des clercs. Tous autres travaux cessants, nous récitons assidûment le psautier ; l'église est nettoyée par le sacristain, avec l'aide des frères laïcs. Au signal qui est donné un peu plus tard que de coutume, nous disons Sexte et None à la suite en cellule, et pendant ce temps le prêtre s'habille. A un nouveau signal, nous nous rassemblons à l'église, et nous célébrons l'office traditionnel. Il commence par une lecture, suivie d'un trait et de l'oraison *Deus a quo et Iudas.* De nouveau, une autre lecture et un trait. Puis la Passion, sans *Dominus vobiscum.* Après celle-ci, les oraisons. Quand ces dernières sont terminées, le prêtre quitte la chasuble, nous nous déchaussons, pieds nus, et nous baisons avec vénération la croix présentée par le diacre, en disant chacun intérieurement : « Nous t'adorons, ô Christ, et nous te bénissons, parce que tu as racheté le monde par ta croix. » Pendant ce temps, la communauté chante l'antienne *Nos autem gloriari oportet,* et les répons *Popule meus* et *Expandi manus meas.* Après cela, la croix ayant été reportée à sa place précédente, le prêtre se lave les mains et revêt la chasuble, il reçoit du diacre le calice garni de vin, avec sur le calice le Corps du Seigneur, en même temps que le diacre entonne la communion *Hoc Corpus.* Les oblats ayant été disposés sur l'autel, après un bref silence, le prêtre commence ainsi : *Oremus, praeceptis salutaribus.* On ne dit pas d'*Agnus Dei* ; le Samedi-Saint non plus.

cruce relata, sacerdos lotis manibus casulaque indutus, calicem cum vino corpore domini superposito, a diacono suscipit, inchoante eodem communionem, hoc corpus. Quibus in altari compositis, post modicum silentium incipit sic, Oremus
110 preceptis salutaribus. Agnus dei non dicitur. Nec in sabbato. Percepto autem a sacerdote domini corpore, vesperas alterutrum cum silentio dicimus.

28. Sabbato cantatis in cellulis sexta et nona, et interim sacerdote induto, ad ecclesiam congregati, premissis quatuor
115 lectionibus cum tribus tractibus, et letania per brevi, missam a kyrie eleison sollempniter inchoamus, gloria in excelsis deo dicimus, duas candelas accendimus, pacem accipimus. Incensum vero non adolemus. Quibus expletis, pulsato tintinnabulo, vesperas iuxta morem monachicum sollempnissime cantamus.

120 **29.** In die sancto paschae, inter matutinas et primam, cunctis in quantum eorum sinunt obedientiae laicis presentibus et communicantibus, ea celebritate qua dominicis solet diebus missa cantatur, duobus vel tribus monachorum sacerdotem iuvantibus.

125 **30.** In maiori missa communicat conventus, et qui de laicis communicaturi sunt.

31. Totos quatuor hos dies, celeberrimos ducimus. Feria secunda, tercia, quarta, in matutinis laudibus duas candelas accendimus, incensumque offerimus. Feria quarta recedunt
130 laici. Quinta, sexta, sabbato, sextam in ecclesia cantantes simul reficimus. Ebdomadarum paschae et pentecostes prioribus diebus quatuor, nullum omnino sanctorum festum celebramus, tribus vero posterioribus si trium lectionum festum

meas *om. GF* || 106 relicta *M* || manibus lotis *H* || 108 altare *VdefB* || 110 salutaribus + moniti *DCFHdefB* || 111 autem *om. abc* || corpore domini *Me* || 111-112 alterutrum cum silentio vesperas *M* || 113 cellis *DRGM* || 115 tractatibus *f* || 116 solemniter eleison *H* || 116-117 gloria – accendimus *om. V* || 116 deo *om. Mabc* || 117 accendimus candelas *R* || accipimus : sumimus *GV* || vero *om. F* || 119 morem monachicorum : monachicum morem *DR* morem monasticum *M* || sollempnissime cantamus : solem-

Après la communion du prêtre au Corps du Seigneur, nous disons les Vêpres deux à deux, à voix basse.

28. Le Samedi-Saint, après avoir récité en cellule Sexte et None, et le prêtre s'étant habillé pendant ce temps, nous nous réunissons à l'église. Il y a d'abord quatre leçons avec trois traits, puis des litanies très brèves, et nous commençons la Messe solennellement par le *Kyrie eleison ;* nous disons le *Gloria in excelsis Deo,* nous allumons deux cierges, nous recevons la paix. Mais nous n'offrons pas l'encens. La Messe terminée, on sonne la cloche, et nous chantons les Vêpres très solennellement selon le rit monastique.

29. Le saint jour de Pâques, entre Matines et Prime, une Messe est chantée, selon le degré habituel aux dimanches, tous les frères convers étant présents dans la mesure où le permettent leurs obédiences, et y faisant la sainte communion ; deux ou trois des moines aident le prêtre.

30. La communauté communie à la Messe principale, ainsi que ceux des convers qui ont encore à communier.

31. Nous fêtons très solennellement tous ces quatre jours : le lundi, le mardi et le mercredi, nous allumons deux cierges à Laudes, et nous offrons l'encens. Le mercredi, les convers se retirent. Le jeudi, le vendredi et le samedi, nous avons réfectoire ensemble, après avoir chanté Sexte à l'église. Les quatre premiers jours des semaines de Pâques et de Pentecôte, nous ne célébrons absolument aucune fête de saints, mais les trois derniers jours, nous faisons seulement mémoire d'une fête de trois leçons, s'il s'en présente une. S'il s'agit d'une fête de douze leçons, nous la faisons tout entière. Nous chantons les répons de Pâques pendant quatorze jours.

niter inchoamus *abc* || 120 *ante* in die *add.* item de eadem re cap^{um} *V F* || 121 obedientiae : obedi *V* || 122 solet dominicis *abc* || 123-124 duobus – iuvantibus *om.* R || 125 in : a *C* || 127-129 totos – offerimus : feria secunda tercia quarta in matutinis laudibus duas candelas accendimus incensum offerimus totos quattuor hos dies celeberrimos ducimus *G* || 128 tercia + et *AMFabcdef* || 130 *post* sexta *add.* et *Mabc* || 132 diebus *om. d* || nullo *f* ||

occurrerit, solam commemorationem, sin autem duodecim totum facimus. Responsoria paschalia, quatuordecim diebus cantamus.

32. Actus apostolorum tribus ebdomadibus, canonicas vero epistolas exinde usque ad ascensionem, et ab ascensione usque ad pentecosten, apocalypsin tantummodo partim in ecclesia partim in refectorio perlegimus.

33. Feria tercia rogationum semel reficimus, sed coquinam facimus.

34. In vigilia ascensionis, sextam et missam in ecclesia cantamus. Ascensionem celeberrime colimus.

35. In vigilia pentecostes, nonam et missam in ecclesia dicimus, totamque ebdomadam sicut paschalem decurrimus, nisi quod feria quarta et sabbato sextam post missam sine intervallo cantamus. Hac quippe ebdomada, ieiunia quatuor temporum facimus.

Item unde supra .V.

1. Post ebdomadam hanc, die quacumque festum occurrerit, libros regum incipimus, responsoria vero eiusdem historiae sequenti dominica.

2. A kalendis augusti usque ad kalendas septembris, parabolas, ecclesiasten, librum sapientiae, et de ecclesiastico quantum tempus permittit legimus.

3. A kalendis septembris, iob duabus septimanis, sive tribus. Duabus sequentibus, tobiam, iudith, hester.

4. A kalendis octobris usque ad novembrem, machabeorum libros.

festum sanctorum *V* || 134 commemorationem + facimus *MF* || 135 facimus *om. M* || 137-138 exinde usque ad ascensionem vero epistolas D || 139 ad *om. SDRG* || ecclesia + et *abc* || 140 legimus *M* || 145 ecclesia + cantantes *e* || 146 ebdomadam + hanc *V* || 148 quippe : itaque *R*.

V. 1 item unde supra : de eodem *GM* item *V* || V : VI *Fabcd* || 2 festum + trium lectionum *Fabc* || 3 occurrit *G* || vero *om. abc* || 9 iudith +

32. Nous lisons en entier les Actes des Apôtres pendant trois semaines, puis les Épîtres canoniques de là jusqu'à l'Ascension, et ensuite, de l'Ascension jusqu'à la Pentecôte, l'Apocalypse seulement, en partie à l'église, en partie au réfectoire.

33. Le mardi des Rogations, nous ne faisons qu'un repas, mais nous faisons de la cuisine.

34. La Vigile de l'Ascension, nous chantons à l'église Sexte et la Messe. Nous célébrons l'Ascension très solennellement.

35. La Vigile de la Pentecôte, nous disons None et la Messe à l'église ; nous déroulons toute la semaine comme la semaine pascale, excepté que le mercredi et le samedi, nous chantons Sexte après la Messe sans intervalle. Cette semaine, en effet, nous faisons les jeûnes des Quatre-Temps.

5
De nouveau, même sujet

1. Après cette semaine, le premier jour où se présente une fête, nous commençons les Livres des Rois [1], mais les répons de cette lecture sont commencés le dimanche suivant.

2. Des calendes d'août jusqu'aux calendes de septembre, nous lisons les Paraboles [2], l'Ecclésiaste, le Livre de la Sagesse, et, du Livre de l'Ecclésiastique, autant que le temps le permet.

3. A partir des calendes de septembre, Job deux ou trois semaines. Les deux suivantes : Tobie, Judith, Esther.

4. Des calendes d'octobre jusqu'à novembre : les Livres des Maccabées.

5, 1. C'est-à-dire ceux qu'on appelle aujourd'hui les Livres de Samuel, suivis des Livres des Rois.
2. C'est-à-dire le Livre des Proverbes.

---

et *MFH* || 10 novembrem : kalendas novembris *F* || 11 libros + legimus *abc*

5. Totoque hoc tempore, id est a pentecoste usque ad novembris kalendas, una nisi festum intersit lectione sicut caeteri monachi contenti sumus.

15 **6.** Nunquam autem pro trium lectionum festo lectiones historiae dimittimus, nisi in vigilia natalis domini, et tribus post festum innocentum diebus, et ebdomadibus paschae et pentecostes, et infra octabas assumptionis beatae mariae.

7. Invitatorium igitur tantum, et versiculi, et responsoria, et 20 orationes, et matutinae laudes, sed et ad primam antiphona, ad terciam quoque et sextam si semel prandendum est, sin autem bis, ad terciam tantum, antiphonae, versus, et orationes, pro tali festo dicuntur.

8. Dominus regnavit, non solum in talibus festis, sed etiam 25 a nativitate usque octabas epyphaniae, et a pascha usque octabas pentecostes, ad matutinas laudes cotidie dicimus.

Item unde supra .VI.

1. Et hoc sciendum, quod in nulla sollempnitate processionem facimus, nec ullum festum vel vigiliam transmutamus.

De officio dominicali .VII.

1. Omni sabbato, post nonam in claustrum convenimus, lectiones et caetera necessaria recolimus.

|| 12 toto *V* || 13 kalendas novembris *RF* || intersit festum *PM* || 13-14 sicut ceteri monachi contenti sumus una lectione nisi intersit festum *F* || 15 autem *om. F* || 19 igitur *om. M* || 20 et² *om. PMH* || 21 et + ad *F* || est : sit *G* || *ante* bis *add.* autem *c* || 22 antiphonae : antiphona *bc* antiphonae ac *F* || versiculus *bc* versiculi *Vd* || oratio *bc* || 23 festo tali *F* || 25 nativitate : natali *M* nativitate domini *FHabc* || usque¹ + ad *GVMabcdefB* || usque² + ad *CVMabcdefB* || 26 cotidie *om. A.*

VI. 1 item unde supra : de eodem *G* item de officio dominicali *abcd* *om. Me* || VI : VII *Fabcd* *om. e* || 2 et – sciendum : est sciendum

5. Et tout ce temps, c'est-à-dire de la Pentecôte jusqu'aux calendes de novembre, nous nous limitons à une seule leçon, comme les autres moines, à moins qu'une fête ne se présente.

6. Or nous n'abandonnons jamais les leçons de l'Écriture Sainte pour une fête de trois leçons, sauf pour la Vigile de Noël et les trois jours après la fête des Saints Innocents, pour les semaines de Pâques et Pentecôte, et pour les jours de l'octave de l'Assomption de la Sainte Vierge Marie.

7. Pour une telle fête de trois leçons, nous disons donc seulement l'Invitatoire, les versicules, les répons, les oraisons, les Laudes, mais aussi l'antienne à Prime, et encore les antiennes, les versets et les oraisons, à Tierce également et à Sexte si c'est jour d'unique réfection, à Tierce seulement si l'on doit manger deux fois.

8. Nous disons chaque jour à Laudes *Dominus regnavit,* non seulement pour ces fêtes, mais aussi de Noël jusqu'à l'octave de l'Épiphanie, et de Pâques jusqu'à l'octave de la Pentecôte.

6
De nouveau, même sujet

1. Et il faut savoir que pour aucune solennité nous ne faisons de procession, et nous ne transférons aucune fête ni aucune vigile.

7
L'Office du dimanche

1. Chaque samedi après None, nous nous réunissons dans le cloître pour répéter les leçons et autres choses nécessaires.

M et sciendum hoc P || 3 professionem *V.*
VII. 1 de – dominicali *om. abcd* || VII : VI *M* VIII *F* *om. abcd* || 2

2. Et quia tota ebdomada in cellis silentium tenemus, peccata nostra priori, vel quibus ab eo iniunctum est confitemur.

3. Quod si nova responsoria inchoanda est, magnum responsorium in vesperis cantamus.

4. Dominica, post primam capitulum tenemus. Inde fratribus ad cellas redeuntibus, si missa ea die cantanda est, id est si sacerdos vel sacerdotes rationabili non impediantur de causa, statim signum pulsatur. Alias enim, usquequo tercia sit dicenda differtur. Quod spacium, quantum infirmitas necessitasve permittit, spiritualibus profectibus attribuitur.

5. Post haec sacerdos tempore congruo ad ecclesiam reversus : induitur. Signoque terna incisione pulsato, presentibus cunctis aqua sacratur. Quam sacerdos spargendo altare circumiens, ante ipsum altare monachis, ad ostium chori laicis dispergit, canentibus ceteris antiphonam asperges me. Reversusque ad lectorium, addit precem, ostende nobis domine misericordiam tuam, deinde dominus vobiscum, et orationem hanc, Exaudi nos domine sancte pater. Post, terciam inchoat. Quam sequitur missa.

6. Gloria in excelsis deo, in omnibus sollempnitatibus preter adventum et septuagesimam cantamus.

7. Credo in unum deum tam in dominicis diebus quam in ceteris exceptis confessorum et martyrum festivitatibus, et tribus diebus paschae et pentecostes dicimus.

8. Post missam, ad cellas aquam sanctam ferentes, parvum

in claustrum : in claustro *S* *om. M* || 3 caetera : alia *d* || recolimus : recordamur *F* || 4 quia + in *S* || 5 peccata nostra priori : priori peccata nostra *abc* priori nostra peccata *f* priori *d* || ab eo *om. abc* || est : fuerit *M* || *post* est *add.* peccata nostra *d* || 7 responsoria : historia *A* || est : sunt *Ra* sit *bc* || 9 dominica + die *abc* || post *om. V* || 10 cellam *V* || ea : eo *A* eadem *H* || 11 non – causa : de causa non impediantur *G* de causa *R* causa non impediantur *bc* || 12-13 dicenda sit *abc* || 16 tertia *GCVAFHabcdefB* || 17-18 circumiens : circuit *M* circumiens altare *abc* || 19 dispergit : aspergit *V* || me + domine *abc* || 21 misericordiam tuam *om. GFH* || 22 hanc : istam

2. Et puisque pendant toute la semaine nous gardons le silence dans nos cellules, nous confessons ce jour-là nos péchés au prieur ou à l'un de ceux qu'il a chargés de cet office.

3. Si l'on doit commencer une nouvelle série de répons, nous chantons un grand répons aux Vêpres.

4. Le dimanche, nous tenons Chapitre après Prime. Puis les frères rentrent dans leurs cellules, et aussitôt on sonne la cloche, si la Messe sera chantée ce jour-là, c'est-à-dire si le prêtre ou les prêtres ne sont pas empêchés par une cause raisonnable. Car autrement, cette sonnerie est différée jusqu'au moment de dire Tierce. Cet espace de temps est donné à des exercices spirituels profitables, dans la mesure où la faiblesse ou les occupations nécessaires le permettent.

5. Après cela, le prêtre étant revenu à l'église en temps opportun, s'habille. Et après une sonnerie de cloche coupée en trois séries, l'eau est bénite en présence de tous. Le prêtre fait le tour de l'autel en aspergeant avec cette eau, puis il la disperse sur les moines devant l'autel même et sur les frères laïcs à l'entrée du chœur, tandis que les autres chantent l'antienne *Asperges me*. Revenu au lectoire, il ajoute la prière *Ostende nobis Domine misericordiam tuam*, puis *Dominus vobiscum* et l'oraison suivante : *Exaudi nos Domine sancte Pater*. Après cela, il commence Tierce, qui est suivie de la Messe.

6. Nous chanterons le *Gloria in excelsis Deo* à toutes les fêtes, excepté pendant l'Avent et la Septuagésime.

7. Nous disons le *Credo in unum Deum* aussi bien le dimanche que les autres fêtes, excepté les fêtes de confesseurs et de martyrs et les trois premiers jours des semaines de Pâques et de Pentecôte.

8. Après la Messe, nous emportons de l'eau sainte à nos

abc || sancte pater *om. FH* || post + haec *M* || inchoat terciam *abcd* || 24 deo *om. F* || 25 quadragesimam *abc* || 26 in² *om. V* || 26-27 diebus – ceteris : quam in ceteris *G* quam in ceteris diebus *F* || 27 martyrum et confessorum *F* || festivitatibus : solemnitatibus *abcdef* || et² *om. M* || 29 missam + vero *F*

30 facimus intervallum. Deinde signo pulsato, ad ecclesiam redeuntes, sextam cantamus, et sic in refectorium pergimus, animarum pariter et corporum escam sumpturi. Exeuntes autem de refectorio, a kalendis novembris, usque ad purificationem beatae mariae, statim nonam cantamus. Ex quo usque 35 ad pascha, spacium quod ibi id est inter prandium et nonam facimus, lectioni vel aliquibus talibus exercitiis deputatur. Exinde tota estate, pro dierum quantitate nunc brevius nunc longius, quieti datur.

9. Post nonam in claustrum convenimus, de utilibus locutu- 40 ri. In hoc spacio incaustum, pergamenum, pennas, cretam, libros, seu legendos seu transcribendos, a sacrista, a coquinario vero, legumina, sal et caetera huiusmodi poscimus et accipimus.

10. Post caenam singulas tortas tanquam christi mendici 45 accipientes, cellas repetimus.

11. In omnibus similibus festis, pene similiter facimus.

12. Dominicis autem quae sunt infra octabas natalis, apparitionis, ascensionisve domini, antiphonas responsoria, versus, et octo priores lectiones de ipsis sollempnitatibus dicimus, 50 quatuor posteriores de homeliis dominicalium evangeliorum. Evangelium quoque ipsum post te deum laudamus, et antiphonae ad benedictus et magnificat, et oratio, et missa, dominica-

|| aquam benedictam (sanctam *H*) ad cellas *Habc* || 30 intervallum facimus *FH* || pulsato signo *H* || 31 refectorio *V* || 33 ad *om. SDRGPF* || 34 nonam statim *FH* || quo + die *abcB* || 35 ibi id est : ibi est id est *F* ibi *A* *om. M* || 38 datur quieti *abc* || 40 spacio hoc *P* || 41 seu[1] *om. VM* || 44 singuli *F* || 44-45 accipientes tanquam christi mendici *F* || 46 omnibus + autem *abcB* || festis similibus H || 47 autem + diebus *Vabc* || 48 versiculos *Fbc* || 51 evangelium quoque ipsum : ipsum quoque evangelium *F* evangelium ipsum *R* evangeliumque ipsum *abc* || 51-52 antiphonas *B* || 52 et[1] + ad *F* ||

7, 1. « Utile » : il ne s'agit pas seulement d'utilité matérielle. « Utile » a également ici le sens si fréquent dans les perspectives spirituelles de saint Bruno et de Guigues, défini par la pensée n° 370 de Guigues : « Dieu lui-mê-

cellules, et nous observons un petit intervalle. Puis au signal de la cloche, revenant à l'église, nous y chantons Sexte, et cela fait nous nous rendons au réfectoire pour y prendre en même temps la nourriture des âmes et celle des corps. En sortant du réfectoire, nous chantons None aussitôt, des calendes de novembre jusqu'à la Purification de la Sainte Vierge. De ce jour, jusqu'à Pâques, l'intervalle de temps que nous observons à ce moment, c'est-à-dire entre le repas et None, est député à la lecture ou à quelques autres exercices de ce genre. Puis de là, durant tout l'été, nous donnons ce moment au repos, tantôt plus bref, tantôt plus long, selon la longueur des jours.

9. Après None, nous venons ensemble au cloître, pour y parler de choses utiles [1]. A ce moment, nous demandons au sacristain de l'encre, du parchemin, des plumes, de la craie, des livres, soit pour les lire, soit pour les copier ; du cuisinier nous demandons et recevons des légumes [2], le sel et les autres denrées de ce genre.

10. Après le repas du soir, nous recevons chacun une tourte de pain, comme des mendiants du Christ, puis nous regagnons nos cellules.

11. Dans toutes les fêtes semblables, nous agissons à peu près de même.

12. Or les dimanches qui se trouvent dans les octaves de Noël, de l'Épiphanie, ou de l'Ascension du Seigneur, nous disons les antiennes, les répons, les versicules et les huit premières leçons de ces solennités mêmes, les quatre dernières d'homélies sur les évangiles de ces dimanches. Et l'évangile lui-même après le *Te Deum laudamus*, ainsi que les antiennes du *Benedictus* et du *Magnificat*, l'oraison et la Messe sont du

me est la seule et totale utilité de la nature humaine. » Ce qui est « utile » est donc ce qui conduit à Dieu.

2. Le mot *legumina* a ici un sens moins large que le français « légumes ». Il se limitait aux légumes secs, provenant de gousses : haricots, pois, fèves. Ces légumes secs étaient le principal aliment à cette époque et le seul que les Chartreux avaient à cuisiner en cellule.

lia sunt. Sed postea fit commemoratio de sollempnitatibus. Similiter agitur dominica quae inter octabas natalis domini et
55 apparitionem est, nisi quod priores etiam octo lectiones dominicales, id est de epistolis beati pauli legimus, et commemorationem de nativitate non facimus.

13. De sancto silvestro, commemoratio tantum fit.

Verum de his quae quadam speciali dignitate sollempnia
60 celebramus, specialiter quoque dicendum putamus.

Item de officio divino .VIII.

1. Igitur omnium sanctorum, natalis domini, paschae, ascensionis, pentecostes, sancti iohannis, beatorum apostolorum petri et pauli, assumptionis beatae mariae, vigilias in pane
5 et aqua facimus, missasque in aestate quidem cum sexta, in hieme vero nonam supponentes continuamus, altare paramus, in vesperis et matutinis et missa, itemque vesperis duas candelas accendimus, incensum ponimus.

2. Porro in vigilia natalis dominici, in matutinis laudibus
10 genua non flectimus. Dominus regnavit dicimus, miserere mei deus tacemus, duas ad missam candelas accendimus, sed thus non adolemus, pacem sumimus.

3. Si dominica in hac vigilia occurrerit, versum ante evangelium, et totum deinceps officium de vigilia dicimus, comme-
15 morationem tantum de dominica facientes. Eodem modo, in vigiliis paschae et pentecostes missas celebramus.

4. In matutinis quatuor ultimas lectiones de evangeliis legi-

53 commemoratio fit *A* || 54 agitur + de *F* || inter : intra *M* || 54-56 et — dominicales *om. M* || 55 etiam *om. GH* || 56 beati *om. AMabc* || 58 tantum commemoratio *H* || 59 verum + hic *a* || quae + quasi *P* || 60 putamus : est *M*.

VIII. 1 item *om. V* || de officio divino : de divino officio *G* de eadem re *FH* || VIII : VII *M* cap[um] IX *F* || 2 paschae + et *V* || 3 pentecostes + et *V* || sanctorum *bc* || iohannis + baptistae *F* || beatorum *om. GH* || 4 mariae + virginis *abc* || 6 altare + adornat *M* || praeparamus *abc* || 7 itemque + in

dimanche. Mais ensuite, on fait mémoire des solennités. Le dimanche entre l'octave de Noël et l'Épiphanie est célébré de manière semblable, si ce n'est que nous lisons même les huit premières leçons du dimanche, à savoir des Épîtres de saint Paul, et nous ne faisons pas mémoire de la Nativité.

13. Nous faisons seulement mémoire de saint Sylvestre. Mais nous pensons qu'il faut aussi parler en particulier des fêtes que nous célébrons solennellement avec un rang d'honneur tout spécial.

8
De nouveau, l'Office divin

1. Nous faisons donc au pain et à l'eau les Vigiles de la Toussaint, Noël, Pâques, l'Ascension, la Pentecôte, Saint-Jean, les Saints apôtres Pierre et Paul, l'Assomption de la Sainte Vierge, et nous célébrons leurs Messes en ajoutant sans intervalle Sexte en été, mais en hiver None ; nous ornons l'autel, nous allumons deux cierges aux Vêpres, aux Matines et à la Messe, et encore aux deuxièmes Vêpres ; nous offrons l'encens.

2. Or, en la Vigile de Noël, à Laudes, nous ne nous mettons pas à genoux. Nous disons *Dominus regnavit*, nous omettons le *Miserere mei Deus*, nous allumons deux cierges pour la Messe, mais nous ne brûlons pas d'encens. Nous recevons la paix.

3. Si un dimanche arrive en cette vigile, nous disons le versicule avant l'évangile et tout l'office à partir de là, de la Vigile, faisant seulement mémoire du dimanche. Nous célébrons de la même manière les Messes des Vigiles de Pâques et de Pentecôte.

4. Aux Matines de la Nativité, les quatre dernières leçons

Habc || vesperis[2] : ad vesperas *F* || 8 imponimus *G* || 9 domini *c* || 11 deus *om. abc* || ad missam candelas : candelas ad missam *DGCabcdef* candelas

mus. Primam missam inter nocturnum et laudes celeberrimam facimus. Secundam post matutinas laudes incipiente luce, 20 sicut fieri solet in dominicis diebus cantamus. In qua laici communicant. In hac etiam, commemoratio fit de sancta anastasia.

5. In majori missa communicat conventus, pacemque a sacerdote et ab invicem omnes monachi accipiunt. Hoc ipsum 25 in omnibus festis talibus agimus, excepta circumcisione domini, et natali beatorum apostolorum petri et pauli, et dedicationis, et sancti michaelis. Sequentes tres dies, fere similiter celebramus. Die quarta laici recedunt, sicut in pascha et pentecoste.

30 **6.** Reliquis tribus diebus sextam in ecclesia dicimus et nonam, prandium et cenam simul facientes.

7. Circumcisionem, apparitionem, purificationem, annunciationem, ascensionem, natale sancti iohannis, beatorum apostolorum petri et pauli, assumptionem, dedicationem, nati-35 vitatem beatae semper virginis, festum angelorum, simili colimus ritu.

8. Porro in purificationem beatae mariae, ante missam, post confessionem, candelas benedictas de manu sacerdotis monachi et qui de laicis assunt accipimus, cantantes antiphonam, 40 lumen ad revelationem, et evangelium nunc dimittis, ac per versus singulos antiphonam repetentes. Sequitur dominus vobiscum, et oratio, erudi quaesumus domine. Deinde missa. Candelas autem offerimus post evangelium.

R || 13 versiculum *Fbc* || 20 diebus dominicis *A* || qua : hac *F* || 23 conventus communicat *F* || 24 omnes — accipiunt : monachi omnes accipiunt *abc* accipiunt omnes monachi *F* monachi accipiunt *A* || 24-27 hoc — michaelis *om. M* || 25 talibus festis *abce* || 26 beatorum *om. F* || 28 recedunt laici *PM* || 30 reliquis + etiam *F* || 32 circumcisionem + domini *H* || 33 iohannis + baptistae *F* || 35 semper virginis : mariae semper virginis *Gd* semper virginis mariae *abc* mariae F || angelorum : apostolorum *f* || 37 mariae + virginis *abc* || 38 de manu sacerdotis candelas benedictas *DRG* || 40 revelationem + gentium *GPMabcB* || ac : hanc *C* || 41 singulos versus *F* || 42 erudi : exaudi *Fd* || 43 post evangelium offerimus *CHefB*.

que nous lisons se rapportent aux évangiles. Nous célébrons très solennellement la première Messe entre Matines et Laudes. Nous chantons la seconde Messe après Laudes, au moment où commence à paraître le jour, comme nous avons coutume de le faire les dimanches. A cette Messe, les convers communient. On y fait mémoire de sainte Anastasie.

5. La communauté communie à la Messe principale et tous les moines y reçoivent la paix du prêtre et de l'un à l'autre. Nous faisons de même dans toutes les fêtes semblables, excepté la Circoncision du Seigneur, la naissance au ciel des bienheureux apôtres Pierre et Paul, la Dédicace et Saint-Michel. Nous célébrons presque de la même manière les trois jours suivants. Le quatrième jour, les convers se retirent, comme à Pâques et à la Pentecôte.

6. Les trois jours suivants, nous disons Sexte à l'église ainsi que None ; nous mangeons en commun au déjeûner et au dîner.

7. Nous célébrons sous un rit semblable la Circoncision, l'Apparition [1], l'Ascension, la Nativité de saint Jean-Baptiste, les bienheureux apôtres Pierre et Paul, l'Assomption, la Dédicace [2], la Nativité de la bienheureuse Marie toujours vierge, la fête des Anges.

8. Le jour de la Purification de la Sainte Vierge, avant la Messe, après le *Confiteor*, les moines et ceux des convers qui sont présents reçoivent des cierges bénits de la main du prêtre ; on chante l'antienne *Lumen ad revelationem* et l'évangile *Nunc dimittis*, reprenant l'antienne après chaque verset. Vient ensuite le *Dominus vobiscum* et l'oraison *Erudi quaesumus Domine.* Puis la Messe. Et nous offrons nos cierges après l'évangile.

8, 1. C'était alors le nom de la fête de l'Épiphanie.
2. La Dédicace de la Chartreuse primitive était le 2 septembre.

Quotiens radamur in anno .IX.

1. Sexies in anno radimur, servato silentio. In vigiliis, paschae, pentecostes, assumptionis, omnium sanctorum, natalis domini, et in capite ieiunii.
5 **2.** In vigiliis beatorum, iacobi, laurentii, bartholomei, mathei, symonis, et iudae, et andreae, semel quidem reficimus, sed coquinas si talis dies est facimus, missasque non cantamus.
3. In caeteris duodecim lectionum festis, quibus capitulum
10 non tenemus, nec missam dicimus, in vigilia tantum post nonam in claustrum pro recordatione convenimus.

Quales hospites introducantur in chorum .X.

1. In chorum nostrum, hospites tantum religiosos introducimus, cum quibus, in claustro communem licet habere sermonem.
5 **2.** In partem vero ducere aliquem vel duci, aut quasi secreto aliquid intimare, aut mandare aliquibus, non licet, nisi licentiam dante priore. Quam licentiam, non ad nos sed ad eos si tanti habent, attinet petere.
Nunc de his quae pro defunctis, vel circa defunctos gerimus,
10 aliquid est dicendum.

IX. 1 quotiens – anno : quotiens radimur in anno *Cf* quotiens in anno radimur *abcde* quotiens radamur *F* *om. M* || IX : X*F* *om. M* || 2 octies *A* septies *abcdef* || 3 paschae + et *A* || pentecostes + petri et pauli *A* || assumptionis + beatae mariae *M* + beatae mariae mathei *A* || 4 et *om. Fabc* || in capite : tertia feria ante caput *A* || 5 in : et in *d* || 7 coquinam *PCVAMFHdefB* || est dies *G* || 9 festis + in *F* || 9-10 non tenemus capitulum *PM* || 10 vigiliis *M*.

X. 1 introducuntur *d* || in *om. a* || choro *PCM* || X : IX *M* XI *F* || 3 claustrum *a* || 3-4 sermonem habere licet *PMF* || 5 ducere – duci : aliquem

9
Combien de fois sommes-nous rasés dans l'année

1. Nous sommes rasés six fois par an, en gardant le silence : aux veilles de Pâques, de la Pentecôte, de l'Assomption, de la Toussaint, de Noël et le Mercredi des Cendres.

2. Nous ne mangeons certes qu'une fois aux Vigiles des bienheureux Jacques, Laurent, Barthélemy, Matthieu, Simon et Jude, ainsi qu'André, mais nous faisons la cuisine, si le jour le comporte, et nous ne chantons pas de Messe.

3. Les autres jours de fêtes de douze leçons, nous ne tenons pas Chapitre et nous ne disons pas la Messe ; nous nous réunissons seulement la veille après None dans le cloître pour la récordation [1].

10
Quels sont les hôtes reçus au chœur

1. Nous introduisons dans notre chœur seulement les hôtes qui sont religieux ; il est permis d'avoir avec eux un entretien en commun dans le cloître.

2. Mais il n'est pas permis de prendre quelqu'un à part ou d'être pris par lui, ou de faire savoir quelque chose quasi secrètement, ou de donner des commissions pour d'autres, à moins que le prieur n'en donne la permission. Et ce n'est pas à nous, mais aux hôtes, qu'il appartient de demander cette permission, s'ils jugent la question de grande importance.

Il nous faut maintenant dire quelque chose de ce que nous faisons pour les défunts ou à propos d'eux.

9, 1. La « récordation » était une sorte de répétition des parties de l'Office du jour suivant, que l'on aurait à chanter par cœur.

---

ducere vel duci *DRG* ducere vel duci aliquem *M* || 7 licentiam² *om.* *F* || 9-10 nunc – dicendum *om.* *R* || 10 est aliquid *d.*

De officio defunctorum .XI.

1. Altera itaque post omnium sanctorum festum die nisi dominica evenerit, pro defunctis universis agendam post nocturna cum novem lectionibus dicimus, hac una tantum
5 oratione contenti, Fidelium deus. De hinc post primam, missam presente conventu celebramus.

2. In nullo autem duodecim lectionum festo, vel infra octabas natalis domini, paschae vel pentecostes, defunctorum officium facimus, nisi forte defunctus presens fuerit, vel trice-
10 narium agi contigerit, quod tamen tribus diebus ante pascha, et ipso die paschae vel pentecostes, sive natalis domini, si forte eveniret, quantum ad missam attinet, minime faceremus.

3. Ab hoc igitur die, id est a quarto nonas novembris usque ad septuagesimam, agendam in ecclesia post nocturna dici-
15 mus. A septuagesima vero usque ad predictam diem, post vesperas ieiunii die, alias post cenam, idem officium in cellis exsolvimus. Quod si anniversarium fuerit, in ecclesia statim post vesperas cum novem lectionibus et antiphonis agitur.

4. In quadragesima tamen ne fratres graventur, post refec-
20 tionem in cellis dicitur.

De visitatione egroti .XII.

1. Cum autem frater aegrotus morti propinquare putabitur, congregatur conventus ad visitandum eum, et dicit sacerdos,

XI. 1 XI : X *M* XII *F* || 2 die post festum omnium sanctorum *F* die post omnium sanctorum festum *H* || nisi + in *FB* || 4-5 oratione tantum *Fabc* || 5 deus + omnium *CHdefB* || 6 praesente conventu missam *abc* || celebramus : cantamus *DRG* || 7 autem : tamen *V* || 8 vel : et *abc* || 9 facimus : agimus *FH* || praesens defunctus *V* || 12 evenerit *PMabc* || pertinet *S* || 13 hoc : hac *abc* || 14 ad *om. P* || 16 die ieiunii *A* || idem : id est *f* || 17 persolvimus *V* || fuerit anniversarium *F* || statim in ecclesia *abc* || 17-18 statim post vesperas in ecclesia *df* || 18 et + tribus *bcd* || 20 dicitur : redditur *M*.
XII. 1 XII : XI *M* XIII *F* || 2 frater *om. H* || aegrotus *om. G* ||

11
L'Office des défunts

1. Ainsi donc, le lendemain de la fête de la Toussaint, à moins que ce ne soit un dimanche, nous disons l'*Agende* avec neuf leçons pour tous les défunts après Matines, en nous contentant de la seule oraison *Fidelium Deus*. Ensuite, après Prime, nous célébrons la Messe, en présence de la communauté.

2. Mais nous ne faisons l'Office des défunts en aucune fête de douze leçons, ni pendant les octaves de Noël, de Pâques et de la Pentecôte, sauf si par hasard il y a un mort présent, ou s'il arrive de commencer un Tricenaire, ce que nous ne ferions cependant pas, du moins en ce qui concerne la Messe, si cela se présentait les trois jours avant Pâques, ou le jour même de Pâques ou de la Pentecôte, ou celui de Noël.

3. A partir de ce jour, c'est-à-dire du quatrième jour des Nones de novembre [1] jusqu'à la Septuagésime, nous disons l'*Agende* à l'église après les Matines. Mais de la Septuagésime jusqu'à ce jour, nous acquittons cet office après Vêpres les jours de jeûne, autrement après le second repas. Si c'est un office d'anniversaire, on le fait à l'église aussitôt après les Vêpres, avec neuf leçons et les antiennes.

4. En Carême cependant, pour ne pas trop charger la communauté, cet office est dit en cellule après le repas.

12
La visite d'un malade

1. Lorsqu'on estime qu'un frère malade approche de la mort, la communauté se réunit pour le visiter. Le prêtre dit :

11, 1. C'est-à-dire le 2 novembre.

pax huic domui et omnibus habitantibus in ea, spargens
5 aquam sanctam. Respondetur amen.

2. Tunc confitetur peccata sua, et post absolutionem dicit item sacerdos, Salvum fac servum tuum, Esto ei domine, Nichil proficiat, Dominus vobiscum, Deus qui famulo tuo, Deus qui per apostolum tuum.

10 **3.** Deinde dicitur psalmus, Domine ne in furore tuo, primus. Post cuius finem inungitur ei visus ; et dicitur, per istam unctionem et suam piissimam misericordiam, indulgeat tibi deus quicquid peccasti per visum.

4. Et ita post singulorum psalmorum septem finem, repeti-
15 tur haec eadem oratio, ad singula in quibus inungitur loca, id est ad auditum, ad odoratum, ad gustum sive loquelam, ad tactum id est ad manus, ad incessum id est plantas, ad ardorem libidinis, id est renes.

5. Postea tergitur os eius, et ab omnibus tanquam profectu-
20 rus pie exosculatus communicat, cantantibus qui adsunt, communionem hoc corpus.

6. Post haec dicuntur orationes istae, Respice domine, Deus qui facturae tuae, Deus qui humano generi.

Quomodo tractandus sit qui moritur .XIII.

1. Cum iam iam mori videbitur, ab his qui ei serviunt signo

appropinquare *AFH* || 3 et *om. abc* || 5 sanctam : benedictam *M* || 6 post absolutionem : absolvitur *M* || 7 item : idem *FabcdefB* || tuum *om. F* || 8 vobiscum + oremus *F* + oratio *abc* + oremus oratio prima *M* || deus qui famulo tuo *usque ad finem orationis M* || 9 deus qui per apostolum tuum *usque ad finem orationis M* || 10 dicitur : dicit de || in furore tuo : in furore *DGVH* in fu. *C* *om. F* || 11 primus *om. CH* || ei *om. M* || 12 istam + sanctam *R* || 12-13 suam – visum : caetera *R* || 14 singulorum septem psalmorum finem *abcf* finem singulorum septem psalmorum *MFH* singulorum septem finem psalmorum *de* || 14-15 repetitur – oratio : haec eadem oratio repetitur *F* repetitur haec oratio *H* || 15 in *om. Me* || 16 ad² *om. Mabc* || ad³ *om. abc* || 17 est² + ad *DRGVAMFHabcdB* || 18 est + ad *GVAMFHabcdB* || 20 osculatus *MHabcdef* || 21 hoc corpus *usque ad finem*

« Paix à cette maison et à tous ceux qui y habitent », en aspergeant avec l'eau bénite. On répond : « Amen ».

2. Le malade récite alors le *Confiteor*, et après l'absolution, le prêtre dit de même : *Salvum fac servum tuum, Esto ei Domine, Nihil proficiat, Dominus vobiscum, Deus qui famulo tuo, Deus qui per apostolum tuum.*

3. On dit ensuite le psaume *Domine ne in furore tuo* (le premier). Quand il est fini, le prêtre fait au malade l'onction des yeux, en disant : « Par cette onction et par sa très sainte miséricorde, que Dieu te pardonne tous les péchés que tu as commis par la vue. »

4. Et ainsi, après la fin de chacun des sept psaumes, on répète cette même prière, pour chacun des endroits où se fait l'onction, à savoir pour l'ouïe, l'odorat, le goût ou la parole, le toucher, c'est-à-dire les mains, la marche c'est-à-dire la plante des pieds, l'ardeur de la passion de la chair, c'est-à-dire les reins.

5. Puis on essuie les lèvres du malade, et après que tous l'ont pieusement embrassé avec tendresse comme quelqu'un qui va partir, il communie, pendant que ceux qui sont présents chantent la communion *Hoc Corpus.*

6. Après cela, on dit les oraisons suivantes : *Respice Domine, Deus qui facturae tuae, Deus qui humano generi.*

13
Comment on devra traiter celui qui meurt

1. Quand la mort paraît maintenant imminente, l'aver-

antiphonae M || 22 istae orationes *F* || *ante* respice *add.* oratio *M qui textum huius orationis prosequitur usque ad finem* || 23 deus qui facturae tuae : deus qui facturae *G* alia oratio deus qui facturae tuae *usque ad finem orationis M* || deus qui humano generi : deus qui humano *GF* alia oratio deus qui humano generi *usque ad finem orationis M.*

XIII. 1 tractandus sit : tractatur *F* || qui moritur *om. M* || XIII : XII

dato, postposita omni occasione accurrunt cuncti, nisi tamen divinum in ecclesia contigerit officium celebrari.

5 **2.** Tunc enim prior, vel cui ipse iniunxerit, cum duobus aut tribus ad morientem festinat. Depositoque eo super benedictum cinerem, letaniam pro ut res patitur, longam vel brevem faciunt. Sequitur pater noster, et preces, salvum fac, esto ei, nichil proficiat. Deinde oratio haec, Misericordiam tuam. Post

10 hanc quinque psalmi, Verba mea, Domine in furore, I, Dilexi quoniam, Credidi, De profundis, Pater noster, A porta inferi, oratio, Deus cui proprium est. Exinde agenda plenaria, cum laudibus et vesperis. Post hanc psalterium.

3. Interea defunctus abluitur, et induitur. Monachus, cilicio

15 et cuculla, caligis et pedulibus. Laicus, tunica et caputio, caligis et pedulibus. Inde imponitur feretro, et intermissa psalmodia, dicit sacerdos, In memoria aeterna, ne tradas bestiis, ne intres in iudicium. Post haec orationem istam, Deus cui omnia vivunt.

20 **4.** His expletis, fertur in ecclesiam, et cantatur responsorium, Credo quod redemptor. Post haec dicit sacerdos, A porta inferi, Nichil proficiat, Ne intres, Oremus suscipe domine animam.

5. Posito autem in ecclesia defuncto, repetitur psalmodia,

25 ubi fuerat intermissa, et hoc omnino procuratur, ut duo ad

M XIIII *F* || 2 iam² *om. GVAMFHabcdefB* || ei : eis *C* || 2-3 dato signo *G* || 3 occurrunt *M* || tamen : cum *FB* || 4 officium in ecclesia contigerit *MF* || celebrare *d* || 5 aut : vel *Ad* || 6 festinant *abc* || repositoque *C* || 6-7 cinerem benedictum *F* || 8 *post* faciunt *add.* incipit letania *et postea textum integrum huius letaniae, satis diversum a textu longiore in Ordine usitato* *M* || salvum fac *usque ad finem versiculi M* || esto ei *usque ad finem vers. M* || 9 nichil proficiat *usque ad finem vers. M* || misericordiam tuam *usque ad finem orationis M* || 12 deus cui proprium est *usque ad finem orationis M* || 10 in furore : in furore tuo *A* om. *F* || 11 quoniam *om. Fbc* || credidi + propter quod *P* || pater noster + et ne nos F || 12 est *om. VFHabc* || agenda : legenda *F* || 14 iterea *S* || cilicio + tunica *M* || 16 imponitur in *a* ponitur in *GFbc* || 17 aeterna *om.* F aeterna erit iustus *abc* || bestiis *om. F* || 18 in iudicium *om. F* || istam *om. H* || 19-20 deus cui omnia

tissement est donné par ceux qui sont au service du malade. Tous accourent, délaissant toute occupation, à moins cependant qu'on ne soit en train de célébrer un office à l'église.

2. Car alors le prieur, ou celui à qui il en aura donné l'ordre, se hâte vers le mourant, avec deux ou trois religieux. Ayant déposé le malade sur de la cendre bénite, ils récitent les litanies, longues ou brèves, selon que le permet la circonstance. Vient ensuite un *Pater noster*, et les prières *Salvum fac, Esto ei, Nihil proficiat*. Puis cette oraison *Misericordiam tuam*. Après celle-ci les cinq psaumes *Verba mea, Domine ne in furore I, Dilexi quoniam, Credidi, De profundis, Pater noster, A porta inferi*, et l'oraison *Deus cui proprium est*. Vient ensuite une *Agende* entière, avec les Laudes et les Vêpres. Après cette *Agende*, le Psautier.

3. Pendant ce temps, le défunt est lavé et habillé. Le moine avec le cilice et la cuculle, les bas et les chaussons. Un frère laïc avec la tunique et le capuce, les bas et les chaussons. On le place ensuite sur un brancard, on interrompt la psalmodie ; le prêtre dit : *In memoria aeterna, Ne tradas bestiis, Ne intres in iudicium*. Après cela, cette oraison : *Deus cui omnia vivunt*.

4. Cela étant achevé, le défunt est porté à l'église, et on chante le répons : *Credo quod Redemptor*. Puis le prêtre dit : *A porta inferi, Nihil proficiat, Ne intres, Oremus, Suscipe Domine animam*.

5. Après avoir déposé le défunt à l'église, on reprend la psalmodie où on l'avait interrompue, et on doit absolument faire en sorte que deux psautiers au moins soient dits : l'un à l'église, l'autre dans les cellules avec des *veniams* [1]. Mais s'il

13, 1. *Veniam* : cérémonie qui consiste, en signe d'humilité devant la Divine Majesté, à se mettre à genoux, découvert, et à baiser le sol, ou autre chose, si l'opportunité le demande. Il y a un certain rapport entre le *veniam* et les métanies des Orientaux, sans que l'on puisse dire s'il y a filiation des métanies au *veniam*.

---

vivunt *usque ad finem orationis M* || 22 ne : non *F* || oremus + et orationem *F* || 22-23 suscipe domine animam *usque ad finem orationis M* || 24-25 repe-

minus psalteria dicantur. Unum in ecclesia, alterum in cellis, cum veniis. Si vero de eo quod in ecclesia dicendum est restiterit aliquid, redditur in cellis. Nam si tempus permittit, eadem die, non tamen nisi post missam pro eo cantatam, sepelitur. 30 Sin autem, servatur in crastinum, noctemque ipsam, monachi cum laicis, et pro sui numero et pro ipsius quantitate dividunt, circa corpus psalterium frequentantes.

6. In crastino autem missa cunctis cantata presentibus, sepelitur hoc modo. Stat chorus iuxta corpus, et dicit sacerdos, 35 pater noster, precem, a porta inferi, Oratio, Deus vitae dator, Responsorium, Credo quod redemptor, Kyrie eleison, pater noster, precem, ne intres, Oratio, Deus qui animarum, Responsorium, Ne abscondas me, Kyrie eleison, pater noster, precem, ne tradas bestiis, Oratio, Non intres in iudicium, Responso- 40 rium, Ne intres, Kyrie eleison, pater noster, precem, Requiem aeternam, Oratio, Fac quesumus domine.

7. Tunc portatur ad tumulum, cum his psalmis, In exitu israel, Miserere mei deus, Confitemini, psalmum CXVII, Quemadmodum, Memento, domine probasti me, inclina, 45 laudate dominum de caelis, benedictus dominus deus israel, magnificat.

8. Cum ventum est ad sepulchrum, dicit sacerdos, pater noster, a porta inferi, Oratio, Tibi domine commendamus. Tunc benedicit fossam, et aspergit aqua sancta, et thurificat. 50 Deinde ponitur corpus in ea. Et dum operitur, dicit sacerdos orationes istas, caeteris predictos psalmos canentibus, Obse-

titur – intermissa *om. M* || 26 cella *V* || 27 eo : illo *SPFabc* || 27-28 aliquid restiterit *FH* || 28 in cellis redditur *G* reddatur in cellis pro veniis quae accipiuntur in secundo paslterio dicant agendam qui voluerint *V* || 31 sui : suo *F* || ipsius : sui *M* || 33 missa – presentibus : missa cum cunctis cantata presentibus *P* cunctis praesentibus missa cantata *G* missa cantata praesentibus cunctis *M* missa cunctis praesentibus cantata *abcB* || 35 orationem *P* || deus vitae dator *usque ad finem orationis M* || 36 redemptor *om. H* || 37 ne : non *F* || intres + in *PV* + in iudicium *G* || deus qui animarum *usque ad finem orationis M* || qui *om. bc* || 39 bestiis : bestiis animam G *om. F* || non intres in iudicium *usque ad finem orationis M*

reste quelque chose à dire de celui qui doit être dit à l'église, on l'achèvera dans les cellules. Car s'il y a assez de temps, on fait la sépulture le même jour, non toutefois sans avoir auparavant chanté la Messe pour le défunt. Dans le cas contraire, on réserve la sépulture pour le lendemain, et moines et convers se partagent cette nuit-là même, selon leur nombre et selon la longueur de la nuit, récitant assidûment le psautier auprès du corps.

6. Le lendemain, après avoir chanté la Messe en présence de tous, on fait la sépulture de la manière suivante. La communauté se tient près du corps, et le prêtre dit : *Pater noster*, la prière *A porta inferi*, l'oraison *Deus vitae dator*, le répons *Credo quod Redemptor, Kyrie eleison, Pater noster*, la prière *Ne intres*, l'oraison *Deus qui animarum*, le répons *Ne abscondas me, Kyrie eleison, Pater noster*, la prière *Ne tradas bestiis*, l'oraison *Non intres in iudicium*, le répons *Ne intres*, *Kyrie eleison, Pater noster*, la prière *Requiem aeternam*, l'oraison *Fac quaesumus Domine*.

7. On porte alors le défunt à la tombe, avec les psaumes *In exitu Israël, Miserere mei Deus, Confitemini* (psaume 117), *Quemadmodum, Memento, Domine probasti me, Inclina, Laudate Dominum de coelis, Benedictus Dominus Deus Israël, Magnificat*.

8. Quand on est arrivé au sépulcre, le prêtre dit : *Pater noster, A porta inferi*, l'oraison *Tibi Domine Commendamus*. Alors il bénit la fosse, l'asperge d'eau bénite et l'encense. Puis on y dépose le corps. Et pendant qu'on le recouvre, tandis que les autres chantent les psaumes susdits, le prêtre dit les orai-

|| non : ne *G* ||in iudicium *om. R* || 41 fac quesumus domine *usque ad finem orationis M* || 43 israel de *SM* *om. RGF* || deus *om. Gabc* || confitemini *om. abcdefB* || psalmum CXVII : CXVII *DGPCVA* *om. FH* || 44 domine *iter. abc* || me *om. RGPFH* || inclina + domine *GFabc* || 45 dominus deus israel *om. F* || 47 est : fuerit *M* || 48 tibi domine commendamus *usque ad finem orationis M* || 49 *post* fossam *add.* sic *et postea textum orationis M* || aqua sancta : aqua benedicta *d* aquam benedictam *abc* || 51

cramus, deus aput quem, te domine, oremus fratres, deus qui iustis, debitum humani, temeritatis quidem, omnipotentis dei, inclina domine.

55 **9.** Quibus pariter et psalmis expletis, sequitur pater noster, et orationes, tibi domine commendamus, et deus cuius miseratione. De hinc a sepulchro redeunt, cantantes miserere mei deus, et in ecclesia hac oratione totum complent officium, fidelium deus.

Item de cura mortuorum .XIIII.

1. Ab ipso autem sepulturae die usque ad tricesimum cotidie pro eo non tamen in conventu missa cantatur, et prima in agendis oratio ei specialiter deputatur. Notatoque in marty-
5 rologio obitus eius die, semper anniversaria in conventu pro eo missa, hieme post, aestate ante primam celebratur.

2. Eo autem die quo defunctus sepelitur, cellas fratres tenere non coguntur, et consclationis gratia, bis nisi precipuum fuerit ieiunium, simul vescuntur.

10 **3.** Et hoc sciendum, quod sine ulla personarum acceptione pro omnibus defunctis nostris idem et par officium facimus, nichil pro monacho plus quam pro laico, vel pro prelato quam pro subiecto.

istas : ipsas *B* || 51-54 obsecramus *usque ad finem orationis et sic de 8 aliis orationibus quarum initia dantur M* || 51-52 obsecramus + domine *F* || 52 domine + sancte pater *abc* || fratres + karissimi *abc* || 53 iustis + supplicantibus *F* || debitum humani *om. G* || 55 expletis et psalmis *G* || 56 et[1] *om. F* || orationes + istae *P* || tibi domine commendamus *usque ad finem orationis M* || et[2] *om. V* || 56-57 deus cuius miseratione *usque ad finem orationis M* || 57 sepultura *R* || 57-58 mei deus *om. abc* || 59 fidelium deus *usque ad finem orationis M qui addit orationem ad cineres benedicendos (quae oportunius § 2 dari debuisset).*

XIV. 1 item *om. GV* || XIIII : XIII *M* XV *F* || 2 die sepulturae *abc* || trigesimum *M* || 3 missa non tamen in conventu *H* || 4 agenda *Gabc* || oratio – deputatur : ei oratio specialiter deputatur *e* oratio specialiter deputatur ei *PMF* oratio – deputabitur *abc* || 4-5 in – die : obitus eius die

sons suivantes : *Obsecramus, Deus apud quem, Te Domine, Oremus fratres, Deus qui iustis, Debitum humani, Temeritatis quidem, Omnipotentis Dei, Inclina Domine.*

9. Les oraisons et les psaumes étant également achevés, vient ensuite *Pater noster* et les oraisons *Tibi Domine commendamus* et *Deus cuius miseratione.* Puis nous revenons du sépulcre, en chantant le *Miserere mei Deus* et nous achevons tout l'office à l'église avec cette oraison : *Fidelium Deus.*

14
Encore l'observance au sujet des morts

1. Or du jour même de la sépulture jusqu'au trentième jour, une Messe est célébrée quotidiennement pour le défunt, mais toutefois pas en communauté, et la première oraison dans les *Agendes* est spécialement dite à son intention. Et ayant noté au martyrologe le jour de sa mort, on célèbre toujours pour lui une Messe anniversaire en communauté, l'hiver après Prime, l'été avant Prime.

2. Le jour où un défunt est enseveli, les frères ne sont pas tenus à garder la cellule, et, comme une aide de consolation, ils prennent deux fois leur repas ensemble, à moins que ce ne soit un jour de jeûne principal [1].

3. Et il faut savoir que nous faisons un même et identique office pour tous nos défunts, sans aucune acception de person-

14, 1. Le « jeûne principal » est un jeûne qui était prescrit à cette époque dans toute l'Église, v.g. Carême, Quatre-Temps, grandes Vigiles. Il était appelé ainsi pour le distinguer des « jeûnes d'Ordre », en usage seulement chez les moines : v.g. le jeûne monastique, du 14 septembre à Pâques.

DR in martyrologio obitus die *V* obitus sui die in martyrologio *G* || 7 eo : eodem *GFH* || fratres cellas *DRG* || 9 ieiunium fuerit *abcB* || vescantur *V* || 10 sine *om. R* || 11 idem : id est *V* || 12 plus pro monacho *PMFabc* ||

4. Pro benefactoribus vero nostris, excepta assidua comme-
15 moratione quae fit semper in precibus ecclesiastici officii, penultima in omnibus agendis oratio dicitur, et per singulas ebdomadas, tam pro eis quam pro omnibus huius loci habitatoribus, et universaliter pro cunctis fidelibus defunctis, ab ebdomadario aestate ante primam, hieme post, missa una
20 cantatur.

5. Raro quippe hic missa canitur, quoniam precipue studium et propositum nostrum est, silentio et solitudini celle vacare, iuxta illud iheremiae, Sedebit solitarius, et tacebit. Et alibi, A facie manus tuae solus sedebam, quia comminatione
25 replesti me. Nichil enim laboriosius in exercitiis discipline regularis arbitramur, quam silentium solitudinis et quietem. Unde et beatus augustinus dicit, amicis huius mundi nichil esse laboriosius quam non laborare.

Sed haec hactenus. Nunc cetera prosequamur.

De ordinatione prioris .XV.

1. Cum priorem domus huius obire contigerit, post eius sepulturam convocatis fratribus, triduanum cunctis indicitur ieiunium, maneque et vespere in ecclesia psalmus ad te levavi
5 expleto officio communi devotione cantatur. Procumbentibusque super formas omnibus, Kyrie eleison, pater noster, et preces, salvos fac servos tuos, mitte eis domine auxilium de sancto, nichil proficiat inimicus in eis, et oratio, pretende

pro[2] *om. G* || pro[3] *om. Hd* || 13 pro *om. F* || subdito *FB* || 14 vero *om. abc* || 15 semper *om. bc* || 16 dicitur oratio *M* || 21 canitur : cantatur *M* || 22 solitudini : sollicitudini *d.*

XV. 1 XV : XIII *M* XVI*F* || 2 huius domus *RGH* || 3 convocatis *om. G* || 4 psalmus ad te levavi in ecclesia *PMbc* || 5-6 procumbentibus *AcdefB* || 6 et *om. PM* || 7 servos tuos *om. F* || eis : nobis *cd* || domine *om. H* || 7-8 auxilium de sancto *om. F* || 8 inimicus in eis *om. Fabc* || et *om. CHd* || 9

ne : rien de plus pour un moine que pour un convers, ou pour un supérieur que pour un sujet.

4. Pour nos bienfaiteurs, outre la commémoraison habituelle qui se fait toujours dans les *preces* de l'office divin, on dit l'avant-dernière oraison dans toutes les *Agendes*, et chaque semaine une Messe est dite par le prêtre hebdomadaire, l'été avant Prime, l'hiver après, tant pour les bienfaiteurs que pour tous les habitants de ce lieu, et d'une façon générale pour tous les fidèles défunts.

5. Il faut savoir qu'ici nous chantons rarement la Messe, car notre principale application et notre vocation sont de vaquer au silence et à la solitude de la cellule, selon la parole de Jérémie : « Le solitaire s'assiéra et gardera le silence [2]. » Et ailleurs : « Je m'asseyais solitaire sous l'emprise de ta main, car tu m'as rempli de la crainte de ta colère [3]. » Nous croyons en effet que rien n'est plus laborieux dans les exercices de la vie régulière que le silence de la solitude et le repos [4]. C'est ce qui fait dire à saint Augustin : « Pour les amis de ce monde, il n'est pas de plus grand labeur que de demeurer sans labeur [5]. »

Mais en voilà assez sur ce sujet. Poursuivons maintenant les autres questions.

15
L'institution du prieur

1. S'il est arrivé que soit mort le prieur de cette maison, après sa sépulture, tous les frères sont convoqués et l'on prescrit à tous un jeûne de trois jours. Matin et soir dans l'église, nous disons le psaume *Ad te levavi* avec une commune

2. Lam. 3, 28. 3. Jér. 15, 17.
4. Nous traduisons *quies* par repos. Il s'agit ici, comme dans plusieurs autres endroits des *Coutumes*, du repos contemplatif, disposition fondamentale de l'âme de celui qui s'adonne à la vie d'union à Dieu dans la solitude.
5. Saint AUGUSTIN : *De vera religione*, cap. 35 (n° 65), *PL* 34, 151.

domine supponuntur. Quarta autem die, mane missa de spiritu
10 paraclito in conventu devotissime celebratur. Inde in capitulum convenientes, maiorum meliorumque consilio, ex seipsis unum eligunt, aut sacerdotem, aut ad sacerdotium promovendum, statimque in predecessoris transferunt locum. Totamque diem illam gaudio dedicantes, bis nisi precipuum ieiunium
15 fuerit, in refectorio comedunt.

2. Qui quanvis omnibus verbo et vita prodesse debeat, et cunctorum sollicite gerere curam, monachis tamen ex quibus sumptus est, quietis et stabilitatis, et caeterorum quae ad eorum vitam pertinent exercitiorum, exemplum maxime prae-
20 bere debet.

3. Quatuor itaque septimanis in cella cum caeteris monachis exactis, quintam facit cum laicis. Quo spacio, eius erga fratres officium, aliquis ab eo iussus exequitur.

4. Ipse tamen heremi terminos non egreditur. Sedes eius
25 ubilibet vel vestitus, nulla quasi dignitate vel preciositate differt a caeteris, nec quicquam gestat, unde quod sit prior appareat. Supplicatur ei, et hoc modice, solummodo ad lectionem eunti vel redeunti, vel cum ante eum transitur, et cum ad aliquos venit, assurgitur.

30 **5.** In nativitate quoque et pascha et pentecoste, et cum frater aliquis professionem facturus est, missam cantat maiorem. Quod idcirco scribimus, ne quis forte posterorum cornua

quarta : quinta *M* || mane missa : missa mane *FH* missa *G* || spiritu : sancto *G* || 10 celebretur *M* || 13 locum transferunt *H* || 14 diem illam in *H* illam diem in *F* || precipuum fuerit ieiunium *DRGPM* fuerit praecipium ieiunium *F* || 16 verbo et vita : vita et verbo *PM* verbo et exemplo et vita *R* || 17 curam gerere *PMH* || 19 vitam *om. V* || 21 cellam *df* || caeteris *om. M* || 22-23 erga fratres officium eius *M* || 24 ipse – egreditur *om.* G || ipse : item *f* || 25 quasi *om. abc* || 26 quod *om. G* || 28 vel[1] : et *DRG* || 28-29 ad alios venit *F* venit ad aliquos *RG* || 29 assurgitur + ei *bcd* || 30 nativitate : natali *M* nativitate domini *abc* || 31 professionem – est : est professionem *V* || 31-32 cantat maiorem missam *G* || 32 posteriorum *abcdef* || 33 assumere velit *PM*

ferveur, après l'office. Nous nous agenouillons tous sur les formes [1] pour ajouter *Kyrie eleison, Pater noster* et les prières *Salvos fac servos tuos, Mitte eis Domine auxilium de sancto, Nihil proficiat inimicus in eis*, avec l'oraison *Praetende Domine*. Le quatrième jour, au matin, on célèbre conventuellement avec la plus grande dévotion la Messe du Saint-Esprit. De là nous nous rendons ensemble au chapitre, et sur l'avis des principaux et des meilleurs, nous choisissons l'un d'entre nous, un prêtre ou un moine qui sera promu au sacerdoce. Puis on le transfère aussitôt dans la stalle de son prédécesseur. Et consacrant tout ce jour à la joie, nous mangeons deux fois au réfectoire, à moins que ce ne soit un jour de jeûne principal.

2. Le prieur, bien qu'il doive contribuer au progrès de tous par sa parole et par sa vie, et avoir soin de tout avec sollicitude, doit cependant par-dessus tout offrir aux moines du groupe desquels il a été pris l'exemple du repos et de la stabilité, ainsi que de tous les autres exercices qui concernent leur vie.

3. C'est pourquoi il passe quatre semaines avec les autres moines, puis fait la cinquième avec les convers. Pendant ce temps, son office à l'égard des moines est rempli par celui à qui il en aura donné l'ordre.

4. Lui-même cependant ne sort pas des limites du désert. Son siège, où que ce soit, et son habit ne diffèrent de ceux des autres par aucune marque de dignité ou de luxe, et il ne porte rien qui le fasse apparaître comme prieur. On lui fait seulement une inclination, légère d'ailleurs, quand il se rend au lectoire ou en revient, ou quand on passe devant lui ; et quand il approche de quelques-uns, ceux-ci se lèvent.

5. Le prieur chante aussi la Messe principale à Noël, à Pâques et à la Pentecôte, ainsi qu'au jour où l'un de nous fait profession. Nous écrivons cela pour éviter que peut-être l'un de nos successeurs ne veuille se donner de l'orgueil [2] ou célé-

15, 1. Les « formes » signifient l'ensemble des boiseries en forme de prie-Dieu devant les stalles des moines.

2. Amos 6, 14.

sibi velit assumere, vel nomen suum quacumque gloria vel eminentia celebrare.

35 **6.** In adventu autem et quadragesima, propter artiorem sui custodiam, a predicta etiam abstinet visitatione, nisi aliqua magna necessitas coegerit vel utilitas. Sed et caeteris temporibus, non passim aut leviter, et pro quacumque vel persona vel causa, ad domum descendit inferiorem.

De procuratore domus inferioris .XVI.

1. Praeficitur enim ab eo eidem domui unus ex monachis diligens procurator, sic enim eum volumus appellari. Qui universorum strenue curam gerens, si magnum aliquid aut
5 praeter consuetudinem agendum est, ad prioris recurrit semper consilium, nec grande aliquid praeter eius licentiam donare presumit aut agere.

2. Sed et ipse quanvis exemplo marthae cuius suscepit officium, circa multa sollicitari et turbari necesse habeat, silen-
10 tium tamen et quietem cellae non penitus abicere aut abhorrere solet, sed potius quantum domus negocia patiuntur, quasi ad tutissimum et quietissimum portus sinum ad cellam semper recurrit, ut legendo, orando, meditando, et turbulentos animi sui motus ex rerum exteriorum cura vel dispositione surgen-
15 tes, sedare, et in archanis sui pectoris aliquid salubre quod fratribus commissis in capitulo suaviter et sapienter eructuet possit recondere. Tanto enim frequentioribus predicationibus indigent, quanto minus litteras norunt.

|| qualicumque *M* || 35 autem *om. bc* || 36 etiam *om.* M || visitatione abstinet *PMH* || 37 magna *om. H* || cogeret *M* || 38 et *om. SF* || vel pro quacumque *F*.

XVI. 1 procuratione *S* || XVI : XV *M* XVII *F* || 2 praeficiatur *c* || 3 eum volumus : eum volens *A* volumus eum *F* || 4 strenue *om. G* || 5 semper recurrit *GM* || 6 aliquid praeter eius licentiam grande *abc* || 10 aut : et *F* || 12 quietissimum et tutissimum *abc* || 13 recurrat *bc* || et *om. GM* || 14-15 insurgentes *G* || 16 suaviter *om. abc* || et *om. bc* || eructet *M* ||

brer son nom par une gloire ou une grandeur quelconques [3].

6. Mais en Avent et en Carême, le prieur s'abstiendra même de la visite susdite, pour une garde plus stricte de lui-même, sauf si quelque grande nécessité ou utilité le contraint. D'ailleurs aussi dans les autres temps, il ne descendra pas à la Maison-inférieure au hasard ou à la légère, pour n'importe quelle personne ou n'importe quel motif.

16
Le procureur de la Maison-inférieure

1. En effet, l'un des moines est préposé par le prieur à cette maison : un diligent procureur, car nous voulons qu'il soit appelé ainsi. Il gère avec zèle toute l'administration ; s'il faut faire quelque chose d'important ou d'inhabituel, il recourt toujours au conseil du prieur et il ne doit pas présumer de faire un don notable ou de prendre une décision importante sans sa permission.

2. Mais bien que ce procureur doive par nécessité, à l'exemple de Marthe dont il a reçu l'office, se préoccuper et s'inquiéter d'une multitude d'affaires [1], il n'a cependant pas coutume de rejeter entièrement le silence et la tranquillité de la cellule ou de les prendre en horreur ; mais plutôt, dans la mesure où les affaires de la maison le permettent, il revient toujours en toute hâte à la cellule comme à la partie la plus retirée, très sûre et très paisible, d'un port, afin de pouvoir par la lecture, l'oraison, la méditation, calmer les mouvements agités de son esprit surgissant du soin et de la disposition des affaires extérieures, et en même temps mettre en réserve dans le secret de son cœur quelque pensée salutaire qu'il dira avec douceur et sagesse au Chapitre devant les frères dont il a la

3. Gen. 11, 4.
16, 1. Luc 10, 42.

3. Qui si quod absit negligens aut prodigus aut contumax
20 inventus fuerit, saepiusque correptus emendare noluerit, subrogato in locum eius meliore, ad cellae protinus custodiam revocatur, ut qui nequit alienam, suam saltem operetur salutem.

De infirmo qui mittitur ad inferiorem domum .XVII.

1. Quod si quem alium ex monachis ad inferiorem domum fecerit prior descendere, fit autem raro magna quadam et pene
5 inevitabili necessitate, vel ad importabile taedium relevandum, vel ad periculosam aliquando temptationem sedandam, vel ad genus aliquod morbi gravissimi mitigandum, si quem ergo alium inferius descendere prior fecerit, de dispositionibus et negociis totiusque domus cura, nulla se curiositate intromittet.
10 **2.** Non enim expedit habitatori cellae, nosse huiusmodi, tum etiam totius domus paci contrarium est. Extraneis nisi iussis non loquetur, nec conversis passim et quibuslibet, sed his tantum quibus priori vel dispensatori placuerit, ut si talis est qui erudire et consolari potens sit, cum his loquatur qui
15 erudiri et consolari egent. Sin autem ipse consolatione vel eruditione opus habet, cum his qui haec praestare noverunt.

Item de procuratore .XVIII.

1. Hoc etiam omittendum non est quod pene tamen obliti

20 correctus *A* || 20-21 surrogato *B* || 21 loco *GPVMH* || 22 operatur *c*.

XVII. 2 XVII : 16 *(sic) M* XVIII *F* || 3 alium : aliquando *F* || 4 raro + et nisi *bc* || 4-5 pene inevitabili : inevitabili pene *PM* inevitabile pene *FH* inevitabili *Ge* || 6 aliquando ad periculosam *G* || 8 alium : aliquando *F* talium *B* || prior *om. abc* || 9 intromittat *abce* || 11 tum : cum *AFdfB* causam *a* || etiam : et *bc* || 12 loquatur *Mbc* loquitur *Ae* || 15 et consolari *om.* R || sin : qui *C* si *bcde* || 16 his + loquatur *cf* || haec : hac *abc* || noverint *G*.

XVIII. 1 item *om. F* || procuratore + domus inferioris *abcdef* || XVIII :

charge. En effet, ceux-ci ont d'autant plus besoin de fréquents enseignements qu'ils ont moins fait d'études.

3. Et si – ce qu'à Dieu ne plaise – le procureur a été trouvé prodigue ou récalcitrant et que, souvent réprimandé, il n'a pas voulu se corriger, on le remplace par un meilleur et on le rappelle aussitôt à la garde de la cellule, afin que celui qui ne peut travailler au salut des autres fasse du moins le sien.

17
Le malade qui est envoyé à la Maison-inférieure

1. Si le prieur a fait descendre un autre moine à la Maison-inférieure – mais cela se fait rarement, pour quelque grande et presque inévitable nécessité, ou pour soulager un dégoût intolérable, ou pour apaiser enfin une tentation périlleuse, ou pour adoucir une maladie d'espèce très grave – si donc le prieur en a fait descendre un autre en bas, celui-ci ne doit s'immiscer par aucune curiosité dans les dispositions, les affaires et le soin de toute la maison.

2. Car il n'est pas expédient pour l'habitant de la cellule de connaître des soins de ce genre ; en outre cela est contraire à la paix de toute la maison. Ce religieux ne parlera pas aux étrangers sans en avoir reçu l'ordre, ni aux convers indifféremment ou à toutes autres personnes, mais à ceux-là seulement pour lesquels il aura plu au prieur ou au procureur de le permettre ; de sorte que si ce religieux est tel qu'il soit très capable d'enseigner et de consoler, il parle avec ceux qui ont besoin d'enseignement et de consolation. Si au contraire c'est lui-même qui a besoin de cette aide, il parle avec ceux qui ont été capables d'offrir un tel soutien.

18
Encore le procureur

1. En outre il ne faut pas omettre ce point, que nous avions

fueramus, quia predictus procurator in domo inferiori vices prioris exercens, hospites suscipit, osculatur, et si tali id est
5 circa sextam veniunt tempore, et tales personae hoc est religiosae sunt, et precipuum non est ieiunium, prandet cum eis abstinentiae censura soluta, et ad priorem quos dignos judicat congruenter transmittit.

De equitaturis hospitum .XVIIII.

1. Ipsorum autem hospitum personas tantum non etiam equitaturas procuramus, tales lectos eis et cibos qualibus ipsi vescimur, preparamus. Quod videlicet, quod equos non procu-
5 ramus, ne cui forte videatur austerum, et non discretioni sobriae, sed duriciae potius et avariciae imputet vitiosae, consideret quaesumus, quam arta, quam dura, quam pene sterili maneamus in heremo, et quod nichil, hoc est nullas possessiones, nullosque redditus extra possideamus. Preterea
10 frequentiam attendet hospitum, quibus nequaquam pasturae, nedum annonae possent nostrae sufficere. Quippe, quae nec nostris sufficiunt animalibus. Nam et sagmarios nostros et oves extra mittimus hiematum.

2. Accedit etiam ad hoc, quod vagandi et quaesitandi horre-
15 mus omnino tanquam periculosissimam consuetudinem, quam in multis quorum pios labores et sanctam in christo conversationem satis laudare non sufficimus, occasione misericordiae ut scilicet quod supervenientibus tribuatur adquirant, multum inolevisse dolemus.

20 **3.** Sed et ipsis hospitibus non parum hoc expedire putamus, qui nostris spiritualibus seu corporalibus ita debent bonis

XVII *M* XIX *F* || 2 tamen pene *PMF* || 4 exercet *M* || suscipit + et *Fbcd* || 5 et + si *H* || 6 sunt : sint *M* || 8 congruenter transmittit : mittit *R*.

XIX. 1 XVIIII : XVIII *M* XX *F* || 2 etiam *om. V* || 3 eis lectos *PM* || 4 quod[2] *om. bc* || 7 quaesumus : quaeso *M* quisquam *abcd* quis *efB* || 11 possent nostrae : nostrae possent *Fabc* possent *R* || 12 salmarios *M* sagi-

cependant presque oublié : comme le procureur susdit tient la place du prieur, à la Maison-inférieure, il reçoit les hôtes, leur donne l'accolade ; s'ils arrivent à une heure convenable, c'est-à-dire vers Sexte, si ce sont des religieux, et si ce n'est pas jeûne principal, le procureur prend avec eux le repas de midi et se trouve dispensé de l'abstinence, puis il envoie au prieur avec les égards convenables ceux qu'il juge dignes.

19
Les montures des hôtes

1. Mais nous nous occupons seulement des personnes de nos hôtes eux-mêmes et non point de leurs montures aussi ; et nous leur préparons des lits tels que les nôtres et des aliments tels que nous les mangeons nous-mêmes. Pour qu'une telle mesure – à savoir, de ne pas fournir le nécessaire aux chevaux – ne paraisse pas peut-être trop sévère à quelqu'un, et pour qu'il ne l'attribue pas davantage à la dureté et à une avarice qui serait vicieuse qu'à une sobre discrétion, nous le prions de considérer combien est étroit, dur et presque stérile le désert où nous demeurons et que nous ne possédons rien au-dehors, à savoir aucunes possessions, aucuns revenus. Qu'il considère aussi le nombre des hôtes, auxquels nos pâturages et à plus forte raison nos récoltes ne pourraient nullement suffire. Ils ne suffisent même pas pour nos propres animaux ; car nous envoyons hiverner au-dehors nos bêtes de somme et nos brebis.

2. A cela s'ajoute aussi que nous avons absolument en horreur la coutume de vagabonder et de quêter, comme très périlleuse. Nous déplorons que, sous prétexte de miséricorde, c'est-à-dire pour acquérir de quoi donner à ceux qui surviennent, cet usage se soit beaucoup développé chez de nombreux religieux dont nous ne saurions assez louer les pieux labeurs et le saint genre de vie dans le Christ.

3. Mais nous pensons aussi que notre manière de faire n'est

communicare, ut nos ad mala non cogant declinare. Ad mala autem declinare tunc faciunt, si suis nos expensis ad vagandum quaerendumque compellunt.

De pauperibus et elemosinis .XX.

1. Pauperibus seculi, panem vel aliud aliquid quod vel facultas offert vel voluntas suggerit damus, raro tecto suscipimus, sed ad villam magis mittimus hospitatum. Non enim
5 propter alienorum temporalem curam corporum, sed pro nostrarum sempiterna salute animarum, in huius heremi secessus, aufugimus. Et ideo mirandum non est, si plus familiaritatis et solatii his qui pro animabus quam qui pro suis huc corporibus veniunt exhibemus. Alioquin, non in tam asperis et
10 remotis, et pene inaccessibilibus locis, quo quicumque corporalis solatii venerit gratia, plus patiatur laboris quam assequatur remedii, sed in strata potius publica olim debueramus utique consedisse.

2. Habeat itaque martha laudabile quidem sed tamen non
15 sine sollicitudine et perturbatione ministerium, nec sororem sollicitet christi vestigiis inherentem, et quoniam ipse est deus vacando videntem, spiritum suum scobentem, suamque orationem in sinum suum convertentem, et quid sibi in se loquatur dominus audientem, sicque ex quantula per speculum et in
20 enigmate parte potest quam est suavis gustantem et videntem,

narios *B* || 18 quod *om. M* || 22 non cogant declinare ad mala *abc* || 23 tunc declinare *DRGP* || 23-24 vacandum *C* || 24 compellant *abc*.

XX. 1. pauperibus et *om. M* || elemosinariis *A* || XX : 19 *(sic) M* XXI *F* || 4 villas *abc* || mittimus magis *abc* || 5 aliorum *M* || curam temporalem *F* || 6 nostra *M* || 8 huc *om. abc* || 9 tam in *DRG* || 10 et : ac *M* || 11 gratia : causa e || laboris patiatur *V* || 13 utique *om. DR* || 14 non *om. abc* || 15 sine *om. M* || 15-16 sollicitet sororem *abc* || 17 scopentem *AMF* scobantem *bc* || 18 sinu suo *G* || 19 quantulacumque *G* aliquantula *bc* || 19-20 parte per speculum et in enigmate *F* || 20 potest *om. bc* || quam : quantum *M* || est

pas de peu d'utilité pour nos hôtes eux-mêmes : ils doivent avoir part à nos biens spirituels ou corporels sans nous contraindre à nous détourner pour aller vers des maux. Mais ils nous font alors détourner vers des maux quand ils nous obligent à vagabonder et quêter pour les dépenses qu'ils occasionnent.

20
Les pauvres et les aumônes

1. Aux pauvres du siècle, nous donnons du pain ou quelque autre aumône offerte par nos ressources ou suggérée par notre bon vouloir ; nous les recevons rarement sous notre toit, mais nous les envoyons plutôt loger au village. Car nous ne nous sommes pas enfuis dans la solitude de ce désert pour le soin matériel des corps des étrangers, mais pour le salut éternel de nos âmes. Aussi ne faut-il pas s'étonner si nous montrons plus d'amitié et d'assistance à ceux qui viennent ici pour leurs âmes qu'à ceux qui y viennent pour leurs corps. Autrement, nous n'aurions certes pas dû autrefois nous fixer dans des lieux si rudes, si écartés et presque inaccessibles où quiconque vient pour la faveur d'un soulagement corporel souffre plus de labeur qu'il n'obtient de secours, mais plutôt sur une voie publique.

2. Que Marthe ait donc son service, louable certes, mais non exempt cependant de soucis et d'agitation ; qu'elle ne sollicite point sa sœur [1], qui met ses pas dans ceux du Christ [2], et, disponible, voit qu'il est Dieu [3]. Marie purifie son esprit [4] et recueille sa prière en son cœur [5], écoute en elle-même la parole que lui adresse le Seigneur [6] ; et ainsi, selon la faible mesure possible en reflet et par énigme [7], elle goûte et voit combien le

20, 1. Luc 10, 39-41. 2. I Pierre 2, 21 (et cf. I Cor. 6, 17). 3. Ps. 45, 11. 4. Ps. 76, 7. 5. Ps. 34, 13. 6. Ps. 84, 9. 7. I Cor. 13, 12.

et tam pro ipsa quam pro cunctis taliter laborantibus exorantem.

3. Quod si sollicitare non desinit, habet illa non solum iustissimum iudicem, sed etiam fidelissimum advocatum,
25 ipsum videlicet dominum, qui propositum eius non solum defendere, sed etiam commendare dignatur, dicens, Maria optimam partem elegit, quae non auferetur ab ea. Dicendo optimam, non tantum commendavit, sed et sororis laboriosis actibus praetulit. Dicendo non auferetur defendit, et ne sollici-
30 tudinibus eius et perturbationibus quamlibet piis sese insereret excusavit.

4. Ergo ego relicta cella mea, claustro meo, et quid proposuerim oblitus propter girovagos girovagus, propter paltonarios paltonarius, et propter suscipiendos pascendosque secula-
35 res efficiar secularis ? Illi, illi ipsi eant potius ut caeperunt, mundumque circumeant, ne si et ego iero, ipsorum de me numerositas augeatur. Aut si urgent penitus ut eam ego, cessent ipsi, faciantque quod ego facio, ut merito religiosorum labore pascantur atque periculo.

40 **5.** Hic fortasse dixerit quispiam. Quid ergo de his quae vobis superant facitis ? Qui mordentis hoc querit animo, audiat, sui se potius trabem, quam alieni oculi curare debere festucam. Qui autem amica hoc dicunt voluntate, noverint, abundare sanctos viros vel congregationes, quorum inopiae
45 multo magis quam secularium compati debeamus, secundum

suavis : suavis est *Dbce* est *M* || 21 taliter *om. PVM* || 21-22 orantem *G* || 26 sed : verum *DRG* || dicens dignatur *d* || 28 tantum + eam *abc* || laboriosis sororis *F* || 30 eius *om. M* || qualibet *S* || 32 quid *om. M* || 33-34 propter – paltonarius : propter platonarios platonarius et gyrophagos gyrophagus *a* propter platanarios et girovagus *bc* || 34 pascendos suscipiendosque *DRG* || 35 illi illi : isti *abc* || 36 ipse *M* || 37 numerositas : curiositas *A* || 38 faciantque : faciant *H* || facio ego *F* || 39 pascantur labore *F* || atque : et *G* absque *c* || 40 hic : sic *C* || 41 vobis superant facitis : superant vobis facitis *Mabc* superant facitis vobis *def* || 41-42 mordentis – audiat : mordente animo hoc quaerit audiat *abc* mordentis animo audiat hoc quaerit *df* || 42 se *om. M* || 43 autem *iter.* V || 44 viros sanctos *M* ||

Seigneur est bon [8] ; et elle prie, tant pour elle-même que pour tous ceux qui travaillent comme Marthe.

3. Et si cette dernière ne renonce pas à solliciter Marie, celle-ci a pour elle non seulement le plus juste des juges, mais aussi le plus fidèle des avocats, à savoir le Seigneur lui-même, qui daigne non seulement prendre la défense de sa vocation, mais aussi en faire l'éloge, disant : « Marie a choisi la meilleure part, qui ne lui sera pas enlevée [9]. » En disant : « la meilleure », non seulement il l'a louée, mais il l'a placée au-dessus de l'activité laborieuse de sa sœur. En disant : « elle ne lui sera pas enlevée », il en a pris la défense et l'a dispensée de se mêler aux sollicitudes et aux affairements de Marthe, si charitables soient-ils.

4. Alors moi, délaissant ma cellule, mon cloître, et oublieux de mes engagements, je me ferais gyrovague pour des gyrovagues, mendiant pour des mendiants et séculier pour recevoir et nourrir des séculiers ? Qu'ils aillent plutôt eux-mêmes, qu'ils aillent comme ils ont commencé et qu'ils fassent le tour du monde, car si je partais moi aussi, je ne ferais qu'augmenter de moi leur nombre. Ou s'ils insistent à fond pour que j'y aille moi aussi, qu'ils cessent, eux, et qu'ils fassent ce que je fais, pour avoir le droit d'être nourris au prix du labeur et du péril des religieux.

5. Ici quelqu'un dira peut-être : que faites-vous donc de votre superflu ? Celui qui nous demande cela avec une raillerie mordante doit apprendre qu'il lui faut plutôt enlever la poutre de son œil que la paille de l'œil de son prochain [10]. Mais ceux qui nous disent cela d'un cœur amical sauront que très nombreuses sont les saintes personnes ou les communautés à la pauvreté desquelles nous devons compatir bien plus qu'à celle des séculiers, selon la parole de l'Apôtre : « Travaillons pour le bien de tous, mais surtout pour nos frères dans la foi [11]. »

8. Ps. 33, 9. 9. Luc 10, 42.
10. Matth. 7, 5. 11. Gal. 6, 10.

illud apostoli, operemur bonum ad omnes, maxime autem ad domesticos fidei.

6. Sunt etiam hic villae proximae, notis nobis plenae pauperibus, quo portari distribuique possit, si quid nobis reliquum 50 fuerit. Hoc enim melius rectiusque putamus, ut si quid plusculum distribuendum est, illuc magis quicquid est deportetur, quam inde huc multitudo vocetur.

7. Verum qui domus huius expensas noverit, non de superfluis quaeret quid faciamus, sed potius stupebit quare non 55 egeamus.

8. Haec fratres dilectissimi si prolixius forte quam decuit prosecuti loquatiusque sumus, patimini, et indulgete nobis.

De mulieribus .XXI.

1. Mulieres terminos intrare nostros nequaquam sinimus, scientes nec sapientem, nec prophetam, nec iudicem, nec hospitem dei, nec filios, nec ipsum dei formatum manibus 5 prothoplastum, potuisse blandicias evadere vel fraudes mulierum.

2. Salomon, david, samson, loth, et qui acceperunt sibi uxores quas elegerant, et adam, in mente veniant. Nec posse hominem aut ignem in sinu abscondere, ut vestimenta illius 10 non ardeant, aut ambulare super prunas plantis illesis, aut picem tangere, nec inquinari.

3. His expletis, de cellae observantiis disseramus. Et quoniam incipientes novicios vocamus, de ipsis primo quae occurrerint intimemus.

48 sunt + enim *F* || proximae *om. M* || 49 rẹliquum : residuum *abc* || 50 enim *om. DR*.

XXI. 1 XXI : XX *M* XXII *F* || 2 intrare terminos *M* || 4 manibus dei formatum *MF* dei manibus formatum *SP* || 5 vel fraudes evadere *DV* || 8 mentem *RGPVAMFHabcB* || 9 illius : eius *H* || 13 de *om. V* || 14 occurrerunt *abcde* incurrunt *f*.

6. En outre, il y a ici des villages proches, remplis de pauvres qui nous sont bien connus, et où peut être porté et distribué ce que nous avons de reste, quand cela arrive. Car nous pensons qu'il est mieux et plus convenable, s'il y a un peu de superflu à distribuer, de l'y porter plutôt, quoi que ce soit dont il s'agisse, que d'appeler de là jusqu'ici la multitude.

7. Mais celui qui aura connu les dépenses de cette maison ne demandera pas ce que nous faisons du superflu ; il sera plutôt stupéfait que nous ne soyons pas dans le besoin.

8. Frères très aimés, si nous avons exposé cela avec plus de prolixité peut-être qu'il n'eût convenu et avec trop de loquacité, souffrez-le et pardonnez-nous.

21
Les femmes

1. Nous ne permettons pas du tout aux femmes d'entrer à l'intérieur de nos limites, sachant que ni le Sage [1], ni le Prophète [2], ni le Juge [3], ni l'Hôte de Dieu [4], ni les fils de Dieu [5], ni même le premier homme formé par les mains de Dieu [6], n'ont pu échapper aux caresses [7] et aux ruses des femmes.

2. Salomon, David, Samson, Loth, et ceux qui prirent pour femmes celles qui leur plurent, ainsi qu'Adam, nous reviennent à la mémoire. Il n'est pas possible à un homme de cacher du feu dans son sein, ou de marcher sur des charbons ardents en gardant la plante des pieds intacte [8], ou de toucher de la poix sans en être englué [9].

3. Cela dit, nous allons traiter des observances de la cellule. Mais puisque nous appelons novices les commençants, nous ferons d'abord connaître ce qui se présente à dire à leur sujet.

21. 1. III Rois 11, 1-4. 2. II Sam. 11, 2.
3. Jug. 14, 1-2 et 16, 1 ; 16, 4. 4. Gen. 19, 30.
5. Gen. 6, 2. 6. Gen. 3, 12. 7. Prov. 7, 21.
8. Prov. 6, 27-28. 9. Sir. 13, 1.

De novicio .XXII.

1. Novicio itaque misericordiam postulanti, dura proponuntur et aspera, totaque vilitas et asperitas vitae quam subire desiderat, prout fieri potest, ante oculos ponitur. Ad
5 quae si imperterritus manserit et immotus, elegeritque iuxta beatum iob suspendium a temporalium videlicet amore anima eius, et mortem de qua dicitur si commorimur et convivemus, ossa eius, promptissime spondens, propter verba labiorum domini paratum se custodire vias duras, tunc demum suadetur
10 ei, omnibus qui adversus eum aliquid habent, iuxta evangelium reconciliari, et si quid aliquem defraudavit, et si non quadruplum ut zacheus, simplum saltim si habet unde restituere. Et quia congregationis huius quot esse debeat certus est numerus, certus ei usque ad quem venisse debeat datur et terminus.
15 **2.** Ad datum autem terminum veniens, post supplicem in conventu postulationem, in examinatione ad minus annua ponitur, suis omnibus integre usque ad diem professionis omnino reservatis. Quod ei non nisi sub tali sponsione conceditur, ut si forte nostrum nequiverit aut noluerit tolerare
20 propositum, ad saeculum nequaquam redeat, sed aliquod potius aliud religionis genus, quod ferre possit accipiat. Quod si in ipsa examinatione laudabiliter se habens mortuus fuerit, quicquid pro professo et sacrum habitum gestante facimus, pro eo similiter faciemus.

XXII. 1 XXII : XXI *M* XXIII *F* || 4 potest + ei *abc* || 5 permanserit *abc* || elegerit *M* || 8 ossa eius *om. abc* || 9 praeparatum *R* || 10 aliquod *e* || 11 quid *om. R* || 12 restituat *abc* || 13 quotus *DRGCVA dfB* || debeant *PMbce* || est *om. B* || 14 ei : eidem *F* || usque *om. bc* || venire *GabcdefB* || datur *om. V* || et *om. M* || 18 servatis *M* || sponsione : dispositione *M* || 21 aliud potius *FH* || 23 pro *om. df* || et sacrum habitum gestanti facimus *abce* facimus et sacro habitu gestante *V* || 24 similiter *om. abc* || 24 facimus

---

22, 1. Tob. 2, 14 ; Col. 1, 23. 2. Job 7, 15.

22
Le novice

1. Au novice qui demande la grâce d'entrer, on propose les points durs et austères de la vie qu'il désire embrasser, et on place devant ses yeux, dans la mesure du possible, toute l'humilité et l'aspérité de cette vie. S'il demeure intrépide et inébranlable [1] à cet exposé, et si, comme le dit le bienheureux Job, son âme choisit de suspendre [2] en elle l'amour des biens temporels, et si ses os préfèrent la mort [2] – celle dont il est dit : « mourant avec le Christ, nous vivons avec lui [3] »–, s'il promet avec la plus grande résolution « d'être prêt à suivre des chemins austères à cause des paroles du Seigneur [4] », alors enfin on lui conseillera de se réconcilier selon l'Évangile avec tous ceux qui ont quelque grief contre lui [5], et, dans le cas où il aurait fait du tort à quelqu'un, de rendre, sinon le quadruple comme Zachée [6], du moins le simple équivalent, s'il a de quoi faire cette restitution. Et comme le nombre des religieux de cette communauté est fixé, on lui assigne une date précise avant laquelle il devra être arrivé.

2. Lorsqu'il arrive au terme indiqué, après une humble demande en présence de la communauté, il est admis à une probation d'au moins un an ; on garde entièrement tous ses biens sans exception jusqu'au jour de sa profession. Cette admission ne lui est accordée que sous la promesse suivante : dans le cas où il ne pourra pas ou ne voudra pas suivre notre observance, il ne retournera jamais à la vie du siècle, mais il embrassera plutôt quelque autre forme de vie religieuse qu'il puisse porter. S'il vient à mourir au cours de sa probation après s'y être conduit de façon louable, nous ferons pour lui tout ce que nous faisons pour un profès portant le saint habit.

3. Après son introduction en cellule, on lui députe un des

3. II Tim. 2, 11. 4. Ps. 16, 4. 5. Matth. 5, 23-24.
6. Luc 19, 8.

25 **3.** Cui in cellam introducto, seniorum aliquis deputatur, qui eum per unam vel si amplius opus fuerit ebdomadam, horis competentibus visitans, de necessariis instruat.

4. Qui tamen blande leniterque maxime tractatur in primis, nec ei totam subito institutionis asperitatem subire conceditur, 30 sed paulatim, et ut ratio vel necessitas postulare videtur. Nam et cum coquinario quandoque loquendi licentiam habet, et a priore sepius visitatur.

5. Cum autem tempus quo benedici debeat institerit, si probabilis apparuerit, et in petendo misericordiam sedulus 35 fuerit, dies ei quo si perseveraverit in totum suscipi debeat certus constituetur. In quo cum in capitulo itidem misericordiam humiliter postulaverit, facultas ei, seu recedendi si voluerit, seu sua omnia quomodo vel quibus placuerit distribuendi libera tribuetur. Quod si perseveraverit pulsans, optatus ei 40 tribuetur assensus, et tunc vel ipse vel alius si scribere nescit, hanc ei professionem scribet.

Professio novicii .XXIII.

1. Ego frater ille, promitto stabilitatem et obedientiam, et conversionem morum meorum, coram deo et sanctis eius, et reli quiis istius heremi, quae constructa est ad honorem dei et 5 beatae semper virginis mariae et beati iohannis baptistae, in presentia domni illius prioris +.

Vabc || 26 vel – fuerit : vel si amplius fuerit opus *P* om. *M* || 28 maxime tractatur : tractatur et maxime *M* || 29 conceditur : permittitur *G* || 31 quandoque : aliquando *abc* || habet licentiam *H* || 33 tempus *om. M* || 34 misericordiam + inventus *A* || 35 ei *om. V* || quo : in quo *G* qua *M* || suscipi : recipi *abc* || 37 si *om. V* || 39-40 retribuetur ei *V* || 41 ei *om. M* || scribit *M* scribat *abc*.

XXIII. 1 professio : de professione *abcdef* || XXIII : XXII *M* XXIIII *F* || 2 ille : talis *M* || stabilitatem promitto *R* || 4 et *om. abc* || mariae semper virginis *G* mariae semper virginis mariae *e* || 6 domni illius prioris : illius

anciens qui le visitera aux heures convenables pendant une semaine ou davantage s'il en est besoin et lui enseignera les choses nécessaires.

4. Toutefois dans les débuts on use avec lui surtout de bonté et de douceur [7] et on ne lui permet pas d'affronter sur-le-champ toute l'austérité de notre institution, mais peu à peu, à mesure que la raison ou la nécessité paraîtront le demander. En effet, il a la permission de parler quelquefois avec le cuisinier et le prieur le visite plus souvent.

5. Or quand s'approche le moment où il devra être bénit [8], s'il se montre apte à mériter une approbation et s'il persévère à demander cette miséricorde, on lui fixera un jour précis où, s'il garde cette persévérance, il doit être reçu définitivement. En ce jour, après une demande de miséricorde faite de la même manière au chapitre, on lui accorde la libre faculté, ou de se retirer s'il le veut, ou de distribuer tous ses biens comme il lui plaît et à qui il désire. S'il persévère dans sa demande [9], on lui accorde le consentement souhaité, et alors il écrit lui-même la profession suivante, ou un autre l'écrit pour lui, s'il ne sait pas écrire.

23
La profession du novice

1. « Moi, frère N..., je promets la stabilité, l'obéissance et la conversion de mes mœurs, devant Dieu et ses saints, et les reliques de cet ermitage, qui est construit à l'honneur de Dieu et de la Bienheureuse Marie toujours Vierge et de saint Jean-Baptiste, en présence de Dom N..., Prieur †. »

7. Gen. 50, 21.
8. C'est-à-dire le jour de la profession.
9. Luc 11, 8.

---

prioris *V* domni talis prioris *M* illius domni prioris *ab* illius domni N

2. In ipsa autem missa qua suscipiendus est, post offerendam ad gradum ante altare venit, inclinatusque versum hunc tercio repetit, choro respondente eundem. Suscipe me domine
10 secundum eloquium tuum et vivam, et non confundas me ab expectatione mea. Post cuius terciam repeticionem, additur gloria patri, Kyrie eleison, Pater noster. Interim novicius, ante singulos monachos genua flectens, dicit. Ora pro me pater. Post haec rediens, in eodem quo prius inclinatus stat loco.
15 Tunc sacerdos ad illum conversus, subdit, Et ne nos inducas, Salvum fac, Mitte ei, Esto ei, Dominus vobiscum. Sicque cucullam super gradum ante novicium positam, benedicit dicens.

Oratio super cucullam .XXIIII.

1. Domine ihesu christe qui tegimen nostrae mortalitatis induere dignatus es, obsecramus immensam tuae largitatis abundantiam, ut hoc genus vestimenti quod sancti patres ad
5 innocentiae vel humilitatis indicium seculo abrenunciantes ferre sanxerunt, ita benedicere digneris, ut hic famulus tuus qui hoc usus fuerit, te induere mereatur. Qui vivis et regnas cum deo patre. Dehinc capa detracta, cucullam novicium induit. Sicque ad cornu accedens altaris, professionem suam aperte et

prioris *c* domni prioris illius *PF* || *signum + om. FbcdefB* || 12 kyrie eleison + christe eleison kyrie eleison Vbc || 13 dicit + ita ut possit audiri *ab* + ut possit audiri *c* || 14 inclinatus stat loco : stat inclinatus loco *DG* stat loco inclinatus *R* || 15 subdit : dicit *M* || inducas *om. Fabc* || 16 fac : fac servum *S* fac servum tuum *defB* *om. d* || ei... ei : eis... eis *A* || 17 ante novicium super gradum *F*.

XXIV. 1 super cucullam *om. V* || XXIIII : XXIII *M* XXV *F* || 3 immensam + clementiam et *R* || 4 vestimentorum *A* || 5 innocentiam *Gabc* || 6 benedicere : *signum + add. F* || 7-8 et – patre : et regnas *P* *om. MFabc* || 8 dein *P* || tracta *DRG* || cuculla *RG* || novitius *abc* || induit + dicens exuat te deus veterem hominem cum actibus suis et induat novum qui secundum deum creatus est in iustitia et sanctitate veritatis *V* || 9 sic *P* || altaris

2. Puis, pendant la Messe même au cours de laquelle il va être reçu, après l'offertoire, il vient au degré devant l'autel et, incliné, il répète trois fois le verset suivant, que le chœur reprend : « Reçois-moi, Seigneur, selon ta parole et je vivrai et ne déçois pas mon espérance [1]. » Après la troisième répétition on ajoute : *Gloria Patri, Kyrie eleison, Pater noster.* Pendant ce temps, le novice fléchit les genoux devant chacun des moines, en disant : *Ora pro me pater.* Après cela, revenant au même endroit où il était auparavant, il s'y tient debout, incliné. Alors le prêtre, tourné vers lui, ajoute : *Et ne nos inducas, Salvum fac, Mitte ei, Esto ei, Dominus vobiscum.* Et il bénit ainsi la cuculle, posée sur le degré devant le novice, en disant :

24
Oraison sur la cuculle

1. « Seigneur Jésus-Christ, qui as daigné revêtir le vêtement de notre chair mortelle, nous supplions l'immense abondance de ta générosité, daigne bénir cet habit que les saints pères renonçant au siècle ont décidé de porter en signe d'innocence et d'humilité afin que ton serviteur ici présent, qui s'en servira, mérite de se revêtir de toi [1], qui vis et règne avec Dieu le Père. » Puis, ayant enlevé la chape au novice, il le revêt de la cuculle. Et ce dernier, s'approchant du coin de l'autel, lit sa formule de profession d'une voix claire et distincte, pendant que tous écoutent. Puis après l'avoir lue, il baise avec ferveur l'autel et offre sur lui la cédule de sa profession. Ensuite, incliné aux pieds du prêtre, il reçoit la bénédiction formulée dans la prière suivante :

23, 1. Ps. 118, 116.
24, 1. Rom. 13, 14 et Gal. 3, 27.

10 distincte audientibus omnibus legit, lectamque super exosculatum offert altare. Inclinatusque ad sacerdotis pedes, tali deprecatione suscipit benedictionem.

Oratio super novicium .XXV.

1. Domine ihesu christe qui es via sine qua nemo venit ad patrem, quaesumus benignissimam clemenciam tuam, ut hunc famulum tuum a carnalibus desideriis abstractum, per iter 5 disciplinae regularis deducas, et quia peccatores vocare dignatus es, dicens venite ad me omnes qui onerati estis, et ego vos reficiam, praesta ut haec invitationis tuae vox ita in eo convalescat, quatinus peccatorum onera deponens, et quam dulcis es gustans, tua refectione sustentari mereatur, et sicut atestari de 10 tuis ovibus dignatus es, agnosce eum inter oves tuas, ut ipse te sic cognoscat, ut alienum non sequatur, sed neque audiat vocem alienorum, sed tuam qua dicis, qui mihi ministrat me sequatur, qui vivis et regnas.

2. Ex hoc tempore, qui susceptus est ita se ab omnibus quae 15 mundi sunt intelligit alienum, ut nullius prorsus rei, nec sui quidem ipsius sine prioris licentia habeat potestatem. Cum enim ab omnibus qui regulariter vivere decreverunt, obedientia magno studio sit servanda, ab his tamen tanto devotius ac sollicitius, quanto districtius asperiusque subiere propositum, 20 ne si quod absit ista defuerit, tanti labores non solum careant premio, sed et supplicium dampnationis incurrant.

accedens *V* || 10 cunctis audientibus legit *M* omnibus audientibus legit *H* legit audientibus omnibus *abc* legit omnibus audientibus *def* || 10-11 osculatum *Mabcdef.*

XXV. 1 XXV : 24 *(sic) M* XXVI *F* || 2 via : vita *R* || 4 tuum *om. V* || 5 regularis disciplinae M || 6 qui : laboratis et *add. VF* || 7 vox invitationis tuae *VM* || 8 peccatorum deponens onera *D* onera deponens peccatorum *V* || 10-11 te sic : te *V* sic te *abc* || 11 agnoscat *GPVMF* || 11-12 vocem audiat *G* || 13 et regnas : et regnas per omnia secula seculorum amen *C* *om. MF* et regnas et caetera *defB* || 15 intelligat *GMabc* || 16 ipsius

25
Oraison sur le novice

1. « Seigneur Jésus-Christ qui es la voie sans laquelle nul ne vient au Père [1], nous demandons à ta clémence si bienfaisante de conduire dans le chemin de la discipline régulière ton serviteur que voici, détaché des désirs de la chair ; et puisque tu as daigné appeler les pécheurs en disant : "Venez à moi, vous tous qui portez un fardeau, et je vous réconforterai [2] ", fais que cette parole d'invitation de ta part devienne en lui si puissante qu'il dépose le poids de ses péchés [3], goûte combien tu es bon [4] et mérite de se nourrir de toi-même ; et comme tu as daigné l'attester au sujet de tes brebis, compte-le parmi celles-ci, afin que lui-même te connaisse en sorte de ne pas suivre un étranger, de ne pas entendre la voix d'autres pasteurs [5], mais la tienne qui a dit : "Si quelqu'un me sert, qu'il me suive [6] ", toi qui vis et règnes... ».

2. A dater de cet instant, celui qui a été reçu se considère comme étranger à tout ce qui est du monde, au point qu'il n'a plus de pouvoir sans la permission du prieur sur aucune chose absolument, et pas même sur sa propre personne. En effet, puisque l'obéissance doit être observée avec un grand zèle par tous ceux qui ont décidé de vivre la vie religieuse, elle doit l'être cependant avec d'autant plus d'amour et d'attention qu'ils ont embrassé une vocation plus stricte et plus austère, de crainte que, si elle venait à faire défaut – ce qu'à Dieu ne plaise –, de si grands labeurs, non seulement soient privés de récompense, mais encourent même le supplice de la damnation.

25, 1. Jn 14, 6. 2. Matth. 11, 28.
3. Hebr. 12, 1. 4. Ps. 33, 9. 5. Jn 10, 16.
6. Jn 12, 26.

---

quidem *H* || prioris licentia sine *D* || 18 ac : et *D* || 19 subire *Vdef* || 22

3. Hinc enim samuhel, melior est inquit obedientia quam victimae, et auscultare magis quam offerre adipem arietum, quoniam quasi peccatum ariolandi est repugnare, et quasi
25 scelus ydolatriae, nolle acquiescere. Quod unum testimonium, et obedientiae laudem, et inobedientiae sufficientem habet vituperationem.

De ordine congregationis .XXVI.

1. Ordinem autem, sive in refectorio sive ubicumque, eum cuncti tenemus, quem singulis suus dedit adventus, nisi quem forte prior aliquam vel supposuerit vel preposuerit ob causam.

De aetate suscipiendorum .XXVII.

1. Pueros sive adolescentulos non recipimus, quae per eos monasteriis multa contigisse dolemus et magna, spiritalia simul et corporalia pericula formidantes, sed viros, qui iuxta
5 praeceptum domini per manum moysi, viginti ad minus annorum, sacra possint ad bella procedere.

His expletis, de cella quod promisimus exequamur.

melior est inquit : inquit melior est *e* melior est enim *B* || 24 oriolandi *d* || 26 sufficienter *S*.

XXVI. 1 XXVI : XXV *M* XXVII *F* || 2 sive [2]+ in conventu *bc* || 4 prior forte aliquam *abc* prior aliquam forte *d* || vel[1] *om. d* || preposuit *G*.

XXVII. 1 XXVII : XXVI *M* XXVIII *F* || 2 quae : quia *GFB* quoniam *abc* || 3 contigisse – spiritalia : et magna scandala contigisse dolemus spiritalia *FH* et magna contigisse dolemus spiritalia *P* et magna contigisse videmus spiritalia *M* scandala et magna contigisse dolemus spiritalia *abc* et magna spiritalia contigisse dolemus *de* et magna dolemus contigisse spiritalia *f* || 7 de – exequamur : quod de cella

3. C'est ce qui faisait dire à Samuel : « L'obéissance est meilleure que les victimes et la docilité vaut plus que l'offrande de la graisse des béliers, car la rébellion est comme un péché de sorcellerie et le refus de se soumettre comme un crime d'idolâtrie [7]. » Ce seul témoignage suffit à la louange de l'obéissance et à la réprobation de la désobéissance.

26
L'ordre dans la communauté

1. Nous tenons tous, soit au réfectoire, soit partout, l'ordre donné à chacun par son arrivée, à moins peut-être que le prieur n'ait mis l'un d'entre nous au-dessous ou au-dessus de son rang pour quelque motif.

27
L'âge auquel nous pouvons recevoir

1. Nous ne recevons pas les enfants ou les jeunes adolescents, car nous voyons avec douleur les maux nombreux et graves qu'ils ont causés aux monastères ; nous redoutons avec eux des périls à la fois spirituels et corporels. Mais nous recevons des hommes d'au moins vingt ans qui, selon le précepte du Seigneur par l'autorité de Moïse, puissent s'avancer dans les combats sacrés [1].

Cela terminé, nous allons exposer ce que nous avons promis au sujet de la cellule.

7. I Sam. 15, 22.
27, 1. Nombr. 26, 2.

---

promisimus exequamur *abcB* quod promisimus de cella exequamur *df* de cella prosequamur *M*.

De utensilibus cellae .XXVIII.

1. Accipit itaque cellae incola, ad lectum paleam, filtrum, pulvinar, cotum vel coopertorium de grossissimis ovium pellibus, et panno rustico coopertum. Ad vestitum autem duo cilicia, duas tunicas, duas pellicias, unam deteriorem, alteram meliorem, duasque similiter cucullas, tria paria caligarum, paria pedulium quatuor, pelles, capam, sotulares nocturnos et diurnos, sagimen quoque ad ungendum, lumbaria duo, cingulum, omnia cannabina et grossa. Et quicquid prorsus ad lectum vestitumve pertinet, cuius grossitudinis colorisve sit, non curabit. Cum enim ad omnes monachos tum maxime ad nos humilitatem attritionemque pannorum et universorum quibus utimur vilitatem, paupertatem et abiectionem certus est pertinere. Habet etiam acus duas, filum, forfices, pectinem, novaculam ad caput, cotem vel calculum, et corrigiam ad acuendum.

2. Ad scribendum vero, scriptorium, pennas, cretam, pumices duos, cornua duo, scalpellum unum, ad radenda pergamena, novaculas sive rasoria duo, punctorium unum, subulam unam, plumbum, regulam, postem ad regulandum, tabulas, grafium. Quod si frater alterius artis fuerit, quod apud nos raro valde contingit, omnes enim pene quos suscipimus, si fieri potest scribere docemus, habebit arti suae instrumenta convenientia.

3. Adhuc etiam, libros ad legendum de armario accipit

XXVIII. 1 utensilibus : necessitatibus *F* || XXVIII : XXVII *M* XXIX *F* || 3 grossis *MH* || 5-6 unam – cucullas *om. M* || 5 alteram : et alteram *G* aliam *H* || 7 quatuor paria pedulium *M* || 7-8 diurnos et nocturnos *abc* || 10 vestitumve : vestimentumve *CdefB* vestitumque *V* vel vestitum *M* || grossitatis *abc* || colorisve : vel coloris *M* || 11 ad omnes enim *D* || tum : tamen *abc* || 13 abiectionem et paupertatem *V* || 17 cretum *abc* 17-18 pumices + punctirolos *M* || 18 dua *M* || scabellum *VM* || 18-20 ad – unam *om. e* || 18–19 pergamenum *abc* || 20 tabulam *abc* || 21-22 raro valde : raro *DRG* valde raro *Md* || 22 quos pene *V* || 23 artis *B* || 23-24

28
Les objets de cellule

1. L'habitant de la cellule reçoit donc, pour le lit de la paille avec une toile forte, un oreiller, une couette ou couverture, faite de très grossières peaux de brebis, et couverte d'une étoffe de laine rustique. Pour le vêtement, deux cilices, deux robes, deux pelisses, l'une plus usagée, l'autre meilleure, et de même deux cuculles, trois paires de bas, quatre paires de chaussons, des peaux, une chape, des souliers de nuit et de jour, de la graisse aussi pour oindre les souliers, deux lombars [1], une ceinture, ces derniers objets de chanvre et grossiers. Et le solitaire n'aura point de souci de la grossièreté et de la couleur de tout ce qui regarde le lit ou le vêtement. Car à tous les moines, mais à nous surtout, il convient assurément de porter des vêtements humbles et usagés, et de se servir en tout d'objets sans valeur. pauvres et misérables. Il a encore deux aiguilles, du fil, des ciseaux, un peigne, un rasoir pour la tête, une pierre et une courroie pour aiguiser.

2. Et pour écrire : un écritoire, des plumes, de la craie, deux pierres ponces, deux encriers, un canif, deux rasoirs pour égaliser la surface des parchemins, un poinçon, une alène, un fil à plomb, une règle, une planchette pour le réglage de la page, des tablettes [2], un style. Et si un frère s'adonne à un autre art – ce qui arrive très rarement chez nous, car nous enseignons le travail de copie à presque tous ceux que nous recevons, si cela est possible –, il aura les instruments propres à son art.

3. Puis l'habitant de la cellule reçoit encore de la bibliothèque

28, 1. Le « lombar » est une petite corde qui ceint les reins, selon le verset « Sint lumbi praecincti », v.g. Luc 12, 35 : symbole de l'attitude de celui qui est prêt au travail, au service, au voyage, à l'attente du passage du Seigneur.
2. Il s'agit de tablettes enduites de cire, pour prendre des notes avec le style, avec possibilité de les effacer ensuite.

---

convenientia instrumenta *A* ‖ 25 ad legendum de armario libros *A* ‖ 27

duos. Quibus omnem diligentiam curamque prebere iubetur, ne fumo, ne pulvere, vel alia qualibet sorde maculentur. Libros quippe tanquam sempiternum animarum nostrarum cibum cautissime custodiri et studiosissime volumus fieri, ut quia ore 30 non possumus, dei verbum manibus predicemus.

4. Quot enim libros scribimus, tot nobis veritatis praecones facere videmur, sperantes a domino mercedem, pro omnibus qui per eos vel ab errore correcti fuerint, vel in catholica veritate profecerint, pro cunctis etiam qui vel de suis peccatis et 35 viciis compuncti, vel ad desiderium fuerint patriae caelestis accensi.

5. Et quia sicut caeteras necessitates quae ad vilitatem et humilitatem pertinent, coquinam etiam ipsi nobis facimus, dantur ei ollae duae, scutellae duae, tercia ad panem, vel pro 40 ea mantile. Quarta grandiuscula est ad faciendas mundicias, coclearia duo, cultellus ad panem, iusta, sciphus, vas aquarium, salaria, patella, duo ad legumina sacculi, manutergium. Ad ignem focile, esca, lapis ignitus, ligna, securis. Ad opera vero dolabrum. Haec qui legerit, nec irrideat quaesumus nec 45 reprehendat, nisi forte prius in cella inter tantas nives et tam horrida frigora, longiore fuerit tempore commoratus.

6. Idcirco enim uni tanta concedimus, ne quod illicitum ducimus, exire de cella compellatur. Hoc enim nequaquam conceditur, nisi cum ad claustrum aut ecclesiam convenitur. 50 Quod hoc ordine fieri consuevit.

ne[1] – pulvere : ne pulvere ne fumo *F* ne fumo aut pulvere *bc* || alia qualibet : aliqua alia *F* qualibet alia *H* || 31 precones veritatis *DRG* || 32 videamur *V* || 33 correpti *M* || 34 peccatis suis *PM* || 37 vilitatem : utilitatem *MC* || 39 duae ollae *M* || 42 sacculi ad legumina *V* || manutergium : mortarium *M* || 43 ignitus *om. DRG* || 44 qui *om.V* || quaesumus : quis *AabcdfB* || 45-46 in cella – frigora : inter tantas nives et tam horrida frigora in cella *M* inter tantas nives et tam horrida frigida *DV* || 47 enim *om. DR* || uni *om. H* || 48 duducimus *D*.

deux livres à lire. Il a ordre d'apporter toute la diligence et tout le soin possibles à ce que ces livres ne soient pas souillés par la fumée, la poussière, ou par n'importe quelle autre tache. Car nous voulons que les livres soient faits avec la plus grande application et gardés avec un très grand soin, comme un aliment perpétuel de nos âmes, afin de prêcher par nos mains la parole de Dieu, puisque nous ne le pouvons pas de bouche.

4. En effet, autant de livres nous copions, autant de fois nous semblons faire à notre place des hérauts de la vérité ; et nous espérons du Seigneur une récompense, pour tous ceux qui par ces livres auront été corrigés de l'erreur, ou auront progressé dans la vérité catholique, pour tous ceux aussi qui se seront repentis de leurs péchés et de leurs vices ou auront été enflammés du désir de la céleste patrie.

5. Et puisque, comme d'autres tâches nécessaires qui conviennent à l'abjection et à l'humilité, nous faisons aussi nous-mêmes pour nous notre cuisine, on donne au solitaire deux marmites, deux écuelles, une troisième pour le pain, ou à sa place une serviette. Une quatrième bassine, assez grande, sert à faire des lavages ; deux cuillers, un couteau pour le pain, un pot, une tasse, un récipient pour l'eau, une salière, un petit plat, deux petits sacs pour les légumes, un essuie-mains. Pour le feu, du petit bois, de l'amadou, une pierre à feu, une provision de bois, une hache. Et pour les travaux, une herminette. Nous demandons à celui qui aura lu cela de ne pas railler ou blâmer, à moins peut-être d'avoir demeuré auparavant un assez long temps en cellule, parmi de si grandes neiges et des froids si horribles.

6. Car si nous concédons tant d'objets à chacun, c'est pour qu'il ne soit pas obligé à sortir de cellule, ce que nous considérons comme illicite. En effet, cela n'est jamais permis, sauf quand la communauté se réunit au cloître ou à l'église, ce que nous avons coutume de faire en observant les règles suivantes :

Quo tempore de cella exeatur, et de vigiliis, et distinctione horarum .XXIX.

1. Omni tempore exceptis duodecim lectionum festis, et natalis domini, paschae quoque et pentecostes ebdomadibus, 5 signo pulsato, nocturnum ecclesiae officium congruis vigiliis in cella prevenimus. Quae ab idibus septembris sensim paulatimque crescendo, in kalendis novembris perfectae, quinquaginta psalmis non nimis festine cantandis sufficiunt. A quo tempore, usque ad febroarii kalendas taliter perseverant. Inde 10 usque ad pascha decrescendo paulatim, ad tantum spatium quod matutinis sanctae mariae sufficiat rediguntur. Ex quo usque ad predictas septembris idus, in eadem quantitate perdurant.

2. Secundo autem signo pulsato, ad ecclesiam festinantes, 15 tercii signi finem prevenire satagimus. Ubi super formas preveniente priore, vel cui hoc iniunxerit, procumbentes, ter pater noster, caeteris semel horis, graviter devoteque persolvimus. Surgentesque, psallere divino cum timore incipimus.

3. Cantatis autem nocturnis, breve facimus intervallum, 20 quod ad plus septem paenitentiales psalmos capere valeat. Secuntur deinde matutinae laudes, quas a kalendis octobris usque pascha lux terminat, exinde inchoat. Ad lectos autem, post matutinas nullo reditur tempore. A predictis kalendis

XXIX. 1-2 de vigiliis et distinctione : divigiliis et distinctione *D* de distinctione *F* de vigiliis et de distinctione *CH* de vigiliis et distinctiones *R* de distinctionibus *M* || 2 XXIX : 29 *(sic) A* XXVIII *M* XXX *F* || 4 quoque *om. V* || 5 signo – ecclesiae : signo pulsato nocturnale ecclesiae officium *G* ecclesiae officium signo pulsato nocturnum *R* || vigiliis congruis *R* || 6 *ante* in cella *add.* in *M* || septembris *om. H* || 8 sufficiant *abc* || 10 paulatim decrescendo ad tantum *M* ad tantum paulatim decrescendo *abc* || 11 sanctae : beatae *F* || 12-13 perseverant *P* || 16 hoc : hoc ipse *D* ipse *abc* || ter : et ter *B* || 17 graviter : gra. *d* || persolvantur *abc* || 18 surgentes *P* || divino cum timore : cum divino timore *P* cum divino amore *M* || 21 matutinae *om. M* || 22 usque + ad *GAFbc* || autem *om.* G || 23 reddi-

29
A quel moment on sort de cellule ; les veilles de la nuit et la division des heures

1. En tout temps, excepté les jours de fêtes de douze leçons et les semaines de Noël, Pâques et Pentecôte, quand la cloche a sonné, nous faisons précéder l'office de nuit à l'église par un temps de veille convenable en cellule. Ces veilles vont croissant graduellement et peu à peu des ides de septembre [1] jusqu'au terme des calendes de novembre ; elles suffisent alors pour la récitation de cinquante psaumes sans se hâter. A partir de cette date jusqu'aux calendes de février, la durée des veilles demeure la même. De là jusqu'à Pâques, cette durée décroît, jusqu'à se réduire à un laps de temps suffisant pour la récitation des Matines de la Sainte Vierge. De Pâques jusqu'aux ides de septembre susdites, la durée des veilles ne change plus.

2. Au second signal de la cloche, nous nous hâtons vers l'église, nous efforçant d'y arriver avant la fin du troisième signal. Et là, nous mettant à genoux sur les formes à la suite du prieur ou de celui qu'il a chargé de cet office, nous récitons avec gravité et dévotion trois *Pater noster* ; pour les autres Heures, nous n'en disons qu'un. Nous levant ensuite, nous commençons à psalmodier avec révérence pour Dieu.

3. Après avoir chanté les Matines, nous faisons un bref intervalle, qui correspond au plus aux sept psaumes de la Pénitence. Puis suivent les Laudes, qui se terminent à l'aube des calendes d'octobre jusqu'à Pâques, et qui, après cette date, commencent à ce moment. Mais en aucun temps on ne retourne au lit après Matines. De même, depuis les susdites calendes jusqu'à Pâques, Prime commence avec l'aube ; après cette date, on attend pour Prime le lever du soleil, sauf cependant

29, 1. Ides : le 14 septembre.

similiter usque pascha, primam lux inchoat, exinde solis ortus
25 expectat, exceptis tantum diebus sollempnibus, usque ad kalendas novembris, in quibus reliquos dies imitatur aestatis. Sed et in quadragesima, diebus itidem sollempnibus ut diutius orationi vacari possit, pene usque ad ortum differtur solis. Caeteris vero diebus quibus tenetur capitulum, a kalendis
30 novembris usque quadragesimam donec possit in libro legi protelatur. Qua autem hora a pascha usque ad kalendas octobris prima, eadem a kalendis octobris usque ad quadragesimam tercia pulsatur, sole videlicet summos irradiante montes. Spacium autem vel a prima usque ad terciam hiemis tempore,
35 vel a matutinis usque ad primam aestate, exercitiis spiritualibus mancipatur. A tercia vero usque ad sextam hieme, et a prima usque ad terciam aestate, manuum deputatur operibus, quae tamen opera, brevibus volumus orationibus interrumpi. Et qua sibi vicinitate in hieme sexta et nona, eadem in aestate
40 tercia sextaque conveniunt. Tali autem inter se spacio separantur, quo regularis hora et duae de sancta maria valeant explicari. Spacium vero quod sextae nonaeque interest, nunc brevius nunc longius, quieti deputatur aestate. Et quod nonam vesperasque disterminat, manualibus occupatur operibus.
45 Semperque in operando, ad breves et quasi iaculatas licet orationes recurrere. A vesperis usque ad completorium, spiritualibus opera datur.

4. In completorio autem pulsando illud attenditur, ut quando plus differtur, cum adhuc legi potest pulsetur. Post
50 cuius finem oratione dominica ter tantum cum devotione finita, nequaquam ultra differimus accubare.

5. Non enim monemur solum, sed et iubemur, horis ad

tur *B* || 24 usque + ad *GAMFabc* || 26 imitantur *d* || 28 pene : plene *R* || solis differtur *M* || 30 usque + ad *Vabc* || 32 ad *om. DRGVadefB* || 33 videlicet : scilicet *DRG* || irradiantes *D* || 34 ad *om. G* || 38 opera tamen volumus brevibus *abc* || 39 et : de *abc* || sibi *om. V* || 40 tercia + et *a* || 41 sancta : beata *M* || 42 nonaeque : et nonae *V* || 43 deputatur : datur *d* || 44 determinat *DRG* || occupatur : deputatur *F* || 47 datur opera *H* || 51 deferimus *F*

les jours de fêtes solennelles jusqu'aux calendes de novembre : ces jours-là, on imite les jours d'été. Mais en Carême, ces mêmes jours solennels, on diffère Prime jusqu'au lever du soleil, afin de pouvoir vaquer plus longtemps à l'oraison. Mais les autres jours où l'on tient Chapitre, des calendes de novembre jusqu'au Carême, on retarde Prime jusqu'au moment où il est possible de lire dans un livre. L'heure à laquelle on sonne Prime, de Pâques jusqu'aux calendes d'octobre, est la même où l'on sonne Tierce depuis ces calendes jusqu'au Carême, à savoir quand le soleil commence à irradier les plus hautes montagnes [2]. L'espace de temps de Prime à Tierce en hiver, ou de Matines jusqu'à Prime en été, est consacré à des exercices spirituels. Mais de Tierce à Sexte en hiver, et de Prime à Tierce en été, le temps est député à des travaux manuels ; nous voulons toutefois que ces travaux soient coupés de brèves oraisons. L'intervalle entre Sexte et None en hiver est le même entre Tierce et Sexte en été. Or le laps de temps qui les sépare est tel qu'on y pourrait dire une Heure de l'Office canonial et deux de celui de la Sainte Vierge. Mais en été l'espace de temps qui se trouve entre Sexte et None, tantôt plus bref, tantôt plus long, est député au repos. Celui qui sépare None de Vêpres est occupé par des travaux manuels. Et toujours, en travaillant, il est permis de recourir à de brèves prières, comme jaculatoires. De Vêpres jusqu'à Complies, l'activité est consacrée à des exercices spirituels.

4. Or pour sonner Complies, on prendra en considération la remarque suivante : au moment où cette sonnerie est le plus tard, elle se fait quand on peut encore lire. Après la fin de Complies, ayant achevé par la récitation de trois oraisons dominicales seulement, avec dévotion, nous ne différons jamais davantage pour nous coucher.

5. Non seulement, en effet, il nous est conseillé, mais nous

2. C'est-à-dire la crête du Charmant-Som, seul sommet visible de la Chartreuse primitive.

quietem deputatis, dormitioni magnum impendere studium, quo temporibus caeteris alacriter vigilare possimus.

55 **6.** Generaliter autem in ecclesia matutinas et vesperas, in cellis vero semper completorium dicimus. Alias enim, nisi festivis diebus aut vigiliis, aut anniversariis, ad ecclesiam non venimus.

De his qui in cella manentibus importune se ingerunt, et de coquinario .XXX.

1. Si aliquis importunus ad cellam venerit, vel nutibus vel si non intelligit verbis, ad coquinarium eum remittimus. Amplius 5 cum illo nisi iussi non loquimur, nec si sit germanus.

2. Coquinarius autem portam servat, advenientibus respondet, elemosinam petentes ad inferiorem transmittit domum, domos et universa quae ad communes usus pertinent custodit. Porro coquinae terminos, ostium videlicet refectorii quo ad 10 eam tenditur, nemo nisi iussus transgreditur.

3. Quod si ex nostris ad cellam venerit aliquis, volens loqui nobis, interrogatur prius, si prior iusserit. Aliter, ad colloquium non recipitur.

4. Ipsi quoque coquinario in cellis residere et fabulari non 15 licet, nisi quem forte aegrotare contigerit.

Item de cella .XXXI.

1. His ita prelibatis, ad cellam redeamus. Cuius

|| 52 et *om. SM* || 55 matutinum *M* || 56 semper *om. bc* || 57 diebus festivis *SRPMF* || aut[1] : et *V* || 57-58 non venimus ad ecclesiam *PM*.

XXX. 1 cellam *M* || manentibus *om. M* || 2 se importune *F* || de *om. V* || XXX : 29 *(sic) M* XXXI *F* || 3 ad cellam importunus *M* || 5 cum – loquimur : cum eo nisi iussi non loquimur *DRG* non loquimur cum illo nisi iussi *PMFH* || 11 ad cellam ex nostris venerit aliquis *DRG* aliquis ex nostris ad cellam venerit *V* || 12 interrogetur *bcdef* || 14 ipso *G* || et *om. a* || 15 forte quem *M* || contingat *G*.

XXXI. 1 item *om. Vd* || XXXI : 30 *(sic) M* XXXII *F* || 2 itaque

avons ordre de consacrer une grande application au sommeil, pendant les heures députées au repos, afin de pouvoir veiller plus allègrement le reste du temps.

6. Or d'une façon générale, nous disons à l'église les Matines et les Vêpres, mais les Complies toujours en cellule. Car autrement, nous ne venons pas à l'église, sauf aux jours de fête, aux vigiles ou aux anniversaires.

30
De ceux qui se présentent avec importunité aux habitants des cellules, et du cuisinier

1. Si un importun vient à notre cellule, nous le renvoyons au cuisinier par signes ou, s'il ne comprend pas, par paroles. Nous ne parlons pas davantage avec lui, à moins d'en avoir reçu l'ordre, serait-il même notre frère.

2. Or le cuisinier garde la porte, répond à ceux qui se présentent, renvoie à la Maison-inférieure ceux qui demandent l'aumône, veille sur les bâtiments et sur tout ce qui sert à l'utilité commune. De plus nul ne peut sans un ordre franchir les limites de la cuisine, à savoir la porte du réfectoire par laquelle on s'y rend.

3. Si l'un d'entre nous vient à notre cellule et veut nous parler, on lui demande d'abord si le prieur lui en a donné l'ordre. Autrement, il n'est pas reçu pour un entretien.

4. Et il n'est pas permis au cuisinier lui-même de séjourner dans les cellules et d'y bavarder, sauf peut-être si quelqu'un est malade.

31
Encore la cellule

1. Cela ayant été dit succinctement, revenons à la cellule.

habitatorem diligenter ac sollicite decet invigilare, ne quas occasiones egrediendi foras vel machinetur vel recipiat, exceptis his quae generaliter, institutae sunt, sed potius sicut aquas piscibus, et caulas ovibus, ita suae saluti et vitae cellam deputet necessariam. In qua quanto diutius, tanto libentius habitabit, et quam si frequenter et levibus de causis exire insueverit, cito habebit exosam. Et ideo statutis ad hoc horis petenda iubetur petere, et accepta tota diligentia custodire.

2. Quod si qualibet vel sua vel alterius negligentia, pane, vino, aqua, igneve caruerit, vel insolitum strepitum aut clamorem audierit, vel periculum ignis institerit, licebit exire, et subsidium praestare vel petere, et si periculi magnitudo poposcerit, silentium etiam solvere.

3. Soli enim degentes, signa cenobiorum aut nulla aut pauca novimus, sufficere putantes linguam solam, non etiam caeteros artus reatibus implicare loquendi. Et ideo si tanta necessitas urget, uno vel duobus, aut certe paucissimis verbis quod res postulat malumus indicari.

De fratribus qui aliquo opere occupantur .XXXII.

1. Cum aliqui ex monachis emendandis vel ligandis libris vel alicui tali operi mancipantur, ipsi quidem locuntur ad invicem, cum supervenientibus vero nequaquam, nisi priore presente aut iubente.

abcdef || cuius : huius *C* || 5 institute *D* || 6 et[2] : ac *SF* || 8 quam *om. D* || assueverit *V* || 11 pane + vel *d* || 12 igne *R* || aut : vel *e* || 13 extiterit *CHdefB* || 14 vel : aut *H* || magnitudo periculi *A* periculum magnitudo *a* || 16 enim : etiam *DG* || 19-20 verbis aut certe paucissimis quod *abc* verbis quod aut certe paucissimis *d* || 20 maluimus *DAFHabcdefB*.

XXXII. 2 aliquo alicui *M* || opere : operi *MF* tempore *C* || occupantur : mancipantur *F* || XXXII : 32 *(sic) A* 31 *(sic) M* XXXIII *F*

L'habitant de cette cellule doit veiller avec diligence et sollicitude à ne pas forger ou accepter des occasions d'en sortir, hormis celles qui sont instituées par la règle ; il estimera plutôt la cellule aussi nécessaire à son salut et à sa vie que l'eau aux poissons et la bergerie aux brebis. Plus longtemps il y aura habité, plus il y demeurera volontiers ; s'il prend l'habitude d'en sortir fréquemment et pour des causes légères, elle lui deviendra vite odieuse. Aussi lui est-il prescrit de demander ce dont il a besoin aux heures fixées pour cela et de garder avec le plus grand soin ce qu'il a reçu.

2. Si par sa négligence ou celle d'un autre, il se trouve manquer de pain, de vin, d'eau ou de feu, ou s'il entend un bruit ou un cri insolite, ou si commence un danger d'incendie, il aura la permission de sortir et d'offrir ou de demander du secours, et même de rompre le silence, si la grandeur du péril le demande.

3. Car vivant seuls, nous ne connaissons aucun des signes des monastères de cénobites, ou fort peu : nous estimons qu'il suffit d'impliquer la langue seule dans les fautes de parole, sans y joindre les autres membres. Et c'est pourquoi si une grande nécessité presse, nous préférons indiquer ce que demande la circonstance, en un ou deux mots, ou en tout cas en très peu de paroles.

32

Les frères occupés à un travail

1. Si quelques-uns des moines sont occupés à corriger ou relier des livres, ou à un travail de ce genre, ils peuvent même parler entre eux, mais jamais avec d'autres qui surviendraient, à moins que le prieur ne soit présent ou n'en donne l'ordre.

|| 4 loquentur *V* || 5 vero *om. M* || 6 aut : vel *abcdef*.

De ieiuniis atque cibis .XXXIII.

1. Nunc de ieiuniis cibisque dicendum est.

Secunda, quarta, sextaque feria, pane et aqua, et sale si cui placet, contenti sumus.

5 **2.** Tercia, quinta, et sabbato, legumina vel aliquid huiusmodi ipsi nobis coquimus, a coquinario vinum, et in quinta feria caseum, vel aliquid cibi lautioris accipientes.

3. Ab idibus septembris usque ad pascha, exceptis sollempnitatibus non nisi semel in die manducamus.

10 **4.** A pascha autem usque ad predictum terminum tercia et quinta feria, necnon et sabbato, iterato reficimus.

5. Ad caenam vel ad prandium cum semel edimus, herbas crudas vel fructus si assint accipimus. Quae retinentes, quamdiu sufficiunt alia eiusdem duntaxat generis non accipimus. De 15 caseo namque sive piscibus, aut ovis, vel si quid eiusmodi, quae pitantias vocamus, semel sumimus, quod superest reddimus.

6. Vinum non nisi in prandio vel caena potamus.

7. Quod panis et vini superest, sabbato redditur. Quando in 20 refectorio reficimus, caseus vel aliqua talis pitantia, oleribus vel leguminibus superadditur, et in caena vel fructus vel herbae crudae si affuerint apponuntur.

8. In adventu nec ovis nec caseo vescimur.

XXXIII. 1 atque : et *G* || XXXIII : 32 *(sic) M* XXXIIII *F* || 2 cibisque : atque cibis *abc* || 3 sextaque : sexta *S* et sexta *Mabc* || et² *om. a* ac *bc* || 6 vinum + ac cepe *abc* + accipimus B || 8 ad *om. a* || 9 in die *om. R* || 10 autem *om. abc* || 10-11 tercia – et : tercia et quinta feria necnon *G* tercia et quinta feria necnon in *V* feria tertia et quinta et *a* tertia quinta et *bc* tertia necnon quinta feria et *e* || 12 ad² *om.* M || edimus : reficimus *M* || 13 si adsint fructus *D* || 15 si quid : aliquid *M* || huiusmodi *abc* || 19 et : vel *M* || vinum *e* || 20 reficimur *Pabc* || aliqua : alia *M* || 21 vel² *om. G.*

33, 1. *Herbas crudas* : ce qui se mange en salade.

33
Les jeûnes et la nourriture

1. Il faut maintenant parler des jeûnes et des aliments. Le lundi, le mercredi et le vendredi, nous nous contentons de pain et d'eau, et, au gré de chacun, de sel.

2. Le mardi, le jeudi et le samedi, nous cuisons nous-mêmes pour nous des légumes secs ou quelque chose de ce genre ; nous recevons du cuisinier le vin et, le jeudi, du fromage ou quelque aliment meilleur.

3. Des ides de septembre jusqu'à Pâques, nous ne mangeons qu'une fois par jour, excepté aux solennités.

4. Mais de Pâques jusqu'à la date susdite, nous mangeons deux fois les mardis, jeudis et aussi les samedis.

5. Pour le souper, ou pour le repas unique quand nous ne mangeons qu'une fois, nous recevons de la salade [1] ou des fruits s'il y en a. Gardant la provision de ces derniers aliments, nous n'en recevons pas d'autres de ce genre seulement, tant qu'il nous en reste. Car du fromage, du poisson ou des œufs, ou autre denrée du même genre, que nous appelons pitances, nous ne mangeons qu'une fois, et nous rendons ce qui en reste.

6. Nous ne buvons du vin qu'au déjeuner et au dîner.

7. Nous rendons le samedi ce qui reste de pain et de vin. Quand nous mangeons au réfectoire, on ajoute du fromage ou quelque autre pitance de ce genre aux herbes potagères [2] ou aux fèves, et pour le repas du soir, on sert soit des fruits, soit de la salade s'il y en a.

8. Pendant l'Avent [3], nous ne mangeons ni œufs, ni fromage.

2. *Olera* : ce sont les légumes verts, v.g. choux, poireaux, par distinction d'avec les *legumina* qui sont les légumes secs.

3. On signale seulement l'Avent car cette abstinence était propre à l'Ordre. On ne nomme pas le Carême, car cette abstinence d'œufs et de fromages était à cette époque générale dans l'Église pendant le Carême.

De mensura vini et casei .XXXIIII.

1. Mensura vini sive in cellis sive in refectorio, eadem perseverat, eodemque modo temperatur.

2. Nam puro non utimur.

5 **3.** Panis, quamvis de tritico : torta est. Album enim panem non facimus.

4. Caseus, eodem tam in cellis quam in refectorio, pondere datur.

Quod nulli liceat maiora exercitia facere nisi favente priore .XXXV.

1. Abstinentias vero vel disciplinas, vel vigilias, seu quaelibet alia religionis exercitia, quae nostrae institutionis 5 non sunt, nulli nostrum nisi priore sciente et favente, facere licet.

2. Sed et si cui pitantiam aliquam, seu cibi seu somni, vel alterius cuiuslibet rei facere, aut durum et grave aliquid imponere voluerit, repugnare fas non habemus, ne cum ei restiteri-10 mus, non ei sed domino cuius erga nos agit vices, restitisse inveniamur.

3. Licet enim multa sint, et diversa quae observamus, uno tamen et solo obedientiae bono, cuncta nobis fructuosa futura speramus.

XXXIV. 1 XXXIIII : 33 *(sic) M* XXXV *F* || 2 cella *H* || 4 puro namque *DRG* || 5 torta : tamen torta *DRG* || panem *om. abc* || 7 tam in cellis quam in refectorio eodem *M* || 7-8 datur pondere *G*.

XXXV. 1 quod : de hoc quod *a* || 2 priore favente *FH* || XXXV : 34 *(sic) M* XXXVI *F* || 3 vero *om. DRG* || 4 qualibet *S* || religiosis *R* || 6 liceat *M* || 7 et *om. M* || 8 et : aut *S* || 9-10 restiteremus *S* resisterimus *a* || 13 bona *d.*

34
La mesure du vin et du fromage

1. La ration de vin, soit en cellule, soit au réfectoire, est la même, et il est coupé d'eau de la même manière.

2. Car nous n'usons pas de vin pur.

3. Le pain, bien qu'il soit de froment, est une tourte. Car nous ne faisons pas de pain blanc.

4. On donne le même poids de fromage, soit en cellule, soit au réfectoire.

35
Il n'est permis à personne de faire des exercices supplémentaires sans l'approbation du prieur

1. Or il n'est permis à aucun d'entre nous, à moins que le prieur ne le sache et ne l'approuve, de faire des abstinences, des disciplines, des veilles, ou tous autres exercices de religion qui n'ont pas été institués parmi nous.

2. Et cependant si le prieur veut ordonner à quelqu'un un supplément [1] de nourriture, de sommeil, ou de n'importe quelle autre chose, ou bien s'il veut imposer une mesure dure et pénible, il ne nous est pas permis de refuser ; car en lui résistant, ce n'est pas à lui, mais au Seigneur dont il tient pour nous la place, que nous nous trouverions avoir résisté.

3. Car, bien que nos observances soient nombreuses et diverses, c'est pourtant par le seul et unique bien de l'obéissance que nous espérons les voir devenir toutes fructueuses pour nous.

35, 1. Le mot *pitantia* a deux sens dans les *Coutumes* : le premier a été défini dans le texte même en 33,5 ; le second sens est celui de tout supplément, de quelque nature qu'il soit, v.g. de sommeil, etc.

De hospitibus suscipiendis .XXXVI.

1. Pro episcopis et abbatibus et cunctis in religioso habitu constitutis, tales enim a priore ad mensam suscipiuntur, si tali hora venerint, ieiunium ab eodem nisi sit precipuum solvitur.
5 Non enim vel girovagi, vel a religione refugae, vel personae laicae, ad eius mensam suscipi consuerunt.

2. Episcopi autem et abbates, etiam sedem prioris tam in ecclesia quam in caeteris tenent locis. Sed episcopi benedictiones etiam dant. Abbates sola sedis honorificentia sunt conten-
10 ti, benedictiones autem, iuxta morem sacerdos ebdomadarius tribuit.

3. Quos, id est episcopos et abbates, cum veniunt : inclinati, et usque ad terram flexis genibus ; caeteros autem reverenter tantum supplicantes osculamur.

15 **4.** In superiori autem domo, non nisi religiosi hospites iacere consuerunt.

Et quoniam de priore sermo se intulit, addendum est, qualem se in susceptae domus negociis soleat exhibere.

De tractando consilio . XXXVII.

1. Si quid igitur magnum vel grave tractandum fuerit, omnes in unum monachos precipit convenire. Ibique cum omnes quid sentiant libere pronunciaverint, quod melius
5 rectiusque existimat, sine ulla personarum acceptione exequitur.

XXXVI. 1 XXXVI : 36 *(sic) A* 35 *(sic) M* XXXVII *F* || 4 sit : fuerit *DRG* || 5 vel[1] *om. bc* || profugae *F* || 7 prioris *om. V* || 7-8 tam — locis : in ecclesia et in ceteris locis tenent *abc* tam in ecclesia quam ceteris tenent locis *de* tam in ecclesia quam in caeteris locis tenent *f* || 8-9 episcopi — dant : episcopi benedictionem etiam dant *S* episcopi etiam benedictiones dant *RGPFH* etiam episcopi dant benedictiones *M* || 9 abbates + vero *abc* || sint *abc* || 11 tribuit : largitur *G* || 12 venerint *F* || 13-14 tantum reverenter *M* || 14 osculantur *R*.

36
La réception des hôtes

1. Le jeûne peut être rompu par le prieur – à moins que ce ne soit un jeûne principal – pour les évêques, les abbés et tous les religieux vivant sous leur règle : car de tels hôtes sont reçus à table par le prieur, s'ils viennent à l'heure d'un repas. Il n'a pas coutume de recevoir à sa table les gyrovagues, les religieux fugitifs ou les laïcs.

2. De plus les évêques et les abbés occupent le siège du prieur, aussi bien à l'église que dans les autres lieux. Les évêques donnent aussi les bénédictions. Les abbés se contentent de la seule place d'honneur et le prêtre hebdomadaire donne les bénédictions, selon la coutume.

3. Quand arrive un évêque ou un abbé, nous recevons le baiser de paix inclinés et les genoux fléchis jusqu'à terre ; mais pour les autres, cela se fait seulement avec une inclination respectueuse.

4. A la Maison d'en-haut, c'est la coutume de ne recevoir pour la nuit que les hôtes religieux.

Et puisqu'une réflexion s'est présentée à propos du prieur, il faut ajouter comment celui-ci a coutume de se comporter dans les affaires de la maison dont il a reçu la charge.

37
La manière de tenir conseil

1. Si donc quelque affaire importante ou grave doit être traitée, le prieur ordonne à tous les moines de se réunir ensemble. Et là, quand tous auront librement manifesté leur opinion, il décide ce qu'il estime le meilleur et le plus juste, sans aucune acception de personnes.

XXXVII. 1 XXXVII : XXXVI *M* XXXVIII *F* || 2 igitur : ergo *abc* || 4 omnes : prior omnes *B* || 5 existimant *bc* || 7 utilissimumque *M* || rectissi-

2. Et hoc omnino tanquam utilissimum rectissimumque servatur, ut nemo vel alterius vel suam contentiose presumat defensare sententiam, ne bonum quod absit consilii in discor-
10 diam furoremque vertatur.

3. In levioribus vero rebus et magis consuetis, suo tantum et maturiorum est contentus consilio.

4. Qui ne forte temporalium cura rerum ac sollicitudine pregravatus, spiritualibus minus possit intendere, tales singulis
15 obedientiis fratres satagit deputare, quorum eas fidei secure valeat credere.

De cura infirmorum .XXXVIII.

1. Qui cum erga omnes, precipue tamen erga infirmos ac debiles atque in temptationibus positos, sollicitum, benignum, atque misericordem, debere se noverit existere. Non enim
5 secundum sententiam domini, sanis est opus medicus, sed male habentibus. Qui tamen et ipsi secundum beati benedicti dicta, ne superflua vel impossibilia petendo, vel forte murmurando servientes sibi constristent, diligentius admonentur attendere, et ut memores arrepti propositi, ut sanos a sanis, ita
10 aegrotos ab aegrotis secularibus debere cogitent discrepare, nec illa in heremis, quae vix in urbibus inveniantur exposcere.

2. Isti igitur christi passiones, illi suadentur attendere miserationes. Hinc isti fortes ad ferendum, illi prompti ad subve-

mumque *om. M* || 7 vel[1] *om. abc* || 9 defendere *abc* || 12 maturiorum : maiorum *F* || 13 rerum ac sollicitudine : rerum sollicitudine *M* ac sollicitudine rerum *V* || 14 possit mimus *M* || 15 fidei : fieri *S* || 16 valeat : possit *abc*.

XXXVIII. 1 XXXVIII : 38 *(sic) A* 37 *(sic) M* XXXIX *F* || 2 qui : quoniam *M* || 3 temptatione *G* || 4 novit *DR* noscat *G* || 5 domini sententiam *PMF* || 6 beati *om. V* || 11 vix in urbibus : in urbibus *V* in urbibus vix *G* || inveniuntur *Gbc* || 12 passiones christi *V* || 13 fortiores *abcdef* || illi :

38, 1. Matth. 9, 12. 2. Règle de saint Benoît, cap. 36.

2. Et l'on observe absolument ce principe très utile et très juste : que nul n'ose défendre avec obstination l'opinion d'un autre ou la sienne, afin que le bien de la délibération ne se change pas en discorde ou en colère, ce qu'à Dieu ne plaise.

3. Mais dans les affaires de moins d'importance et plus ordinaires, le prieur s'en tient seulement à son propre avis ou au conseil des religieux les plus prudents.

4. Pour éviter d'être peut-être trop surchargé par le soin et la sollicitude des affaires temporelles, et de pouvoir moins s'appliquer à ses devoirs spirituels, le prieur s'efforcera de députer à toutes les obédiences des religieux tels qu'il puisse les leur confier en toute sécurité.

38
Le soin des malades

1. Le prieur doit savoir qu'il lui faut être attentif, bon et miséricordieux envers tous, mais surtout à l'égard des malades, des faibles et de ceux qui sont dans l'épreuve de tentations. Car, selon la parole du Seigneur, ce ne sont pas les bien-portants qui ont besoin du médecin, mais les malades [1]. Cependant, comme l'a dit saint Benoît, ces derniers eux-mêmes sont avertis de veiller avec beaucoup de soin à ne pas contrister ceux qui sont à leur service par des demandes superflues [2] ou impossibles, ou peut-être par des murmures. Se souvenant de la vocation qu'ils ont embrassée, ils doivent penser à leur obligation d'être des malades aussi différents des séculiers malades qu'ils étaient des hommes bien-portants différents des séculiers bien-portants, et ils ne peuvent réclamer avec instance dans des déserts ce qu'à peine on trouve dans des villes.

2. Les malades sont donc exhortés à être attentifs aux souffrances du Christ et leurs infirmiers à ses miséricordes. Ainsi les premiers seront plus forts pour supporter la souffrance, les seconds plus prompts à secourir ; et tandis qu'ils pensent, tout

niendum. Dumque propter christum et isti sibi serviri, et illi
15 servire considerant, nec isti superbiunt, nec illi deficiunt, ab
eodem utrique domino mercedem sui prestolantes officii, isti
patiendi, illi miserendi.

3. Propter hos solos, si tanta fuerit aegritudo : pisces emere
solemus.

De minutione .XXXIX.

1. Medicinis autem, excepto cauterio et sanguinis
minutione : perraro utimur. Minuimur autem in anno quin-
quies. Post octabas paschae, post sollempnitatem apostolorum
5 petri et pauli, secunda ebdomada septembris, septimana ante
adventum, et ebdomada ante quinquagesimam. In quo tempore, minutionis scilicet, per tres continuos dies bis reficimus,
aliquid cibi melioris accipientes.

2. Primaque die, ne quid adversi ex minutionis occasione
10 contingat, ad colloquium refecti convenimus. Post prandium
etiam vinum bibendi licentiam habemus. Non tamen in alterius cella.

3. Nichil enim unquam alimentorum in aliena licitum habemus sumere cella.

15 **4.** Per hos tres dies mane redimus ad lectos, necessaria dicimus coquinario, a quo duobus prioribus diebus, etiam tria ad
cenandum ova suscipimus.

illinc illi *M* || 14 dumque : cumque *C* dumque et *V* || 15 servire – nec *om. f* || 16 utrique : utique *F*.

XXXIX. 1 de minutione : de minutione et medicinis *F* de medicinis et minutione *abcd* || XXXIX : 38 *(sic) M* XL *F* || 2-3 minutione sanguinis *abc* || 3 autem *om. abcd* || 3-4 minuimur – quinquies *om. R* || 4 *ante* post[1] *add.* scilicet *F* || sollempnitatem + beatorum *abc* || 5 septimana : septima *S* || 6 ebdomada : dominica *A* || 7 munitionis *B* || reficimur *P* || 9 ex *om. F* || 13 enim *om. M* || 13-14 cella licitum habemus sumere *M* || 16 tria + si adsint *M* || 17 cenandum : cenam *V* || ova + si assint *F*.

près du Christ, les uns au service reçu, les autres au service donné, les premiers ne s'enorgueillissent pas, les seconds ne négligent point, car les uns et les autres attendent du même Seigneur la récompense de leur office, ceux-ci de pâtir, ceux-là de compatir.

3. Nous avons coutume d'acheter du poisson pour les malades seulement, s'il s'agit d'une maladie assez notable.

39
Les minutions [1]

1. Or nous usons très rarement des médecines, excepté le cautère et la saignée. Mais nous sommes saignés cinq fois par an : après l'octave de Pâques, après la solennité des apôtres Pierre et Paul, la seconde semaine de septembre, la semaine qui précède l'Avent, et la semaine précédant la Quinquagésime. A ces dates de minutions, nous prenons deux repas pendant trois jours consécutifs, et nous recevons une nourriture meilleure.

2. En outre le premier jour, pour que rien de fâcheux ne nous arrive du fait de la saignée, nous nous réunissons après le repas pour un colloque. Nous avons même la permission de boire du vin après le déjeuner, mais non pourtant dans la cellule d'un autre.

3. Car nous n'avons jamais la permission de prendre le moindre aliment dans une autre cellule.

4. Pendant ces trois jours, nous retournons au lit après Matines, nous pouvons dire le nécessaire au cuisinier, et nous recevons même de lui les deux premiers jours trois œufs au repas du soir.

39, 1. Les « minutions », du latin *minuere*, diminuer. Ainsi s'appelait au Moyen Age la saignée, d'usage habituel à cette époque chez les moines et même aussi chez les séculiers, usage qui se retrouve aujourd'hui avec les donneurs de sang.

De ornamentis .XL.

1. Ornamenta aurea vel argentea, preter calicem et calamum quo sanguis domini sumitur, in ecclesia non habemus, pallia tapetiaque reliquimus.

2. Feneratorum et excommunicatorum munera non accipimus.

3. Cartulam quoque quam de quibusdam talibus rebus conscripseramus, huic scripture iniecimus.

Ut nulla extra heremum possideantur et de sepultura peregrinorum .XLI.

1. Cupiditatis occasiones nobis et nostris posteris quantum deo iuvante possumus precidentes, presentis scripti sanctione statuimus, quatinus loci huius habitatores extra suae terminos heremi nichil omnino possideant. Id est non agros, non vineas, non ortos, non ecclesias, non cimitteria, non oblationes, non decimas, et quaecumque huiusmodi.

2. Simili etiam tenore sancitum est ut neminem prorsus, sive intra sive extra heremum istam defunctum, suo sepeliant in cimitterio, nisi forte aliquem huius propositi, hic obire contigerit.

3. Sed et caeterarum religionum si quis defunctus hic fuerit, quem sua congregatio hinc asportare aut nequiverit aut neglexerit, hunc sepelient.

4. Nomen vero cuiusquam in suo non scribent martyrologio, nec cuiusquam anniversarium ex more facient. Audivimus

XL. 1 ornamentis + ecclesia *abc* || XL : 39 *(sic) M* XLI *F* || 3 sanguis domini : christi sanguis *V* || 5 feneratorium *S* || et *om. Cdef* || accipimus : suscipimus accipimus *e.*

XLI. 2 et – peregrinorum : et de sepultura extraneorum *SPa* et de sepultura *bc* *om.* MF || XLI : XL *M* XLII *F* || 5 huius : istius *M* || suae : suos *d* || 10 extra sive intra *VF* || 11 in *om. Md* || 13 hic defunctus fuerit *DRHabcB* hic fuerit defunctus *def* || 16-17 in – martyrologio : in suo mar-

40
Les ornements

1. Nous n'avons pas à l'église d'ornements en or ou en argent, à l'exception du calice et du chalumeau qui sert à prendre le Sang du Seigneur. Nous n'avons ni tentures, ni tapis.

2. Nous n'acceptons pas les dons des usuriers et des excommuniés.

3. Nous avons mis aussi dans le présent écrit la charte que nous avions écrite ensemble au sujet de certaines questions de ce genre :

41
Nous ne devons avoir aucunes possessions hors du désert. La sépulture des étrangers

1. Coupant court autant que possible avec l'aide de Dieu à toutes les occasions de cupidité pour nous et pour ceux qui viendront après nous, nous avons statué par la rédaction du présent écrit que les habitants de ce lieu ne peuvent absolument rien posséder hors des limites de leur désert. A savoir, ni champs, ni vignes, ni jardins, ni églises, ni cimetières, ni oblations, ni décimes, ni quoi que ce soit de ce genre.

2. En outre, selon la teneur du même écrit, il leur est prescrit de n'ensevelir dans leur cimetière absolument aucune personne morte soit à l'intérieur, soit à l'extérieur de ce désert, à l'exception de ceux de notre vocation qui viendraient peut-être à mourir ici.

3. Mais cependant si quelqu'un d'un autre Ordre religieux meurt ici, que sa communauté ne peut emporter ou néglige de venir chercher, ils l'enseveliront.

4. Mais ils n'inscriront dans leur martyrologe le nom de personne et ils ne feront pour personne un anniversaire habi-

enim quod non probamus, plerosque totiens splendide convivari, missasque facere paratos, quotiens aliqui pro suis eis
20 voluerint exhibere defunctis. Quae consuetudo, et abstinentiam tollit, et venales facit orationes, dum quotus pastuum numerus, totus est et missarum. Nec ullum ibi vel ieiunandi certum vel obsecrandi constat propositum, ubi non de devotione facientis, sed de pascentis potius pendet arbitrio. Nulla quippe die
25 convivium vel missa deerit, si qui pascat nunquam defuerit. Quod si quis talem consuetudinem contentiose iurat laudabilem, non resistimus, agat ut libet, redditurus illi rationem, qui scrutans corda et probans renes reddet unicuique iuxta viam et iuxta fructum adinventionum suarum.
30 **5.** Nostrum qualecumque vile propositum, penuriam deo gratias raro sentit, aut abundantiam. Nam si quisquam nobis pisces aut huiuscemodi miserit aliquid, ea mensura et die reficiendis infertur fratribus, qua propositum poscit et institutio.

De divino officio fratrum laicorum .XLII.

1. Quae ad monachorum pertinent consuetudines prout potuimus explicatis, ea quae laicorum sunt quos conversos vocamus, domino iuvante dicamus.

tyrologio *F* non scribent in suo novo martyrologio *abc* in suo non scribent novo martyrologio *d* suo non scribent in novo martyrologio *ef* || 17 ex more *om. V* || 18 non probamus : probavimus *M* non approbamus *Hbc* || 19 paratas *V*[1]*Mabc* privatas *mgV*[2] || 19-20 defunctis eis voluerint exhibere *abc* defunctis exhibere eis voluerint *df* || 20 et *om. F* || abstinentias *G* || 21 quotus + est *AMbc* || 22 et : et numerus *abc om.* GV || vel[1] *om. abc* || 23 observandi *S* || de *om. CdefB* || 24 die *om. V* || 26-27 talem – laudabilem : talem consuetudinem contentiose iudicat laudabilem *M* talem contentiose consuetudinem iurat laudabilem *a* contentiose talem consuetudinem iurat laudabilem *bc* contentiose iurat talem consuetudinem *df* || 27 ut : quod *abc* || illi : ei *Gabc om. V* || 28 viam + suam *abc* || 29 iuxta *om. H* || 30 vile propositum : propositum *V* propositum vile *bc* || 32 aut *om. V* || huiusmodi *MabcdefB* || aliquis *df* || et die : et *a om. bc* || 33 infertur reficiendis *M* || 33-34 institutionem *d.*

tuel. En effet, nous avons entendu dire – et nous ne l'approuvons pas – que la plupart des religieux sont prêts à faire des repas splendides et à célébrer des Messes toutes les fois que des bienfaiteurs veulent leur offrir des dons pour leurs défunts. Cette coutume fait disparaître l'abstinence et rend les prières vénales, puisqu'elle donne lieu à autant de banquets que de Messes. Et aucune règle fixe de jeûne ou de prière ne se maintient, là où ces observances dépendent, non de la dévotion de ceux qui les gardent, mais plutôt de l'arbitraire de celui qui fournit la nourriture. Et certes, si aucun donateur de nourriture ne fait défaut, aucun jour ne manquera de banquet ni de Messe. Si quelqu'un jure avec opiniâtreté qu'une telle coutume est louable, nous ne lui résistons pas ; qu'il agisse à sa guise : il en rendra compte [1] à celui qui scrute les reins et les cœurs [2], et qui rétribuera chacun d'après sa conduite et selon le fruit de ses inventions [3].

5. Telle quelle, dans sa petitesse, notre vie ressent rarement, grâces à Dieu, la pénurie ou l'abondance [4]. Si quelqu'un, en effet, nous a envoyé des poissons ou quelque autre cadeau de ce genre, on le sert pour la réfection de la communauté dans la mesure et au jour requis par notre vie et notre règle.

42
L'Office divin des frères laïcs

1. Ayant expliqué autant que nous l'avons pu les coutumes qui concernent les moines, nous allons dire avec l'aide de Dieu celles des laïcs, que nous appelons convers.

41, 1. Rom. 14, 12. 2. Ps. 7, 10.
3. Jér. 17, 10. 4. Prov. 30, 8.

XLII. 1 *huic titulo add. in mg* transi usque ad capitulum LXXVII quod incipit si quis habitatorum *P* usque huc legitur in conventu

5 Semper cum ad matutinas surgendum est, bis parvo interposito spacio signum pulsatur. Primo, preparantur. Secundo, ad ecclesiam servata gravitate concurrunt. Et si quidem monachus qui eis prepositus est adest presens, divinum eis officium pene ut supra scriptum est, festinantius tamen persolvit. Quem 10 ipsi summo studio silentium quietemque servantes, ad inclinationes et caeteros religiosos corporis motus sedulo imitantur.

2. Ex quibus in vigiliis sollempnitatum in quibus capitulum tenetur, medietas prout eorum patiuntur obedientiae, ad vesperum cum a suis disiunguntur laboribus, ad superiorem cons- 15 cendunt ecclesiam, matutinas et caeterum sacrum officium audituri. Ibique post monachorum capitulum, verbum dei a priore vel ab eo cui hoc ipse iniunxerit audiunt, et si quas habent confitentur offensas.

3. Ascensuri autem ad coquinarium veniunt, et cum eius 20 licentia servato pergunt silentio, quod preceperit portaturi, ibi quoque id est superius, sicut ubique, a complectorio usque post primam, et a capitulo usque post nonam in silentio permanentes.

4. Cum coquinario tamen, adiutori sive adiutoribus eius de 25 necessariis loqui licet. Cum silentio etiam descendunt, quod iussi fuerint reportantes, vesperas in capella a deputato sibi monacho audituri.

a hucusque legitur in conventu monachorum *bc* quod sequitur non legitur monachis usque ad capitulum LXXVII *def ; quae notae spectant ad lectionem Consuetudinum die dominica ad nonam, in monachorum capitulo fieri solitam* || officio divino *F* || fratrum *om. H* || XLII : LXI *M* XLIII *F* || 5-6 interposito : intervallo *abc* || 6 primo : in tertio *M* || 8 presens adest *V* || 9 supra scriptum est : scriptum est supra *F* est supra scriptum *H* || 14 disiungunt *DRGPCVHadef* || 14-15 conscendit *G* || 17 hoc *om. abc* || 18 offensas confitentur *F* || 20 portaturi + portant *F* || ibi : ipsi *f* || 21 sicut : sic *abc* || 22 post[1] : ad *V* || et *om. abcdef* || post[2] : ad *A* || nonam : cenam *d* || 24 cum *om. B* || tamen + et *HB* || sive : vel *G* || 26 fuerant *Pabc* || deportantes *H*.

Pour le lever de Matines, on sonne toujours deux fois, séparées par un petit intervalle. Au premier signal, les convers se préparent. Au second, ils se hâtent ensemble vers l'église, en gardant la gravité. Et si le moine qui leur est préposé se trouve présent, il leur récite l'Office divin, presque comme il a été dit ci-dessus, un peu plus vite cependant. Les convers l'imitent avec soin, pour les inclinations et autres gestes religieux du corps, tout en gardant le silence et le repos avec la plus grande application.

2. Les veilles des fêtes où se tient le Chapitre, la moitié des convers, dans la mesure où le permettent leurs obédiences, au soir quand ils quittent leurs travaux, montent à la communauté de la Maison d'en-haut, pour y entendre les Matines et le reste de l'office divin. Et là, après le Chapitre des moines, ils entendent la parole de Dieu, donnée par le prieur ou par celui à qui il a ordonné cet office, puis ils font leurs coulpes, s'ils en ont à faire.

3. Mais avant de monter, ils viennent trouver le cuisinier, pour porter en haut ce qu'il leur prescrit, puis ils partent avec sa permission, gardant le silence pendant la marche. Et là aussi, c'est-à-dire à la Maison-haute, comme partout, ils demeurent en silence de Complies jusqu'après Prime et du Chapitre jusqu'après None.

4. Il leur est cependant permis de parler des affaires nécessaires avec le cuisinier et avec son aide ou ses aides. Ils redescendent aussi en silence, reportant en bas ce qu'on leur a donné l'ordre de prendre, et ils vont entendre dans leur chapelle les Vêpres récitées par le moine qui leur est député.

43

Même sujet de nouveau, et à quelle époque ils se recouchent après Matines

1. Cependant, chaque fois que les convers sont sans moine

Item de eadem re, et quo tempore ad lectos redeant .XLIII.

1. Quotiens autem sunt sine clerico, orationem dominicam pro psalmis habent, et de ea horas omnes, et totum ubicumque 5 sint complent officium.

2. In matutinis igitur si duodecim lectionum festum est, inclinati tantum, alias enim super formas, semel pater noster cum magna dicunt attentione. Deinde erecti, eandem sexies repetunt orationem, per singulas supplicantes, et gloria patri 10 dicentes. Deinde considunt, et eandem orationem bis et vigies repetunt. Et postea surgentes, eandem cum supplicatione et gloria patri sexies iterant. Ac deinceps in stando perseverantes, ipsam eandem sine gloria et supplicatione viginti et duabus vicibus dicunt. Quam etiam pro collecta, semel subiungunt.

15 **3.** Post matutinas, ad orationem constitutam festinant. Quam ideo scribere nolumus, quia vulgaribus verbis, aliis ab aliis insinuatur.

4. Et quia a kalendis octobris usque ad pascha non reditur ad lectos, in spatio quod usque ad primam remanet, pro quan- 20 titate noctium longum vel breve, vestes suas suunt, vel subtalares ungunt, vel rapas radunt, vel si quid aliud eis iniunctum est, sine strepitu duntaxat operantur. Si nichil tale urget, intendunt orationi quantum possunt.

5. A pascha usque ad kalendas octobris, ad lectos redeunt. 25 In quo toto temporis spacio, orto sole prima pulsatur. In messe

XLIII. 1 eadem re : eodem *MF* || 2 redeunt *F* || XLIII : XLII *M* XLIIII *F* || 3 dominicam *om. D* || 4 psalmo *abc* || omnes horas *GFH* || 7 enim *om. abc* || 8 attentione : devotione *abcd* || eandem *om. Mabc* || 9 orationem : orationem dominicam *abc* *om. G* || supplicationes *abc* || 10 consident *abc* || eandem – vigies : eandem orationem bis vigies *C* bis et vigies orationem eandem *D* bis et vigies eandem orationem *R* eandem orationem bis et vigesies *Vabcdef* || 12 ac : et *PM* || 13 gloria + patri *F* || 16 verbis vulgaribus *F* || 20 suas vestes *M* || 20-21 subtalares : sotulares *GPM*

avec eux, ils ont l'oraison dominicale au lieu de psaumes, et ils en composent entièrement toutes les Heures et tout leur Office, où qu'ils se trouvent.

2. Pour Matines donc, si c'est fête de douze leçons, demeurant seulement inclinés – car autrement ils seraient à genoux sur les formes –, ils disent une fois le *Pater noster* avec grande attention. Puis debout, ils répètent six fois la même prière, avec une inclination à chaque fois en ajoutant le *Gloria Patri.* Ensuite ils s'asseoient et répètent la même prière vingt-deux fois. Et se levant après cela, ils renouvellent la même prière six fois avec l'inclination et le *Gloria Patri.* Puis ensuite, demeurant dans la position debout, ils disent vingt-deux fois cette même prière, sans *Gloria Patri* ni inclination. Et ils l'ajoutent encore une fois comme collecte.

3. Après Matines, ils se hâtent d'aller faire l'oraison qui est de règle. Nous ne voulons pas l'écrire, car ils l'expriment dans leur langue maternelle, en des termes personnels pour chacun.

4. Et puisque, des calendes d'octobre jusqu'à Pâques, ils ne retournent pas au lit, dans le temps qui reste jusqu'à Prime, plus long ou plus bref selon la durée des nuits, ils recousent leurs vêtements, ou graissent leurs souliers, ou épluchent des raves, ou font quelque autre travail qui leur aura été enjoint, mais toutefois sans bruit. Si rien de tel n'est urgent, ils s'appliquent à l'oraison, autant qu'ils le peuvent.

5. De Pâques aux calendes d'octobre, ils retournent au lit. Dans toute cette période de temps, on sonne Prime au lever du soleil. Mais on sonne plus tôt durant la moisson, par nécessité. De là jusqu'à Pâques, de grand matin. Ils commencent Prime ainsi : *Adiutorium nostrum in nomine Domini, qui fecit caelum et terram* [1]. Puis le *Pater noster* avec le *Gloria Patri*, à

43, 1. Ps. 123, 8.

FHabcdefB || 21 eis aliud *PM* || 22 sine strepitu *om. bc* || 23 orationi + in *abcdef* || 24 ad[1] *om. F* || 25 toto temporis spacio : tanto temporis spacio

tamen, prout necessitas postulat citius. Abinde usque pascha, summo mane. Primam ita incipunt, Adiutorium nostrum in nomine domini, qui fecit caelum et terram. Deinde pater noster cum gloria patri, et venia cum supplicatione secundum
30 tempus, tercio, quarto etiam pro collecta. In caeteris horis similiter, excepto quod in vesperis unum additur, pater noster. Post completorium lectos adeunt, et ut dormiant satagunt, ne forte cum vigilare debuerint : dormire compellantur.

6. Sive autem dormiant sive vigilent, quiete ac sine ullo
35 quantum potest fieri strepitu manere iubentur.

Qui presidere vel respondere debeat .XLIIII.

1. Cumque absente qui sibi prelatus est monacho, ad ecclesiam conveniunt, is preest officio, qui preest ordine. Similiter et in caeteris locis vel operibus, nisi forte obedientia in
5 qua fuerint alicui specialiter sit iniuncta. Tunc enim cui proprie iniuncta est caeteris presidet, tacentibusque aliis, adventantibus vel obvientibus respondet.

2. Non enim passim vel sine licentia, licet eis quod vel cum quibus vel quamdiu voluerint loqui.

10 **3.** Unde obviantes vel supervenientes, inclinato tantum licet capite resalutare, viam ostendere, ad interrogata est vel non respondere, et quod amplius loqui cum eis licentiam non habeant excusare.

P spacio toto temporis *F* || 26 usque + ad *PAMFbc* || 30 in : qui *C* || horis *om. A* || 32 dormitant *abc* || 34 vigilant *abc* || ac : et *V* || 35 quantum fieri potest strepitu *RM* strepitu quantum fieri potest *abc*.

XLIV. 1 quis *bc* || presidere – debeat : respondere vel presidere debeat *MC* presidere debeat vel respondere *F* || XLIIII : XLIII *M* XLV *F* || 2 prelatus sibi *H* || 3 preest[1] : preesse *def* || 4 locis : horis *abc* || 5 sit : fit *B* || 5-6 cui – est : proprie cui iniuncta est *CHe* cui iniuncta proprie est *d* cui

genoux ou inclinés selon le temps, trois fois ; une quatrième encore comme collecte. Pour les autres Heures de même, excepté qu'aux Vêpres on ajoute un *Pater noster*. Après Complies, les convers vont au lit, et ils s'efforcent de dormir, pour ne pas risquer d'être forcés de le faire quand ils devront veiller.

6. Mais, soit qu'ils dorment, soit qu'ils veillent, ils ont ordre de demeurer tranquilles et sans aucun bruit, autant que faire se peut.

44
Qui doit présider et répondre

1. Lorsque les convers se réunissent à l'église, si le moine chargé d'eux est absent, le plus ancien préside l'office. Il en est de même dans les autres lieux ou dans les travaux, sauf dans le cas où peut-être une obédience où plusieurs se trouvent a été spécialement imposée à quelqu'un. Car alors celui à qui elle a été personnellement enjointe préside aux autres et répond à ceux qui arrivent ou qui passent ; les autres gardent le silence.

2. Car ils n'ont pas le droit de parler indifféremment ou sans permission pour dire ce qu'ils veulent, à qui ils veulent et aussi longtemps qu'il leur plaît.

3. C'est pourquoi, si quelqu'un les croise ou les aborde, il leur est seulement permis de répondre à son salut par une inclination de tête, de lui montrer le chemin, de répondre oui ou non aux questions, et de s'excuser de n'avoir pas la permission de parler davantage avec lui.

iniuncta est proprie *f* || 7 advenientibus *PMabcd* || 8 passim *om. R* || 10 tantum licet : licet *R* licet tantum *DG* || 11 est *om. D* || 12 et *om. C* || amplius + est *H* || cum eis *om. D* || 13 habent *abcB*.

Quod cum prelato suo fratribus loqui liceat .XLV.

1. In qualibet autem constituti obedientia, cum prelato sibi possunt de necessariis loqui fratres, petita per signum licentia.
5 Habent enim signa pleraque rusticana, et ab omni facetia vel lascivia aliena, per quae de his quae ad sua pertinent officia, rebus vel instrumentis, possunt adinvicem sine voce commemorari.

2. Aliena autem discere signa, vel sua docere alienos, lici-
10 tum non est eis.

De coquinario .XLVI.

1. Nunc per singulas curramus obedientias.

Coquinae unus e fratribus presidet, qui solitos cibos legumina scilicet et huiusmodi, fratribus preparat et dispensat, horis
5 competentibus signum pulsat. A quo etiam panem, vinum statutis diebus, sal, coclear, scutellas, lumbaria, acum, filum, ceram ad cerandum accipiunt. Aliud autem quicquam, preter procuratoris licentiam eis dare non potest. Qualia autem aliis generaliter ministrat, talia sumit et sibi.

10 **2.** Dare vel accipere ab his qui domus huius non sunt, sine procuratoris precepto nichil audet. Qui si forte abfuerit, et aliqua interim necessitas acciderit, ita faciet, quemadmodum ipsum si adesset facturum fuisse existimarit, redeuntique quid et quomodo egerit indicabit. Fratrum aliquem in coquinam
15 nisi iustae causa necessitatis inducere non potest, inductumque

XLV. 1 suo : *om. S* sibi *M* || 2 fratribus *om. V* || loqui licet fratribus *G* || XLV : XLIIII *M* XLVI *F* || 4 de necessariis loqui frater *V* loqui fratres de necessariis *F* || 5 signa pleraque : signaque plerumque *M* signa *abc* || et *om. H* || ab *om. M* || 10 eis *om. M.*

XLVI. 1 coquinario + inferiori *M* || XLVI : 45 *(sic) M* XLVII *F* || 3 *presidet unus e fratribus CB* || 4 scilicet : videlicet *M* || 5 copetentibus *D* ||

45
Il est permis aux frères de parler avec celui qui les préside

1. Dans toutes les obédiences où ils sont placés, les frères peuvent parler des affaires nécessaires avec leur chef, après avoir demandé la permission d'un signe. Ils ont en effet des signes, la plupart très simples, et étrangers à toute plaisanterie ou toute inconvenance, par lesquels ils peuvent se rappeler l'un à l'autre sans paroles les choses ou les instruments qui concernent leurs travaux.

2. Mais il ne leur est pas permis d'apprendre des signes étrangers ou d'enseigner les leurs à d'autres.

46
Le cuisinier

1. Parcourons maintenant chacune des obédiences. L'un des frères préside à la cuisine. Il prépare et distribue aux frères les aliments habituels, à savoir les légumes et autres aliments de ce genre. Il sonne la cloche aux heures convenables. Les frères reçoivent aussi de lui le pain, le vin aux jours fixés, le sel, une cuiller, des écuelles, des lombars, une aiguille, du fil, de la cire pour frotter le fil. Mais il ne peut leur donner rien d'autre sans une permission du procureur. Il prend pour son propre usage des fournitures identiques à celles qu'il donne ordinairement aux autres.

2. Il ne peut se permettre de rien donner ou recevoir de personnes qui ne sont pas de cette maison sans un ordre du procureur. Si par occasion ce dernier est absent et qu'une

vinum *om. Sc* || 6 lumbaria *om. G* || 8-9 aliis generaliter : generaliter aliis *FH* aliis *R* || 9 administrat *H* || et *om. M* || 11 affuerit *VH* || 12 faciat *c* || 13 si ipsum *P* || existimaverit *DR* existimarat *M* || 14 fratrem *AFe* || 15

transacta necessitate statim emittit inviolato quantum res sinit silentio.

3. Ecclesiam custodit, portae preest, advenientibus respondet, ferramenta communia servat, domus et universae commu-
20 nis supellectilis curam gerit. Ex quibus omnibus si aliquid deperierit, prostratus humi reum se culpabilemque clamabit. Haec eadem servat, quicumque vices eius exequitur.

4. In diebus sollempnibus, vel ipse vel qui supplet locum eius, advenientibus de villa proxima nichil habet dare vel
25 commodare, sed tantum ut recedant iubetur respondere, ne per tales dies assuescant inquietudinem et molestiam facere.

De pistore .XLVII.

1. Pistor annonam recipit, siccat, custodit, ventilat, molit, panes conficit, et dato adiutorio coquit, et coquinario in pistrino reddit.

De sutore .XLVIII.

1. Sutor, coria tenet, incidit, sotulares facit ac reficit.

necessitatis causa *DR* || indutumque *P* || 16 statim transacta necessitate *M* || inviolatoque *abc* || res *om. F* || 18 preesse *de* || 19 conservat *abc* || 19-20 communis supellectilis : supellectilis *Vabc* supellectilis communis *M* || 21 disperierit *V* perdiderit *MF* || reum se culpabilemque : se culpabilem reumque *R* || 22 servat : sernat *B* || 23 vel² + ille *M* || 24 proxima *om. G* || habere *V* || 25 commendare *abcdef* || iubetur respondere ut recedant *V*.

XLVII. 1 XLVII : XLVI *M* XLVIII *F* || 2 custodit siccat *R* || 3 et¹ *om. M.*

XLVIII. 1 XLVIII : XLVII *M* XLIX *F* || 2 incidit *om. G* || sotulares facit et reficit *MH* facit ac reficit sotulares *V*.

nécessité se présente pendant ce temps, il agira de la manière qu'il estimera être celle du procureur si celui-ci était présent, et il lui indiquera à son retour ce qu'il a fait et comment. Il ne peut introduire un frère dans la cuisine sans un motif de juste nécessité, et, passé ce besoin, il fait sortir aussitôt celui qui est entré, sans avoir rompu le silence, autant que l'affaire le permet.

3. Il garde l'église, préside à la porte, répond aux arrivants, conserve l'outillage commun, prend soin de la maison et de tout le mobilier de la communauté. Si quelque chose de tout cela vient à se perdre, il s'en déclarera coupable et fera sa coulpe prosterné à terre. Quiconque le remplace observe les mêmes prescriptions.

4. Les jours de fêtes, le cuisinier ou son remplaçant ne peut rien donner ou prêter aux gens qui viennent du village voisin ; mais il a l'ordre de leur répondre seulement de se retirer, afin qu'ils ne prennent pas l'habitude de causer du trouble et d'être importuns en ces jours-là.

47
Le boulanger

1. Le boulanger reçoit la provision annuelle de grain, le sèche, le garde, le remue à l'air, le moud, confectionne les pains et les cuit avec un aide qu'on lui donne ; puis il les remet au cuisinier dans la boulangerie.

48
Le cordonnier

1. Le cordonnier garde les cuirs et les taille ; il fabrique les souliers et les répare.

De preposito agriculturae .XLVIIII.

1. Qui preest agriculturae, grangiae, et boum, et cunctorum quae ad illam pertinent obedientiam, diligentiam habet.

De magistro pastorum .L.

1. Pastorum magister, cunctas illius obedientiae res et instrumenta custodit, et emendo et vendendo ad suum pertinentia ministerium, cum extraneis commercium facit. De
5 rebus aliis fabulandi cum eis licentiam non habet. Cui negocio vel verbis sociorum nisi quem advocaverit nullus se intermiscet.

2. Ipse vero iuramenta, mendacia, fraudes, et caetera quae talibus interesse solent negociis vitare precipitur mala, sempi-
10 ternamque animae suae salutem temporalibus anteferre rebus et commodis. Ipse etiam et socii eius, grangiam magna ex parte custodiunt. Domus in qua fiunt casei quam vocamus arcellam, ad eorum proprie curam pertinens, sicut aliqua de cellis servanda precipitur. Generaliter autem, in alterius
15 cellam nullus nisi iussus ingreditur.

Cum ad hiemandum foras exeunt, nichil vel accipere vel dare preceptum habent. A puero mercennario qui est cum eis, ad molendinum itur, panis coquitur, vinum emitur, ne ipsi quod periculosum est, ad villas in quantum vitari potest, ire
20 cogantur. Tercia feria et sabbato, ultra communem fratrum morem, vinum habent. Ea quoque die qua locum mutant, quia cibos sibi preparare non possunt, vinum accipiunt. Haec

XLIX. 1 XLVIIII : XLVIII *M* L *F* || 3 obedientiam pertinent *H* || diligentiam : curam *G*.

L. 1 magistro pastorum : pecorum magistro *F* || L : 49 *(sic) M* LI *F* || 2 et *om. a* || 3 et² : ac *Mbcdef* || 5 non habet licentiam *PMFH* || 6-7 intermisceat *abcB* || 8-9 mala quae talibus solent interesse negotiis vitare precipitur *M* || 9-11 sempiternamque – commodis *om. G* || 11 magnam *SMa* || 12 casei fiunt *FH* || 13 artellam *F* || proprie *om. G* || 15 nullus –

49
Le préposé à l'agriculture

1. Celui qui est chargé de l'agriculture a un soin attentif de la grange, des bœufs et de tout ce qui concerne cette obédience.

50
Le maître des bergers

1. Le maître des bergers garde tous les objets et outils de cette obédience et il fait commerce avec les étrangers dans les achats et les ventes concernant son service. Il n'a pas la permission de bavarder avec eux au sujet d'autres choses. Aucun de ses compagnons ne doit s'immiscer dans ses affaires et dans ses conversations, à moins d'y être appelé par lui.

2. Mais lui-même a l'ordre d'éviter les serments, les mensonges, les fraudes et les autres maux qui se mêlent d'ordinaire à des tractations de ce genre, et de faire passer le salut éternel de son âme avant les biens et les avantages temporels. Lui et ses compagnons ont aussi en grande partie la garde de la grange [1]. Il leur est prescrit de garder la maison dans laquelle se font les fromages et que nous appelons arcelle, dont le soin leur revient particulièrement, ainsi que quelques objets des cellules. Mais d'une façon générale, nul n'entre dans la cellule d'un autre sans en avoir reçu l'ordre.

Quand ils sortent pour hiverner au-dehors, ils ont ordre de ne rien recevoir ni donner. Le serviteur à gages qui est avec eux va au moulin, cuit le pain, achète le vin, afin qu'eux-mêmes ne soient pas obligés d'aller dans les villages, car il y a péril à le faire et cela doit être évité autant que possible. Le

50, 1. Une « grange » à cette époque désignait ce qui s'appelle aujourd'hui une ferme. Comme il y avait en Chartreuse plus d'élevage que d'agriculture, la grange dépendait surtout du maître des bergers ; pour une petite part, elle concernait le préposé à l'agriculture.

autem misericordia propter continuos labores, et multa quae ibi patiuntur incommoda eis impenditur.

Quo tempore vinum habeant .LI.

1. Caeteri enim fratres qui domi sunt, quinta tantum feria et in sollempnitatibus quae capitulum habent, semel in die vinum accipiunt. In natali tamen domini diebus quatuor, circumcisio-
5 ne, apparitione, purificatione, annunciatione si dominica die contigerit, paschae diebus quatuor, ascensione, pentecostes diebus tribus, sollempnitate sancti iohannis, apostolorum petri et pauli, assumptionis, dedicationis, nativitatis beatae mariae, sancti micahelis, omnium sanctorum, bis habent vinum.
10 **2.** Ascendentibus etiam propter aliquod festum in crastino celebrandum, si monachos in refectorio cenare contigerit, vinum datur. Hoc autem non evenit, nisi duo festa quibus in refectorio comeditur, sibi coheserint.

De ieiunio fratrum .LII.

1. Sexta semper feria, pane, et aqua, et sale, contenti sunt, exceptis sollempnitatibus. In adventu quoque et quinquagesima et ieiuniis quatuor temporum, quartam etiam feriam eadem
5 abstinentia faciunt. Vigiliis paschae, ascensionis, pentecostes,

ingreditur : nullus iussus ingreditur *D* nisi iussus ingreditur nullus *F* || 24 ibi *om. abc* || pro impenditur *iter.* incommoda *f.*

LI. 1 vinum habeant : fratres vinum habeant *A* vinum habeant fratres *DGVHB* vinum bibant *F* vinum habere debeant *abcd* vinum habere debeant fratres *ef* || LI : L *M* LII *F* || 4 natalis *M* || tamen *om. DR* || 7 sancti *om. F* || iohannis + baptiste *Fabc* || apostolorum : et apostolorum *G om. H* || 8 nativitatis beatae mariae, dedicationis *M* || 12 vinum datur : vinum eis datur *D om. H* || festa + capituli *abc* || 14 sibi coheserint : coheserint sibi *abc* coheserint *R.*

LII. 1 LII : LI *M* LIII *F* || 2 et[1] *om. abcdef* || 3 et + in *R* || 4 quarta ... feria *MFbcB* || eadem : eamdem *AFabcB om. M* || 5 abstinentia : abs-

mardi et le samedi, ils ont du vin, par exception à l'usage commun des frères. De même le jour où ils changent d'emplacement, comme ils ne peuvent se préparer pour eux-mêmes leurs aliments, ils reçoivent du vin. Cette miséricorde leur est faite à cause de leurs labeurs ininterrompus et des nombreuses incommodités dont ils souffrent dans cette obédience.

51
Temps où les frères ont du vin

1. Les autres frères, en effet, qui sont à la maison, reçoivent du vin une fois dans la journée, le jeudi seulement et les jours de fêtes de Chapitre. Ils en ont cependant deux fois, à Noël pendant quatre jours, à la Circoncision, l'Épiphanie, la Purification, l'Annonciation si celle-ci tombe un dimanche, à Pâques pendant quatre jours, à l'Ascension, à la Pentecôte pendant trois jours, à la solennité de Saint-Jean-Baptiste, à celle des Apôtres Pierre et Paul, à l'Assomption, à la Dédicace, à la Nativité de la Sainte Vierge, à Saint-Michel et à la Toussaint.

2. De même, quand les frères montent pour célébrer le lendemain une fête à la Maison-haute, on leur donne du vin s'il arrive que les moines mangent ce soir-là au réfectoire. Mais cela ne se produit que dans le cas où deux fêtes comportant le réfectoire se suivent immédiatement.

52
Les jeûnes des frères

1. Tous les vendredis, les frères se contentent de pain, d'eau et de sel, excepté si c'est un jour de solennité. En outre, pendant l'Avent, la Quinquagésime et les jeûnes des Quatre-Temps, ils passent aussi le mercredi dans la même abstinence. Ils vivent de même manière aux Vigiles de Pâques, l'Ascen-

sancti iohannis, petri et pauli, assumptionis, omnium sanctorum, natalis domini, similiter vivunt.

2. In vigiliis vero apostolorum, iacobi, bartholomei, mathei, simonis et iudae, andreae, sancti laurentii martyris, semel
10 quidem comedunt, sed pulmentum habent. Caeteris autem diebus ne nimio labore frangantur, bis comedunt, sed semel tantum pulmentum accipiunt.

3. Generaliter autem, communes huius domus cibi sale tantum condiuntur. Quinta feria et sollempnitatibus capituli,
15 ultra consuetum aliquid melioris escae suscipiunt. Paschae tamen et pentecostes feria quinta, et altera post festum innocentum die, si haec id est quinta feria ibi contigerit, vinum sine alia pitantia sumunt.

4. Herbas crudas, fructus aut radices cum adsunt, in cena
20 tantum, vel in prandio si semel comedunt, accipiunt. Pulmenti vel pitantiae quicquid uni prandio superfuerit, reddunt. Vinum datum non nisi in prandio vel cena bibunt.

5. Quicquid ex pitantiis remanet vel pulmentis, quod usui aptum sit coquinario redditur, ne quis forte non concessam
25 occulte faciat abstinentiam.

Quo tempore vescantur avenatio pane .LIII.

1. A kalendis novembris usque ad pascha, avenae vescuntur pane. In adventu tamen et quadragesima, per singulas ebdomadas singulas triticeas ex pitantia recipiunt tortas.

apostolorum F || 10 habent : accipiunt *G* || autem : vero *F* || 13 communes *om. H* || 14 tantum *om. c* || et + in *F* || 16 quinta feria *F* || 18 alia : aliqua *DR* || 21 uni : in *M* || 22 cena *om. f* || 25 occulte faciat abstinentiam : abstinentiam faciat et occulte *M* abstinentiam faciat occulte *abc* occulte abstinentiam faciat *def*.

LIII. 1 avenaceo *SV* avenatico *A* || LIII : LII *M* LIIII *F* || ad *om.* tinentiam *AMFabcdB* abstinentia servata *V* || vigiliis : in vigiliis *M* || *pentecostes om. DR* || 6 iohannis + baptiste *MFabc* || *ante* petri et pauli *add. H* || 3 vescuntur : pascuntur *F*.

sion, la Pentecôte, Saint-Jean-Baptiste, Saints-Pierre et Paul, l'Assomption, la Toussaint, Noël.

2. Ils ne mangent qu'une fois, mais ont un plat préparé pour les Vigiles des Apôtres Jacques, Barthélémy, Matthieu, Simon et Jude, André et saint Laurent martyr. Mais les autres jours, ils mangent deux fois pour ne pas être accablés sous leur rude labeur ; cependant ils ne reçoivent de mets apprêté qu'une fois dans la journée.

3. Or, d'une façon générale, les aliments ordinaires de cette maison ne sont assaisonnés que de sel. Les jeudis et les jours de fêtes de Chapitre, les frères reçoivent un plat un peu meilleur en plus de l'ordinaire habituel. Cependant le jeudi de Pâques et celui de Pentecôte, et le lendemain de la fête des saints Innocents si ce jour tombe un jeudi, ils prennent du vin sans autre pitance.

4. Ils reçoivent de la salade, des fruits ou des racines [1] – s'il y en a – pour le repas du soir seulement, ou pour le repas de midi si c'est jour d'unique réfection. Ils rendent tout ce qui reste des plats cuits ou des pitances après chaque repas. Ils ne boivent qu'au déjeuner et au souper le vin qui leur a été donné.

5. Tout ce qui reste des pitances ou des plats, qui soit utilisable, doit être rendu au cuisinier, afin que nul ne vienne à faire en cachette une abstinence sans permission.

53
A quelle époque ils mangent du pain d'avoine

1. Des calendes de novembre jusqu'à Pâques, ils mangent

52, 1. « Racines » : on entend ici par ce mot, semble-t-il, quelque chose qui se mange en salade, v.g. radis, et non en mets cuit, comme les raves, dont il sera question plus loin.

De minutione eorum .LIIII.

1. Quater in anno minuuntur. Circa kalendas maii, circa idus iulii, circa kalendas octobris, circa kalendas febroarii. Minutis, tribus diebus pitantia mane, vinum autem bis datur. 5 Duobus prioribus diebus tria si assunt ova, adduntur cenae.

2. Si sitierint post prandium, vinum bibunt. Non tamen in alterius cella. Hoc enim nequaquam conceditur, ut quilibet in cuiuslibet cella quicquam vel bibat vel comedat. A laboribus vacant, ad lectos redeunt. A post prandium usque ad vesperas 10 colloquium de bonis faciunt. Qui vero non minuitur, eandem quam minuti compellitur accipere refectionem.

De silentio ad prandium .LV.

1. Edentes, ubicumque sint silentium tenent. Quod licet et prius, tamen post exemplum reverentissimorum ac deo dilectorum cistellensium monachorum, quos et religione et numero in 5 brevi multum crevisse gaudemus, perfectius custodimus. Ipsorum enim laici sive monachi, non loquntur in prandio.

2. Nostri etiam in quacumque obedientia constituti, cum alterius obedientiae fratribus loqui non habent.

LIV. 1 de minutione eorum : de munitione eorum *B* deminutione *F* quotiens minuuntur *abcd*[ac]*ef* || LIIII : LIII *M* LV *F* || 4 minutis + autem *F* || mane pitantia *G* || 5 diebus *om. D* || assint *F* || 6 bibant *G* || 8 quicquam vel bibat : bibat quicquam *H* || 9 a *om. Mbcd* || ad² : post *a* || 9-10 a – bonis : a post prandium usque ad vesperas de bonis colloquium *F* a post prandium usque ad vesperas colloquium de bono *H* de bonis post prandium usque ad vesperas colloquium *e* || 11 recipere refectionem *Vbcdef* refectionem recipere *a*.

LV. 1 LV : 54 *M* LVI *F* || 2 tenent silentium *abc* || et *om. M* || 3 post : propter *M* || 3-4 dilectissimorum *DRe* || 4 cisterciensium *CMFabcB* || et¹ *om. abc* || 4-5 in brevi multum *om. e* || 6 enim *om. M* || 7 quacumque : qualibet *G* || 8 loqui + fas *M* || habent + licentiam S *manu recentiore*.

53, 1. Le pain d'avoine était le pain ordinaire des paysans de la région à

du pain d'avoine [1]. Mais pendant l'Avent et le Carême, ils reçoivent chaque semaine une tourte de pain de froment, par manière de pitance.

54
Les minutions des frères

1. Les frères sont saignés quatre fois par an : vers les calendes de mai, vers les ides [1] de juillet, vers les calendes d'octobre, vers les calendes de février. On donne à ceux qui ont été saignés une pitance le matin pendant trois jours, mais du vin deux fois. Les deux premiers jours, trois œufs, s'il y en a, sont ajoutés au repas du soir.

2. S'ils ont soif après le repas de midi, ils peuvent boire du vin, mais non point cependant dans la cellule d'un autre. Car il n'est jamais concédé à personne de boire ou de manger quoi que ce soit dans la cellule de qui que ce soit. Ils ne travaillent pas, et ils retournent au lit après Matines. Depuis après le repas jusqu'aux Vêpres, ils ont un colloque sur des sujets utiles. De plus, celui qui n'a pas été saigné est obligé de recevoir les mêmes réfections que ceux qui le furent.

55
Le silence pendant le repas

1. Les frères gardent le silence en mangeant, où qu'ils se trouvent. Nous le faisions déjà ; cependant nous préservons plus parfaitement encore cette observance après l'exemple des très révérends et très aimés de Dieu moines cisterciens, dont la croissance si rapide et si grande en ferveur et en nombre est

cette époque. Les frères, de recrutement local, y étaient accoutumés, mieux qu'au pain de froment.

54, 1. Ides : le 15 juillet.

Quid agendum sit in periculis .LVI.

1. Si alicubi vel morbi subitanei, vel ignis, vel alicuius talis periculi necessitas ingruerit, soluto silentio qui prius potent succurrit.

De vestitu fratrum, et utensilibus cellae .LVII.

1. Ad vestitum habent tunicas tres, caligarum paria tria, pedulium duo. Sotulares nocturnos et diurnos, pelliciam,
5 pelles, mantellum, capucium, mitaneas laneas unas, lumbaria duo, cingula duo. Sotulares eorum, de bovina pelle fiunt.
2. A kalendis novembris unam tunicam veterem reddunt, unamque novam accipiunt. Similiter par caligarum reddunt, et par caligarum parque pedulium sumunt. Pelles et pellicias
10 accipiunt veteres, eas videlicet quas reddunt monachi, cum novas accipiunt. Habent adhuc ad lectum paleam, filtrum, pulvinar, cotum.
3. A pascha usque ad festum sancti micahelis, a prima usque ad completorium nocturnis sotularibus non utuntur. In
15 superiori etiam dormitorio communes lectos, pellicias, sotularesque nocturnos habent. In omnibus huiusmodi aliud nichil curatur, nisi ut frigus arceatur, et nuditas tegatur. Nam et ligaturas sotularium et renum cingula, de cruda gerunt cannabae, lumbariaque ipsa cannabina sunt. Adeo non quid vanitas aut

LVI. 1 periculo *V* || LVI : LV *M* LVII *F* || 2 vel[1] : in *df* *om. bce* || tali *S* || 4 succurrint *V*.

LVII. 1 *abhinc usque ad finem capituli LX deest textus codicis D, folio uno deperdito* || fratrum *om. FH* || 2 et + de *a* || LVII : 56 *(sic) M* ; LVIII *F* || 3 tres tunicas *M* || 4 pelliciam *iter. f* || 5 mitanas *AB* || unas : duas *bc* || 6 duo : vero *R* | fiunt : sunt *S* || 7 a : in *M* || 9 parque : et par *H* || 10 monachi reddunt *abce* || 15 dormitorio etiam superiori *V* || pelliciasque *H* || 16 nichil aliud *F* || 19 ipsa *om. R* || adeo : ideo *CMabc* || non quid : numquid *P* || 20

une joie pour nous. Leurs convers ou leurs moines, en effet, ne parlent pas pendant les repas.

2. En outre nos frères, en quelque obédience qu'ils soient placés, n'ont pas la permission de parler avec les frères d'une autre obédience.

56
Que faire dans les périls

1. Si une nécessité survient quelque part de façon soudaine, maladie subite, incendie, ou un autre péril analogue, le premier qui le peut porte secours en rompant le silence.

57
Les vêtements des frères et les ustensiles de cellule

1. Pour le vêtement, les frères ont trois robes, trois paires de bas, deux paires de chaussons, des souliers de nuit et de jour, une pelisse, des peaux, un manteau, un capuce, une paire de mitaines de laine, deux lombars, deux ceintures. Leurs souliers sont faits de peau de bœuf.

2. Aux calendes de novembre, ils rendent une vieille robe, et ils en reçoivent une neuve. De même ils rendent une paire de bas, et reçoivent une paire de bas et une paire de chaussons. Pour les peaux et les pelisses, ils en reçoivent de vieilles, à savoir celles que rendent les moines quand on leur en donne de neuves. Ils ont aussi pour le lit de la paille, une grosse toile, un oreiller, une couverture.

3. De Pâques à la fête de saint Michel, ils ne peuvent se servir des souliers de nuit entre Prime et Complies. En outre, au dortoir de la Maison d'en-haut, ils ont des lits, des pelisses et des souliers de nuit communs. Dans toutes les questions de ce genre, on n'aura d'autre préoccupation que de se garantir

20 voluptas, sed quid sola necessitas aut utilitas postulet cogitatur.

4. Habent et scutellas duas ad cibos, ad panem unam mantilis loco, ad munditias unam grandiorem, iustam, sciphum, salariam, coclear et cutellum, vas aquarium. Ferra-
25 menta etiam, securim, fossorium, dolabrum, subulam, falciculam, acus duas, filum, forfices, terebrum.

Haec quicumque legerit ridere vel reprehendere non festinet, nisi prius vitam huiusmodi in tali solitudine et inter tanta diu duxerit frigora.

Quod loquendi cum extraneis licentiam non quaerunt .LVIII.

1. Colloquendi simul cum his qui domus huius non sunt licentiam non quaerunt, ne cum germano quidem.

5 **2.** Nichil omnino nisi cum licentia apud se tenent.

3. Accusati, sine mora prostrati veniam petunt, reprehensorem in eadem die non reprehendunt.

Quid fiat de re, alicui nostrum missa .LIX.

1. Si alicui nostrum sive laico sive monacho, ab aliquo vel amico vel propinquo vel vestis vel aliquid huiusmodi missum fuerit, non ei sed alii potius datur, ne quasi proprium habere
5 videatur.

quid : quod *B* || 23 mantilis loco : pro mantili *G* || 24 salaria *abc* || 25 etiam : et *bc* || fossorium *om. R* || 24-25 fasciculam *abc* || 28 diu *om. abcdefB* || 29 duxerit : vixerit *R*.

LVIII. 2 querant *GMd* || LVIII : LVII *M* LIX *F* || 3 simul *om. M* || 5 nisi – se : nisi licentia apud se *R* apud se nisi cum licentia *G* || 6 petunt : querunt *M*.

LIX. 1 fiet *bce* || re *om. F* || misso *F* || LIX : 58 *(sic) M* LX *F* || 3 proximo *S* || 4 alii potius : potius alii *F* alii *abc*.

du froid et de se couvrir. Ils portent en effet des lacets de souliers et des ceintures de chanvre brut, et les lombars eux-mêmes sont de chanvre. Tout est ainsi conçu pour qu'on ne recherche pas ce que demande la vanité ou la volupté, mais ce qu'exige la seule nécessité ou l'utilité.

4. Ils ont encore deux écuelles pour les aliments, une autre au lieu d'un linge pour le pain, une plus grande pour les lavages, un pot, une tasse, une salière, une cuiller et un couteau, un récipient pour l'eau. Et aussi des outils : une hache, une pioche, une herminette, une alène, une faucille, deux aiguilles, du fil, des ciseaux, une tarière.

Que celui qui lira ces lignes ne se hâte pas de rire ou de critiquer, avant d'avoir mené longtemps ce genre de vie dans une telle solitude et au milieu de si grands froids.

58
Les frères ne recherchent pas la permission de parler avec des étrangers

1. Les frères ne cherchent pas à obtenir la permission de parler avec des personnes qui ne sont pas de cette maison, fût-ce même avec leur propre frère.

2. Ils ne gardent absolument rien chez eux sans permission.

3. Réprimandés, ils se prosternent aussitôt et demandent pardon. Ils ne reprennent pas dans la même journée celui qui leur a fait un reproche.

59
Que faire d'un objet envoyé à l'un d'entre nous

1. Si un vêtement ou quelque autre cadeau de ce genre a été

Quid de re inventa faciendum sit .LX.

1. Si intra terminos nostros aliquid inventum fuerit, ei protinus cuius est, si adest, sin autem, procuratori redditur. Si autem extra terminos aliquid a nostris inventum fuerit fratri-
5 bus, aut suo domino statim si fieri potest redditur, aut ei per quem melius et fidelius reddi posse putatur, commendatur. Alias, intactum dimittitur.

2. Vestiti singulis tunicis et cincti iacent in cellis et dormitorio.

De braccis et parvulis pelliciis fratrum .LXI.

1. Pastores autem habent braccas cannabinas, quas tunc induunt, cum caseos faciunt. Aliter, lineis omnino non utimur vestibus, ne feminalibus quidem.

5 **2.** Concessimus adhuc pastoribus pellicias parvulas, quae duabus fere vervecinis pellibus possint fieri, quibus nisi cum hiematum foras exeunt non utuntur.

3. In mulgendo ubicumque sint, semper silentium tenent.

De fratre qui sagmarios curat .LXII.

1. Frater qui sagmarios curat, quando foras egreditur, in

LX. 1 de re inventa faciendum sit : de re inventa fiat *G* fiat de re inventa *F* || LX : LVIIII *M* LXI *F* || 3 cuius : cui *a* || 4 fratribus fuerit *V* || 5 suo domino : domino *V* domino suo *H* || 6 posse *om.* *G*|| commendatur : ostenditur *V* || 7 dimittatur *abc* || 8 singulis tunicis : singuli *G* || et² + in *G*.

LXI. 1 *abhinc resumitur textus codicis D* || braccis : pracis *d* || parvulis : parvis *RFbc* || fratrum *om. Habcdef* || LXI : LX *M* LXII *F* || 2 autem *om. SGPMFabc* || 3 cum : quando *abc* || *ante* aliter *add.* sed *d* || utuntur *AabcdefB* || 4 vestibus *om.* *F* || 7 hiematum : hiemali tempore *M* || exeunt foras *F*.

LXII. 1 sagmarios : saumarios *C* salmarios *M* saginarios *B* ||

envoyé à l'un d'entre nous, convers ou moine, par un ami ou un parent, on ne le donne pas à lui, mais plutôt à un autre, pour qu'il ne paraisse pas avoir quelque chose en propre.

60
Que faire d'un objet trouvé

1. Si quelque objet a été trouvé à l'intérieur de nos limites, on le rend aussitôt à son propriétaire s'il est présent ; sinon au procureur. Mais si un objet a été trouvé par nos frères hors des limites, ou bien on le rend aussitôt à son propriétaire si cela se peut, ou bien on le confie à une personne qui semble devoir rendre cet objet le mieux et avec le plus de fidélité. Autrement, on le laisse sans y toucher.

2. Soit dans leurs cellules, soit au dortoir, les frères couchent vêtus d'une robe et portant la ceinture.

61
Les blouses [1]
et les petites pelisses des frères

1. Les bergers ont des blouses de toile de chanvre, qu'ils revêtent quand ils fabriquent les fromages. Autrement, nous n'utilisons absolument aucun vêtement de toile, pas même des caleçons.

2. Nous avons aussi concédé aux bergers de petites pelisses qui peuvent être faites avec environ deux peaux de moutons ; ils n'en usent que lorsqu'ils vont au-dehors pour l'hivernage.

3. Durant la traite, où qu'ils soient, ils gardent toujours le silence.

61, 1. *Braccae :* blouses, tel est bien le sens de ce mot à cette époque et dans cette région.

culcitra non iacet, nichilque nisi hospitium quaerit, nisi vel prior vel procurator aliquid ei specialiter iniunxerit.

5 **2.** Nullius nostrum vel verba vel salutes ad aliquem exteriorem, nulliusque exterioris ad aliquem nostrum, nisi priore vel procuratore iubente, fert aut refert. Seculares rumores, ubi audit, ibi iubetur dimittere.

De orto .LXIII.

1. Ortus et quae ad eum pertinent, uni deputatur e fratribus, qui de omnibus ad procuratorem recurrit, eique de cunctis rationem reddit.

De custode pontis .LXIIII.

1. Pontis custos cum nullo prorsus nisi specialiter iussus, fabulandi licentiam habet. Nutibus tantum, vel si non intelligitur etiam verbis, eos qui non debent transire repellit. Id ipsum
5 servare iubetur, quicumque vices eius exsequitur.

2. Et omnino quicumque in quacumque obedienta cuiuslibet agit vices, nichil omnino in ea sine licentia mutare permittitur. In cellis quoque ipsis sive superius sive inferius, nichil nisi prius ostensum et iussum, mutari fierive sinitur, ne domus
10 laboriose factae curiositate deterantur vel destruantur.

LXII : LXXII *P* 61 *(sic) M* LXIII *F* || 2 salmarios *M* saginarios *B* || 4 vel : aut *G* || specialiter ei iniunxerit *M* ei iniunxerit specialiter *A* || 5 nullus *RVAFbc* || vel[1] *om. M* || 5-6 exteriorem : exteriorum *DR* || 6 nullius *M* || 6-7 iubente vel procuratore *DR* || 8 audiunt *M* || ibi *om. DR* || iubentur *M*.
LXIII. 1 LXIII : LXII *M* LXIIII *F* || 4 reddit rationem *DRG*.
LXIV. 1 LXIIII : LXIII *M* LXV *F* || 4 debent : habent *V* || 5 observare *G* || 6 et *om. C* || 7 vices agit *abc* || 8 sive inferius sive superius *G* || 10 deterantur : deteriorentur *GVMFbcefB* deteriorantur *Ad* detereantur *a* || vel : aut *abc*.

64, 1. Le gardien du pont remplissait la fonction de portier pour tout l'ensemble du « désert ».

62
Le frère qui a soin des bêtes de somme

1. Quand le frère qui a soin des animaux de bât sort au dehors, il ne couche pas sur un matelas et ne demande rien sauf le logement, à moins que le prieur ou le procureur ne lui ait donné des ordres spéciaux.

2. Il ne porte ou ne rapporte les paroles ou les salutations d'aucun d'entre nous à quelqu'un de l'extérieur, ni celles d'aucune personne du dehors à l'un de nous, sans un commandement du prieur ou du procureur. Il a ordre de laisser les nouvelles du siècle là où il les entend.

63
Le jardin

1. Le jardin, avec ce qui le concerne, est assigné à l'un des frères ; celui-ci a recours au procureur au sujet de tout, et il lui rend compte de tout.

64
Le gardien du pont

1. Le gardien du pont [1] n'a la permission de parler absolument avec personne sans un ordre spécial. Il repousse seulement par signes ceux qui ne doivent pas passer, ou même avec des paroles, s'il n'est pas compris. Quiconque le remplace a l'ordre d'observer les mêmes prescriptions.

2. Et d'une façon générale, quiconque remplace un autre, dans quelque obédience que ce soit, ne peut y changer absolument rien sans permission. En outre, dans les cellules elles-mêmes, soit en haut, soit en bas, on n'a l'autorisation de rien changer ni de rien établir sans l'avoir auparavant montré et sans en avoir reçu l'ordre, afin que des maisons construites à

De disciplinis fratrum .LXV.

1. In adventu et quinquagesima, per singulas ebdomadas singuli singulas accipiunt disciplinas.

2. Quod si domi non fuerint, septies pro disciplina pater
5 noster cum veniis dicunt.

De cinere .LXVI.

1. Cinerem qui adsunt in inferiori capella de manu procuratoris accipiunt. Qui non adsunt, ter pater noster cum veniis dicunt.

Quid faciant pro missa .LXVII.

1. Item ter pater noster a capite ieiunii usque ad pascha, post nonam prostrati pro missa solvunt.

De cena .LXVIII.

1. In cena domini qui inferius remanent veniunt post prandium ad coquinam, et ab eo qui prior est ordine, lavantur caeteris pedes, offerturque singulis vinum, et bibentes recedunt.

LXV. 1 disciplina *F* || LXV : LXIIII *M* LXVI *F* || 2 et + in *RM* || 3 singulas singuli *V* || 5 dicunt cum veniis *A* cum veniis dicant *M*.

LXVI. 1 LXVI : LXV *M* LXVII *F* || 3 sunt *M* || noster *om. H*.

LXVII. 1 quid – LXVII om. *F* || quid faciant : quid faciunt *A* *om. V* || LXVII : LXVI *M* || 2 noster *om. CH* || 3 solvunt : dicunt *M*.

LXVIII. 1 cena + domini *GAMFHdefB* || LXVIII : 67 *(sic)* *M* LXIX *F* || 3 est *om. a* || 4 caeteris pedes : pedes *G* pedes ceteris *abc* || offertur *G*.

grand labeur ne soient pas abîmées ou détruites par une recherche curieuse.

65
Les disciplines des frères

1. En Avent et en Carême, tous les frères reçoivent la discipline une fois chaque semaine.
2. S'ils ne sont pas à la maison, ils disent pour chaque discipline sept *Pater noster* avec des *veniams.*

66
Le Mercredi des Cendres

1. Ceux qui sont présents reçoivent des cendres de la main du procureur dans la chapelle de la Maison-inférieure. Les absents disent trois *Pater noster* avec des *veniams.*

67
Ce que les frères doivent faire pour la Messe

1. En outre les frères récitent prosternés après None trois *Pater noster* pour la Messe, du Mercredi des Cendres jusqu'à Pâques.

68
Le Jeudi-Saint

1. Le Jeudi-Saint, les frères qui sont restés à la Maison-inférieure se rendent à la cuisine après le repas et le plus ancien de profession fait aux autres le lavement des pieds ; on offre du vin à chacun ; ils le boivent et se retirent.

De parasceve .LXIX.

1. In crastino, hoc est in parasceve, qui ibidem hoc est inferius sunt, post nonam quae plus ea die quam caeteris differtur, veniunt ad ecclesiam, ibique pater noster semel pro
5 ecclesia, semel pro papa, pro episcopis et cunctis sacris ordinibus, pro imperatore, pro cathecuminis, pro cunctis afflictionibus et periculis, pro hereticis, pro iudeis, pro paganis, veniis exceptis iudeis ad singula subiunctis dicunt.

2. Deinde oblatam a quoquinario crucem venerabiliter
10 osculantur, dicentes intra se, Adoramus te christe et benedicimus tibi, quia per crucem tuam redemisti mundum. Qui hoc non scit, dicit semel pater noster.

Quomodo se habeant in sollempnitatibus .LXX.

1. Omni totius anni die quo capitulum tenetur, qui sursum non ascendunt, nisi prohibuerint obedientiae, cellas tenent, et spacium quod inter terciam et sextam est, orationi impendunt.

Quid faciant pro defuncto .LXXI.

1. Pro recenter defuncto, trecentas dominicas orationes debent, quarum medietatem cum veniis reddunt. Et in singulis anniversariis, novem cum totidem veniis.

LXIX. 1 LXIX : 68 *(sic) M* LXX *F* || 2 est[2] + qui *H* || 5 sacris *om. abc* || 6 pro[1] – periculis *om. G* || 7 paganis + et *M* || 9 crucem a coquinario *F* || 11 per + sanctam *CMdefB* || crucem + sanctam H || 12 non scit : nescit *V* || semel pater noster dicit *FH*.

LXX. 1 LXX : LXVIIII *M* LXXI *F* || 2 die + in *PM*.

LXXI. 1 faciunt *F* || pro + recenter *A* || defunctis *B* || LXXI : 70 *(sic) M* LXXII *F* || 2 trecentas + triginta *M* || orationes dominicas *CHbcdefB* || 3 et in : qui *C* et *M*.

69
Le Vendredi-Saint

1. Le lendemain, c'est-à-dire le Vendredi-Saint, ceux qui sont là, à la Maison-inférieure, se rendent à l'église après None, qui est retardée ce jour-là plus que les autres jours ; et là, ils disent le *Pater noster* une fois pour l'Église, une fois pour le Pape, puis pour les évêques et tous ceux qui sont dans les ordres sacrés, pour l'empereur, pour les cathécumènes, pour toutes les afflictions et les périls, pour les hérétiques, pour les Juifs, pour les païens, en ajoutant un *veniam* à chaque *Pater* excepté à celui qui est pour les Juifs.

2. Puis ils baisent avec vénération la croix qui leur est offerte par le cuisinier, en disant intérieurement : *Adoramus te Christe et benedicimus tibi, quia per crucem tuam redemisti mundum.* Celui qui ne sait pas cette formule dit une fois le *Pater noster.*

70
Comment les frères se comportent aux jours de solennités

1. A chaque fête de Chapitre au cours de l'année, ceux qui ne montent pas à la Maison-haute gardent la cellule, s'ils n'en sont pas empêchés par leurs obédiences, et donnent à l'oraison l'espace de temps entre Tierce et Sexte.

71
Ce qu'ils ont à faire pour un défunt

1. Pour un religieux qui vient de mourir, les frères doivent trois cents oraisons dominicales, dont ils acquittent la moitié avec des *veniams.* Et pour chaque anniversaire, neuf *Pater* avec autant de *veniams.*

De rasura fratrum .LXXII.

1. Quotiens monachi, totiens raduntur et laici. Sed laici, insuper etiam capita lavant. Omnia autem obsequia quamlibet privata, quae sibi ipsis singuli non occurrunt aut possunt facere, ab aliis humiliter devoteque complentur, ita ut felicem se putet, cui tale quicquam fuerit imperatum.

2. Obviantes etiam sibi invicem, amica alacritate et humili supplicatione mutuo locum dantes servato pertranseunt silentio. In quo minores, idest qui posterius venerunt, satagunt praevenire maiores.

De novicio suscipiendo .LXXIII.

1. Laicis ad conversionem suscipiendis, id ipsum pene fit, quod et clericis. Nam similiter dura proponuntur eis et aspera.

2. Iubentur etiam adversum se habentibus aliquid reconciliari. Et in quanta priori placuerit non minus tamen quam annua admittuntur probatione, et ad eorum inter quos conversati sunt laicorum scilicet suscipiuntur testimonium, sicut clerici ad testimonium monachorum.

3. Ea autem die qua eorum professionem facturus est aliquis, ad capitulum perducitur monachorum. Ubi de stabilitate et obedientia caeterisque necessariis audiens, cum immobilis imperterritusque permanserit, rogat aliquem ore proprio, ut suam sibi scribat professionem. In cuius fine, ipsemet manu propria signum crucis depingit. Quam etiam manu gestans,

LXXII. 1 LXXII : LXXI *M* LXXIII *F* || 2 et laici raduntur *bc* || 2-3 laici insuper etiam : laici insuper et *DR* et laici etiam insuper *V* insuper laici etiam *abc* || 4 possunt + non *F* || 7 etiam *om. abc* || humili *om. F* || 8 transeunt *PM* || 9 minores : iuniores *CVabcefB*.

LXXIII. 1 LXXIII : LXXII *M* LXXIIII *F* || 3 et[1] *om. M* || eis proponuntur dura M || 4 etiam *om. M* || 5 et in : qui *C* || quantum *M* || placuerit priori *A* || tamen minus *M* || 7 scilicet *om. VH* || 8 monachorum testimonium *H* || 9-10 ea – monachorum *om. R* || 11 ceteris *D* || 13 profes-

72
La rasure des frères

1. Les convers sont rasés toutes les fois que le sont les moines. Mais les convers se lavent aussi la tête. Tous les services, même les plus privés, que l'un d'eux n'a pas la possibilité ou la force de se rendre à soi-même, sont accomplis par d'autres avec humilité et dévouement, de sorte que celui-là s'estime heureux, à qui on aura commandé une telle action.

2. De plus, quand les frères se rencontrent, ils se cèdent mutuellement le pas avec une joie amicale et une humble inclination de tête [1], et ils passent outre, en gardant le silence. Dans cette action, les plus jeunes, c'est-à-dire les derniers venus dans la communauté, s'efforcent de prévenir les plus anciens.

73
La réception d'un novice

1. Pour recevoir les laïcs à leur entrée, on agit presque de la même manière que pour les clercs. On met aussi en effet devant leurs yeux ce qu'il y a de pénible et d'austère.

2. On leur donne également l'ordre de se réconcilier avec ceux qui ont quelque grief contre eux [1]. Puis ils sont admis à une probation dont la durée est au gré du prieur, mais ne peut être cependant de moins d'une année, et ils sont reçus à la profession d'après le témoignage de ceux parmi lesquels ils vivent, à savoir les convers, comme les clercs selon le témoignage des moines.

3. Or le jour où l'un d'eux doit faire profession, il est conduit au chapitre des moines. Il y entend une exhortation sur la stabilité, l'obéissance et les autres qualités nécessaires ;

72, 1. I Pierre 5, 5.
73, 1. Matth. 5, 23-24.

15 post evangelium et offerendam ad cornu dextrum appropinquat altaris, eamque sicut est in eius dextera, dyaconus cunctis audientibus legit, ita dicens.

Professio laici .LXXIIII.

1. Ego frater ille promitto obedientiam et conversionem morum meorum, et perseverantiam omnibus diebus vitae meae in hac heremo, coram deo et sanctis eius et reliquiis istius
5 heremi, quae constructa est ad honorem dei et beatae semper virginis mariae, et sancti iohannis baptistae, pro timore domini nostri ihesu christi, et remedio animae meae, in presentia domni illius prioris. Quod si aliquo tempore unquam hinc aufugere vel abire temptavero, liceat servis dei qui hic fuerint,
10 me plena sui iuris auctoritate requirere, et coacte ac violenter in suum servicium revocare †.

2. Post haec, hanc ipsam cartulam offert super altare, et osculato altari, incurvatur ad pedes sacerdotis, tali obsecratione benedicendus, Salvum fac, mitte ei, esto ei, dominus vobis-
15 cum, oremus, domine ihesu christe qui es via. Require superius.

sionem sibi scribat suam *F* sibi professionem suam scribat *H* || 15-16 ad – altaris : ad cornu dextrum altaris propinquat *F* ad dextrum cornu altaris appropinquat *abc*.

LXXIV. 1 professio laici : *om. R* professio novitii laici *M* professio laicorum *c* || LXXIIII : *om. R* 73 *(sic) M* LXXV *F* || 2 ille : talis *M* || 5 et *eras. d* *om. abce* || 5-6 mariae semper virginis *abc* || 6 et sancti : sanctique *G* || timore : amore *M* || 7 nostri *om. C* || 8 illius : talis *M* || 9 aufugere : aut fugere *GC* || dei : domini *SA* || hinc *P* || 10 suis *P* || requirere *om. D* || ac : aut *CHef* || 11 *signum* + *om. abcdefB* || 13 tali : sub tali *G* || 15 via *om. G* || 15-16 require superius : quere superius *G* require superius cap° XXV° *V* *om. RM.*

---

2. Tob. 2, 14 et Col. 1, 23.

74, 1. Cette clause, qui nous surprend et nous heurte aujourd'hui, était en

s'il demeure inébranlable [2] et sans crainte, il demande de sa propre bouche à quelqu'un d'écrire sa profession pour lui. A la fin de celle-ci, il dessine lui-même le signe de la croix de sa propre main. Puis, portant en main cette formule, il approche du coin droit de l'autel après l'évangile et l'offertoire, et le diacre lit la profession telle qu'elle se trouve dans la main du convers, tandis que tous écoutent, disant comme suit :

74
La profession d'un convers

1. « Moi, Frère N..., je promets l'obéissance et la conversion de mes mœurs, et la persévérance tous les jours de ma vie dans ce désert, devant Dieu et ses saints, et les reliques de cet ermitage qui est construit à l'honneur de Dieu et de la Bienheureuse Marie toujours Vierge et de saint Jean-Baptiste, pour honorer Notre Seigneur Jésus-Christ et pour le salut de mon âme, en présence de Dom N..., prieur. Et si jamais je tente un jour de m'enfuir ou de partir d'ici, il sera permis aux serviteurs de Dieu présents dans cette maison de me rechercher avec la pleine autorité de leur droit, et de me rappeler de force et avec rigueur à leur service [1] †. »

2. Après cela, le convers offre la cédule elle-même de sa profession sur l'autel, et après avoir baisé celui-ci, il s'incline aux pieds du prêtre, pour recevoir la bénédiction donnée par les prières suivantes : *Salvum fac, Mitte ei, Esto ei, Dominus vobiscum, Oremus, Domine Iesu Christe qui es via.* Voir plus haut.

fait une sauvegarde : elle avait pour effet de soustraire les intéressés à toute juridiction civile pour les faire relever seulement de la juridiction ecclésiastique, plus clémente. Comme dans cette nouvelle forme de vie religieuse – les convers – les religieux demeuraient laïcs et étaient spécifiés comme tels – les frères lais –, une telle mesure résolvait à leur avantage le doute éventuel de leur appartenance de droit à l'état religieux. C'était en même temps une manifestation de foi profonde dans les grâces de la profession.

Quomodo se habeat frater, postquam susceptus est .LXXV.

1. Ab hoc tempore noverit se nichil omnino, ne baculum quidem quo per viam gradiens innititur, sine prioris habere
5 licentia. Quippe, cum nec ipsemet suus sit. Erga quem, idipsum quod superius de monacho diximus, servabitur, ut scilicet pro eo nichil minus fiat, si intra examinationis tempus acceptabiliter agens, mortuus fuerit, quam si professus esset.

De hospitio fratrum, qui foras mittuntur .LXXVI.

1. Cum aliqui foras mittuntur, in vicinis montanis, idest a cornelione superius, et a bocorione et ab intermontes et a
5 scalis, nec escam a quoquam, nec hospicium accipiunt, nisi aut specialiter iussi, aut aliqua inevitabili et inopinata necessitate coacti.

De fugitivis sive expulsis .LXXVII.

1. Si quis habitatorum loci huius vel aufugerit vel pulsus fuerit, et ductus paenitentia redierit, promittens suarum emen-

LXXV. 1 frater *om. abc* || 2 LXXV : LXXIIII *RM* LXXVI *F* || 3 novit *DR* || omnino + habere *bc* || 4-5 licentia habere *VM* licentia *abc* || 5 ipsemet nec *M* || 6 monachis *abce* || 7 pro – fiat : nichil minus pro eo fiat *PVF* pro eo nichil minus fiet *M* || infra *abc*.

LXXVI. 2 qui foras mittuntur *om. M* || LXXVI : LXXV *RM* LXXVII *F* || 3 aliquis *M* || mittitur *M* || 3-5 a – scalis : ad cornelionem superius et abocorionem et ab intermontes et a scalis *P* a cornelione superius et abocoirone et ab intermontes et a scalis *B* a balneolis et infra et ad burgum sancti andeoli et infra et ad sanctum saturninum et infra *V* || 5 nec[2] + ipsi *F* || suscipiunt *RVH* accipit *M* || 6 aut[1] *om. V* || iussus *M* || inevitabili + causa *R* || 7 coactus *M*.

LXXVII. 1 *huic titulo add. in mg* lege *P* hic resumatur lectura pro

75
Comment se comporte le frère après sa réception

1. A partir de ce moment, le frère doit savoir qu'il ne peut absolument rien avoir sans la permission du prieur, pas même le bâton sur lequel il s'appuie pour marcher sur le chemin, puisque lui-même ne s'appartient plus. S'il vient à mourir en menant une vie bonne pendant le temps de sa probation, on observera à son égard ce que nous avons dit plus haut à propos du moine, c'est-à-dire : rien de moins ne sera fait pour lui que s'il était profès.

76
L'hospitalité des frères qui sont envoyés au-dehors

1. Lorsque l'un ou l'autre est envoyé au dehors, il ne peut recevoir ni nourriture ni hospitalité de qui que ce soit dans les montagnes voisines, c'est-à-dire à l'intérieur des limites jalonnées par le Mont-Cornillon, le Bouquéron, Entremont et Les Échelles, à moins d'en avoir spécialement reçu l'ordre ou d'y être contraint par une nécessité inévitable et imprévue.

77
Les fugitifs ou les expulsés

1. Si un habitant de ce lieu s'est enfui ou a été chassé, et s'il revient poussé par le repentir, promettant de corriger ses perversités et spécialement le vice pour lequel il s'était enfui ou avait été expulsé, le prieur traitera son cas avec le conseil de la communauté et il agira à l'égard du coupable selon la décision que paraîtra demander le nombre des frères, le bien de la maison ou même le salut de l'âme de l'intéressé. Si l'avis de le

dationem perversitatum, et eius proprie vicii propter quod pulsus fuerat vel aufugerat, tractabit prior causam eius communi consilio, et sicut vel fratrum numerus, vel domus utilitas, vel etiam salus ipsius postulare videbitur, faciet ei. Et si consilium recipiendi placuerit, ad probationem humilitatis in ultimo constituetur loco. Sin autem, dabitur ei licentia, ad aliquam aliam religiosam eundi domum, in qua suam possit animam salvam facere.

De numero habitatorum .LXXVIII.

1. Numerus habitatorum huius heremi, monachorum quidem tredecim est. Non quod semper tot simus, nunc enim non sumus tot, sed quod tot si deus eos miserit suscipere instituimus. Sed et si talis aliquis unus, cuius utilitas et honestas videatur vix posse recuperari, misericordiam postulaverit, addetur et quartusdecimus, si tamen facultas domus tolerare posse putabitur.

2. Laicorum autem numerus quos conversos vocamus, sedecim statutus est. Nunc vero plures sunt. Nonnulli namque eorum senes ac debiles erant, et laborare non poterant, et ob id alios sumus coacti suscipere. Unde pro his qui nunc fragiles sunt, cum obierint, alios non accipiemus.

Quare tam parvus sit numerus .LXXIX.

1. Hanc autem numeri paucitatem eadem consideratione

monachis usque ad capitulum LXXX inclusive *def* (*cf. apparatum ad titulum capituli XLII*) || sive : et *bcdef* || LXXVII : LXXVI *R* 76 *(sic) M* LXXVIII *F* || 2 huius : illius *abc* || aufugerit : aut fugerit *Cdf* || 2-3 vel puslus fuerit : vel expulsus fuerit *Mabcef* *om.* F || 3 redibit *a* || suarum *om. G* || 5 expulsus *MFbc* || aufugerat : aut fugerat *CdefB* || 9-11 sin – facere *om. c* || 9 ei *om. PM* || 10 domum eundi *V* || possit suam *V* || 11 salvam facere : salvare *PM*.

recevoir a été favorable, on le placera au dernier rang pour éprouver son humilité. Mais sinon, la permission lui sera donnée d'aller dans une autre maison religieuse, où il puisse faire le salut de son âme.

78
Le nombre des habitants

1. Le nombre des habitants de cet ermitage est fixé de façon précise à treize pour les moines. Non point que nous soyons toujours autant – car maintenant nous n'atteignons pas ce nombre –, mais parce que nous avons institué d'en recevoir autant, si Dieu les envoie. Mais si quelqu'un demande à entrer, d'une utilité et d'une vertu telles qu'elles paraissent à peine pouvoir se retrouver, on ajoute ce quatorzième, si toutefois les ressources de la maison semblent le permettre.

2. Quant au nombre des laïcs, que nous appelons convers, il est statutairement de seize. Cependant, ils sont davantage pour l'instant. Quelques-uns d'entre eux, en effet, étaient vieux et débiles, et ils ne pouvaient plus travailler, ce qui nous a obligés à en recevoir d'autres. Par suite, quand ceux qui sont maintenant faibles viendront à mourir, nous n'en accepterons pas d'autres.

79
Pourquoi ce nombre est-il si petit ?

1. Or nous avons choisi ce petit nombre pour le même motif

LXXVIII. 1 LXXVIII : LXXVII *R* 77 *(sic) M* LXXIX *F* || 2 habitatorum *om. DR* || 4 eos *om. DR* || 4-5 suscipere instituimus : sustinuimus suscipere *V* || 5 utilitas : humilitas *R* || 7 et *om. M* || domus + tantum *G* || 10 vero *om. R* || 12 coacti sumus *GH* || inde *C* || 13 suscipiemus *G* recipiemus *V* acciperemus *e.*

LXXIX. 1 sit *om. C* || LXXIX : LXXVIII *R* 78 *(sic) M* LXXX *F*

delegimus, qua nec hospitum equitaturas procuramus, nec domum elemosinariam habemus, videlicet ne ad maiores
5 quam locus iste patitur expensas coacti, querere et vagari quod horremus incipiamus.

2. Quod si posteri nostri hunc ipsum tam parvum numerum aliquibus occasionibus quas ignoramus hoc in loco sine quaerendi et vagandi odibilibus officiis procurare nequiverint, si
10 nostris voluerint adquiescere consiliis, ad eam redibunt quantitatem, quam sine predictis possint portare periculis. Nos enim qui in presentiarum hic degimus, quamvis pauci simus, multo pauciores esse mallemus, quam ad illa mala servato vel multiplicato numero pervenire.

15 **3.** Attendentes igitur, non munera quae mittuntur, neque enim propter incerta beneficia onera certa quae nec portari nec deponi sine grandi possint periculo subeunda nobis videntur, non ergo munera considerantes, sed quid haec ipsa in qua sumus heremus sive ex agricultura sive ex pecorum nutrimento
20 reddere possit, putamus praefatum numerum hominum hic vivere posse, si tamen humilitatis, paupertatis, sobrietatis in victu et vestitu et caeteris ad usum pertinentibus rebus, idem quod huc usque fuit studium perseveret, et si postremo mundi contemptus et dei amor propter quem ferri et fieri omnia
25 debent, profectum in dies accipiat.

De commendatione solitariae vitae .LXXX.

1. Habetis dilectissimi sicut petistis consuetudines

|| 2 autem *om. G* || eadem *iter. H* || 3 qua : quia *D* || 5 iste locus *P* || 5-6 quod horremus : quod abhorremus *a om. G* || 7 nostri posteri *C* || 9 nequeverint *M* || 10 voluerint adquiescere : velint adquiescere *M* acquiescere voluerint *F* || 11 portare possint *abc* || 12 sumus *abc* || 13 male *M* || 13-14 numero vel multiplicato *M* || 15 non *om. V* || 16 enim *om. abc* || 17 sine grandi possunt *DGF* possunt sine grandi *R* || 18 haec : ex *DR* || ipsa *om. G* || 19 heremo *V* || ex... ex *om. G* || 20 possint *abc* || numerum *om. D* || 23 perseveraret *a* || 25 accipiant *bce.*

qui nous a conduits à ne pas assurer le soin des montures de nos hôtes et à ne pas avoir de maison pour la distribution des aumônes : à savoir pour que des dépenses excédant les ressources de ce lieu ne nous contraignent pas à commencer à quêter et à vagabonder, ce que nous avons en horreur.

2. Et dans le cas où ceux qui viendront après nous, en raison de circonstances que nous ignorons, ne pourraient plus assurer en ce lieu le nécessaire pour ce nombre de religieux pourtant si petit sans les charges odieuses de la quête et des sorties, s'ils veulent acquiescer à nos conseils, ils réduiront ce nombre à un chiffre tel, qu'ils puissent en soutenir le poids sans les périls susdits. Car nous qui demeurons maintenant ici, bien que nous soyons peu, nous aimerions mieux être beaucoup moins nombreux que d'en venir à de tels maux en gardant ou augmentant notre nombre.

3. Nous ne prenons donc pas en considération les dons qui nous sont envoyés ; car il ne nous semble pas devoir assumer pour des bénéfices incertains des charges certaines dont nous ne pourrions ni nous acquitter ni nous dégager sans grand péril. Considérant ainsi, non point les dons, mais ce que le désert même où nous habitons peut rapporter par l'agriculture ou l'élevage des troupeaux, nous estimons pouvoir vivre ici le nombre d'hommes susdit, pourvu toutefois que persiste la même application qui a existé jusqu'à présent pour l'humilité, la pauvreté, la sobriété dans le vivre, le vêtement et les autres objets à notre usage, pourvu enfin que progressent de jour en jour le détachement du monde et l'amour de Dieu pour lequel nous devons tout faire et tout supporter.

80
Éloge de la vie solitaire

1. Mes biens-aimés, vous avez ici nos coutumes telles

LXXX. 1 vitae solitariae *F* || LXXX : LXXIX *RM* LXXXI *F* || 2

qualescumque nostras quoquomodo descriptas, in quibus multa vilia sunt et minuta, quae scribi forsitan non oportuerat, nisi quia vestra dilectio compellebat, nichil iudicare, sed cuncta potius parata complecti.

2. Non tamen ita omnia, ut nichil omnino remanserit, putamus nos hoc scripto potuisse concludere. Sed facile si quid effugit, collocutione presenti poterit indicari.

3. De commendatione autem huius vitae, solitariae scilicet, pene tacuimus : a multis sanctis et sapientibus et tantae auctoritatis ut eorum vestigia non simus calcare digni, copiose commendatam scientes, et vobis quod aeque aut melius nostis ostendere superfluum iudicantes.

4. Nostis enim in veteri et in novo maxime testamento, omnia pene maiora et subtiliora secreta, non in turbis tumultuosis, sed cum soli essent dei famulis revelata, ipsosque dei famulos, cum vel subtilius aliquid meditari, vel liberius orare, vel a terrenis per mentis excessum alienari cuperent, fere semper multitudinis impedimenta vitasse, et solitudinis captasse commoditates.

5. Hinc est, ut aliquid inde tangamus, quod in agrum ad meditandum ysaac solus egreditur, quod ei non casuale sed consuetudinarium fuisse credendum est, quod iacob premissis omnibus solus remanet, facie ad faciem deum videt, benedictione simul et nominis in melius mutatione felix efficitur, plus

consuetudines sicut petistis *M* || 3 quoquomodo : quomodolibet *bc* || 4 vilia multa *G* || 6 parati *PM* || 7 non : nam *V* || 8 si quid : quicquid *V* || 9 poterit *om. A* || iudicari *D* || 10 huius – scilicet : vitae huius solitare scilicet *G* huius solitariae vitae scilicet *F* huius scilicet solitariae vitae *H* || 11 et sapientibus sanctis *df* || 11-12 auctoritatis + viris *F* || 12-13 commendatam copiose *abc* || 13 nobis *Sa* || quo *V* || aut : et *e* || 14 iudicantes superfluum *V* || 15 in^2 *om. abc* || maxime testamento : testamento maxime *R* maxime testamento etc. et prosequere prout de verbo ad verbum habentur in 2ª parte antiquorum consuetudinum cap. XXVII usque ibi non autem vobis *H qui omittit sequentia usque ad dicta verba, i.e. ad § 12, 1.82* || 17 famulis dei *abc* || 22 est *om. M* || ut : *abhinc deest textus codicis V mutili* || 26 muta-

qu'elles sont, et décrites comme nous l'avons pu, selon votre demande ; il s'en trouve beaucoup qui sont petites et de peu d'importance ; peut-être n'était-il pas opportun de les écrire, si votre affection, prête à ne rien juger, mais plutôt à tout embrasser, ne nous en avait fait une obligation.

2. Nous ne pensons pas cependant avoir pu tout renfermer dans cet écrit, au point qu'il ne resterait absolument rien à traiter. Mais si quelque détail nous a échappé, cela pourra facilement être indiqué dans un entretien personnel.

3. Cependant, de l'éloge de cette vie solitaire, nous n'avons presque rien dit, sachant la profusion de louanges que lui ont décernées beaucoup de saints et de sages, hommes d'une telle autorité que nous ne sommes pas dignes de marcher sur leurs traces ; et nous estimons superflu de vous exposer ce que vous connaissez aussi bien ou mieux que nous.

4. Vous le savez en effet, dans l'Ancien et surtout dans le Nouveau Testament, presque tous les secrets les plus sublimes et les plus profonds ont été révélés aux serviteurs de Dieu, non point dans le tumulte des foules, mais quand ils se trouvaient seuls. Et eux-mêmes, lorsqu'ils désiraient méditer plus profondément sur quelque vérité, prier avec plus de liberté, ou devenir étrangers aux intérêts de la terre par un ravissement de l'esprit, ces familiers de Dieu ont presque toujours évité les embarras de la multitude et recherché les avantages de la solitude.

5. Ainsi, pour effleurer ce sujet en quelques mots, Isaac s'en va seul aux champs pour méditer [1] : il y a lieu de croire que ce n'était pas chez lui hasard, mais coutume. Jacob envoie en avant tout son monde pour demeurer seul : il voit Dieu face à face ; il reçoit l'heureux partage d'une bénédiction et du changement de son nom en un meilleur [2], obtenant plus en un seul moment de solitude que durant toute une vie parmi les hommes.

80, 1. Gen. 24, 63. 2. Gen. 32, 23-30.

assecutus uno momento solus, quam toto vitae tempore comitatus.

6. Moyses quoque, helias atque heliseus, solitudinem testis
30 est scriptura quantum diligant, quantumve per eam in divinorum secretorum revelationibus crescant. Quoque modo et inter homines periclitentur assidue, et a deo cum soli sunt visitentur.

7. Sed et iheremias quod et superius commemoravimus solus sedet, quia dei comminatione repletus est. Poscens etiam
35 dari aquam capiti suo, et oculis suis fontem lacrimarum, ut lugeat interfectos populi sui, locum quoque ubi se tam sancto possit in opere liberius exercere postulat dicens, quis dabit mihi diversorium viatorum in solitudine, tanquam hoc eum in civitate facere non vacaret, hoc modo indicans, quam impe-
40 diant socii gratiam lacrimarum. Qui etiam cum dixisset, bonum est prestolari cum silentio salutare dei, cui negocio maximum prestat solitudo suffragium, addidissetque bonum est viro cum portaverit iugum ab adolescentia sua, ubi nos plurimum consolatur, qui propositum istud pene omnes a
45 iuventute subivimus, adiecit et ait, sedebit solitarius et tacebit, quia levabit se supra se, omnia pene quae in hac nostra institutione sunt optima, quiete et solitudine, silentio et superiorum appetitione significans.

8. Quae studia, suos alumnos quales efficiant : postea mani-
50 festat dicens, Dabit percutienti se maxillam, saturabitur opprobriis. Quorum, in altero patientia summa, in altero perfecta refulget humilitas.

9. Iohannes quoque baptista quo inter natos mulierum iuxta salvatoris praeconium maior nemo surrexit, quid solitudo

tione in melius *M* || 29 quoque + et *abc* || 30 in *om. B* || 31 et *om. M* || 32 periclitantur *abcd* || assidue : cotidie *F* || sint *e* || visitantur *bc* || 33 quod – commemoravimus *om. M* || 34 dei *om. R* || 35 dare aquam *A* aquam dari *bc* || 37 liberius exercere : exercere liberius *R* exercere *GM* || 38 mihi + in *d* || 38-39 hoc – civitate : eum hoc in civitate *R* ei hoc in civitate *G* hoc in civitate eum *abc* || 39 quam : quantum *abcdef* || 40 qui : et *C* || 41 prestolare *D* || 42 suffragium solitudo *M* || 43 iugum + domini *FB* || 46 hac *om. M* || 46-47 institutione nostra *RP* || 49 postea : post *abc* || 54 nemo maior *F* ||

6. L'Écriture atteste encore à quel point Moïse [3], Élie [4], et Élisée [5] aiment la solitude, et combien grâce à elle ils entrent plus avant dans la découverte des secrets divins ; comment aussi parmi les hommes ils connaissent de continuels périls, tandis que, seuls, ils reçoivent la visite de Dieu.

7. Voici encore Jérémie : pénétré des menaces de Dieu, il s'assied solitaire [6], comme nous l'avons rappelé plus haut. Quand il réclame de l'eau pour sa tête et pour ses yeux une source de larmes, afin de pleurer les tués de son peuple [7], il demande aussi un lieu où il puisse s'employer avec plus de liberté à une œuvre si sainte : « Qui me donnera, dit-il, un abri de voyageurs dans la solitude [8] », comme s'il ne lui était pas possible d'accomplir la même œuvre dans la cité, indiquant ainsi combien la présence de compagnons fait obstacle à la grâce des larmes. C'est lui encore qui déclarait : « Il est bon d'attendre en silence le salut de Dieu [9] » ; et cette occupation reçoit de la solitude une aide éminente. Il ajoutait : « Il est bon pour un homme d'avoir porté le joug dès son adolescence [10] » : parole où nous trouvons grand réconfort, nous qui avons presque tous embrassé cette vocation depuis notre jeunesse. Il ajoutait encore ces mots : « Le solitaire restera assis et gardera le silence, et il s'élèvera au-dessus de soi [11] », exprimant par là presque tout ce qu'il y a de meilleur dans notre vie : le repos et la solitude, le silence et le désir ardent des biens célestes [12].

8. Le prophète montre ensuite quelle transformation s'opère dans ceux qui s'appliquent en l'école de ces observances, car il ajoute : « A qui le frappe, il tendra la joue, et il sera rassasié d'opprobres [13] » : là resplendit le sommet de la patience, et ici, une parfaite humilité.

9. Jean-Baptiste – dont le Sauveur fit cet éloge : « Parmi les

3. Ex. 24, 18. 4. III Rois 19, 9-14.
5. IV Rois 2, 10-15. 6. Jér. 15, 17.
7. Jér. 9, 1. 8. Jér. 9, 2. 9. Lam. 3, 26.
10. Lam. 3, 27. 11. Lam. 3, 28.
12. Hébr. 11, 16 et Col. 3, 2. 13. Lam. 3, 30.

55 securitatis, quidve utilitatis afferat, evidenter ostendit. Qui nec divinis oraculis quibus predictum fuerat, quod ab utero spiritu sancto repletus, in spiritu et virtute helye christum foret dominum preventurus, nec mirabili nativitate nec parentum sanctitate securus, frequentiam hominum fugiens tanquam periculo-
60 sam, deserta solitudinis tanquam tuta delegit, tamdiu pericula mortemque nesciens, quamdiu heremum solus incoluit. Ubi quid virtutis lucratus quidve sit meriti, christi baptismus et pro iusticia mors suscepta monstravit. Talis est enim factus in solitudine, ut dignus esset lavantem omnia christum solus lavare,
65 et pro veritate nec carcerem nec mortem declinare.

10. Ihesus ipse deus et dominus, cuius virtus nec secreto iuvari, nec publico poterat impediri, ut suo tamen nobis consuleret exemplo, priusquam predicaret vel signa faceret, temptationibus atque ieiuniis quasi probatus est in solitudine. De quo
70 scriptura refert, quod relictis turbis discipulorum, in montem solus ascenderet orare. Qui et imminentis iam tempore passionis, apostolos relinquit solus exoraturus, isto vel maxime insinuans exemplo, quantum solitudo prosit orationi, quando comitibus licet apostolis, non vult mixtus orare.

75 **11.** Iam vos ipsi sancti ac venerabiles patres, paulus, antonius, hylarion, benedictus, et caeteri nobis innumerabiles, quantum in solitudine mente profecerint per vos considerate, et probabitis suavitates psalmodiarum, studia lectionum, fervores orationum, subtilitates meditationum, excessus
80 contemplationum, baptisma lacrimarum, nulla re magis quam solitudine posse iuvari.

57 virtute *om. f* || 61 ubi : ibi *C* || 63 enim est *G* || 64 lavare : baptizare *M* || 66 ipse : christus *Fbc* || dominus et deus *G* || 67 iuvari : vitari *S* || 68 vel signa faceret *om. M* || 71 ascenderet solus R solus ascenderit *F* solus ascenderat *e* || qui : sed *C* || et : etiam *M* || 72 solus oraturus *R* exoraturus solus *a* || 75 ac : et *F* || paulus + et *M* || 75-76 antoninus *S* || 77 mente *om. DR* || per *om. A* || 79 subtilites *C* || 82 haec — diximus : haec pauca

14. Matth. 11, 11. 15. Luc 1, 13-17.

enfants des femmes, il n'en est point paru de plus grand [14] » – a montré lui aussi avec évidence ce que la solitude procure de sécurité et d'utilité. Malgré les paroles divines selon lesquelles il serait rempli de l'Esprit-Saint dès le sein de sa mère et précéderait le Christ Seigneur avec l'esprit et la puissance d'Élie [15], malgré sa naissance miraculeuse et la sainteté de ses parents, il ne se crut pas en sûreté. Fuyant la société des hommes comme périlleuse, il choisit les déserts de solitude comme plus sûrs [16], et il ne connut ni les périls ni la mort aussi longtemps qu'il vécut seul au désert. Le baptême du Christ et la mort endurée pour la justice montrèrent ce qu'il y avait acquis de vertu et de mérite. Car il devint si grand dans la solitude qu'il fut seul jugé digne de verser l'eau purificatrice sur le Christ source de toute pureté [17], et digne aussi de ne récuser ni la prison ni la mort pour la cause de la vérité [18].

10. Jésus lui-même, Dieu et Seigneur, dont la vertu ne pouvait trouver ni secours dans le secret du désert, ni obstacle dans la société des hommes, Jésus a cependant voulu nous instruire par son exemple, en se soumettant dans la solitude comme à une épreuve de tentation et de jeûne [19], avant de prêcher ou d'accomplir des miracles. l'Écriture rapporte de lui que, délaissant la foule des disciples, il gravissait seul la montagne pour prier [20]. Puis à l'heure où sa Passion est imminente, il quitte les apôtres afin de prier seul avec instance [21] : exemple qui fait comprendre, entre tous, combien la solitude est avantageuse à l'oraison, puisqu'il ne veut pas prier parmi d'autres, fussent-ils les apôtres ses compagnons.

11. Et maintenant considérez vous-mêmes ces Pères saints et vénérables : Paul, Antoine, Hilarion, Benoît, et tant d'autres dont nous ignorons le nombre ; voyez le profit spirituel qu'ils ont recueilli dans la solitude, et vous reconnaîtrez que la

16. Luc 1, 80. 17. Matth. 3, 13-17.
18. Matth. 14, 3-12. 19. Matth. 4, 1-11.
20. Matth. 14, 23. 21. Matth. 26, 39-44.

12. Non autem haec vobis pauca quae diximus sufficiant exempla ad suscepti laudem propositi, sed ipsi potius vobis plura coacervate, vel de rerum usu presentium, vel de sancta-
85 rum paginis scripturarum, quanquam ipsum tali commendatione non egeat, quoniam et sua raritate, et suorum sectatorum paucitate, sufficienter sese commendat. Si enim iuxta domini verba, arta est via quae ducit ad vitam, et pauci inveniunt eam, et econtra ampla est quae ducit ad mortem, et multi vadunt per
90 eam, inter christianae religionis instituta, tanto se unum quodque melioris et sublimioris ostendit meriti, quanto pauciores ; et tanto minoris et inferioris, quanto plures admittit.

Bene vos semper valere, et nostri meminisse optamus.
95 Expliciunt consuetudines cartusiae.

quae diximus *A* haec pauca quae diximus vobis *F* vobis haec pauca quae diximus *H* haec nobis pauca quae diximus *a* || 82-83 exempla sufficiant *M* || 83 vobis potius *RGF* || 86-87 paucitate sectatorum *G* || 89 est + via *PMabc* || 91 melioris *om. a* maioris *bc* || 92 tanto *om. D* || 94 semper vos *G* || valete *A* || 95 expliciunt consuetudines cartusiae : finis *C* amen expliciunt consuetudines domni guigonis *A* expliciunt consuetudines veteres cartusie *M* explicit *F* expliciunt consuetudines primae domus carthusiae per domnum guigonem ibidem prioris conscriptae *H* deo gratias amen expliciunt consuetudines ordinis carthusiensis edita a priore Guigone *a* expliciunt statuta domni guigonis prioris cartusie deo gratias *b* amen *d* expliciunt statuta guigonis prioris cartusie deo gratias *e* benedicamus domino deo gratias *f* expliciunt consuetudines domni guigonis prioris cartusie *B* *om. DRPc*.

douceur des psalmodies, l'application à la lecture, la ferveur de la prière, la profondeur de la méditation, le ravissement de la contemplation, le baptême des larmes, n'ont pas d'aide plus puissante que la solitude.

12. Cependant ne vous contentez pas de ces quelques exemples cités par nous à la louange de la vocation que vous avez embrassée, mais rassemblez-en de préférence un plus grand nombre vous-mêmes, soit de votre expérience quotidienne, soit des pages des Saintes Écritures, bien que ce genre de vie n'ait pas besoin d'un tel éloge, car il se recommande assez lui-même par sa rareté et par le petit nombre de ses adeptes. Si, en effet, selon la parole du Seigneur, « la voie est étroite, qui conduit à la vie, et il en est peu qui la trouvent [22] », tandis qu'au contraire « celle qui mène à la mort est large et beaucoup la suivent [23] », parmi les instituts de la religion chrétienne, chacun se montre d'autant meilleur et de plus sublime valeur qu'il admet moins de sujets, et d'autant moindre et inférieur qu'il en reçoit davantage [24].

Nous souhaitons que vous vous portiez bien toujours et que vous vous souveniez de nous.

Fin des *Coutumes de Chartreuse.*

22. Matth. 7, 14. 23. Matth. 7, 13.

24. Dans cette finale, qui semble empreinte d'une vaniteuse apologie *pro domo,* Guigues ne fait que reprendre une longue tradition de textes où l'on trouve de grands noms, v.g. saint Basile, saint Jean Chrysostome, saint Jérôme, la *Règle du Maître*, etc., textes tous fondés sur le thème de la voie étroite offert par l'Évangile.

INDEX I

LEXIQUE DES MOTS CONTENUS DANS LES COUTUMES

Dans cet index des mots sont omis les mots qui suivent :
– les verbes : *esse, facere, habere* ;
– les prépositions : *a, ab, absque, ad, cum, de, e, ex, in, post, pro, usque, ut ;*
– les adverbes et conjonctions qui suivent : *ac, atque, aut, autem, cum, enim, et, etiam, ne, neque, non, quam, quia, quod, quoque, sed, si, vel, vero, ut ;*
– les pronoms et certains autres mots : *aliquis, alius, caeteri, hic, idem, ille, ipse, is, qui, quis, se, suus, talis.*

En ce qui concerne les prières utilisées dans la liturgie, excepté les deux oraisons de 24,1 et 25,1, elles sont indiquées dans cet index telles qu'elles sont intitulées dans les *Coutumes* ; la plupart du temps, on ne donne que les incipit ; quelquefois, on les donne en entier. Des guillemets signalent toujours de tels rappels. Les deux oraisons de 24,1 et des 25,1 sont signalés par leur incipit, mais on peut aussi les retrouver tout au long de l'index par les mots qui les composent.

Ce lexique renvoie aux chapitres et paragraphes des *Coutumes*.

A

B

E

F

G

I

M

N

P

Q

R

U V

INDEX II

RÉFÉRENCES SCRIPTURAIRES

Cet index récapitule les notes de la traduction donnant une référence scripturaire et y renvoie.

TABLE DES MATIÈRES

TABLE DES MATIÈRES

SOURCES CHRÉTIENNES

LISTE COMPLÈTE DE TOUS LES VOLUMES PARUS

N.B. – L'ordre suivant est celui de la date de parution (n° 1 en 1942) et il n'est pas tenu compte ici du classement en séries : grecque, latine, byzantine, orientale, textes monastiques d'Occident ; et série annexe : textes para-chrétiens.

Sauf indication contraire, chaque volume comporte le texte original, grec ou latin, souvent avec un apparat critique inédit.

La mention *bis* indique une seconde édition. Quand cette seconde édition ne diffère de la première que par de menues corrections et des *Addenda et Corrigenda* ajoutés en appendice, la date est accompagnée de la mention « réimpression avec supplément ».

1. GRÉGOIRE DE NYSSE : **Vie de Moïse.** J. Daniélou (3e édition) (1968).

2 bis. CLÉMENT D'ALEXANDRIE : **Protreptique**. C. Mondésert, A. Plassart (réimpression de la 2e éd., 1976).

3 bis. ATHÉNAGORE : **Supplique au sujet des chrétiens.** *En préparation.*

4 bis. NICOLAS CABASILAS : **Explication de la divine Liturgie.** S. Salaville, R. Bornert, J. Gouillard, P. Périchon (1967).

5. DIADOQUE DE PHOTICÉ : **Œuvre spirituelles.** É. des Places (réimpr. de la 2e éd., avec suppl., 1966).

6 bis. GRÉGOIRE DE NYSSE : **La création de l'homme.** *En préparation.*

7 bis. ORIGÈNE : **Hom. sur la Genèse.** H. de Lubac, L. Doutreleau (1976).

8. NICÉTAS STÉTHATOS : **Le paradis spirituel.** *Remplacé par le n° 81.*

9 bis. MAXIME LE CONFESSEUR : **Centuries sur la charité.** *En préparation.*

10. IGNACE D'ANTIOCHE : **Lettres – Lettres et Martyre de** POLYCARPE DE SMYRNE. P.-Th. Camelot (4e édition) (1969).

11 bis. HIPPOLYTE DE ROME : **La tradition apostolique.** B. Botte (1968).

12 bis. JEAN MOSCHUS : **Le Pré spirituel.** *En préparation.*

13. JEAN CHRYSOSTOME : **Lettres à Olympias.** A.-M. Malingrey. Trad. seule (1947).

13 bis. 2e édition avec le texte grec et la **Vie anonyme d'Olympias** (1968).

14. HIPPOLYTE DE ROME : **Commentaire sur Daniel.** G. Bardy, M. Lefèvre. Trad. seule (1947).
2e édition avec le texte grec. *En préparation.*

15 bis. ATHANASE D'ALEXANDRIE : **Lettres à Sérapion.** J. Lebon. *En prép.*

16 bis. ORIGÈNE : **Hom. sur l'Exode.** H. de Lubac, J. Fortier. *En prép.*

17. BASILE DE CÉSARÉE : **Sur le Saint-Esprit.** B. Pruche. Trad. seule (1947).

17 bis. 2e édition avec le texte grec (1968).

18 bis. ATHANASE D'ALEXANDRIE : **Discours contre les païens.** P.-Th. Camelot (1977).

19 bis. HILAIRE DE POITIERS : **Traité des Mystères.** P. Brisson (réimpression, avec supplément, 1967).

20. THÉOPHILE D'ANTIOCHE : **Trois livres à Autolycus.** G. Bardy, J. Sender. Trad. seule (1948).
2e édition avec le texte grec. *En préparation.*

21. ÉTHÉRIE : **Journal de voyage.** H. Pétré. *Remplacé par le no 296.*

22 bis. LÉON LE GRAND : **Sermons** 1-19. J. Leclercq, R. Dolle (1964).

23. CLÉMENT D'ALEXANDRIE : **Extraits de Théodote.** F. Sagnard (réimpr. 1970).

24 bis. PTOLÉMÉE : **Lettre à Flora.** G. Quispel (1966).

25 bis. AMBROISE DE MILAN : *Des Sacrements. Des Mystères. Explication du Symbole.* B. Botte (réimpr. de la 2e éd., 1980).

26 bis. BASILE DE CÉSARÉE : **Homélies sur l'Hexaéméron.** S. Giet (réimpr. avec suppl., 1968).

27 bis. **Homélies Pascales.** t. I P. Nautin. *En préparation.*

28 bis. JEAN CHRYSOSTOME : **Sur l'incompréhensibilité de Dieu.** J. Daniélou, A.-M. Malingrey, R. Flacelière (1970).

29 bis. ORIGÈNE : **Homélies sur les Nombres.** A. Méhat. *En préparation.*

30 bis. CLÉMENT D'ALEXANDRIE : **Stromate I.** *En préparation.*

31. EUSÈBE DE CÉSARÉE : **Histoire ecclésiastique**, t. I. Livres I-IV. G. Bardy (réimpression, 1964).

32 bis. GRÉGOIRE LE GRAND : **Morales sur Job,** t. I. Livres I-II. R. Gillet, A. de Gaudemaris (1975).

33 bis. **A Diognète.** H.-I. Marrou (réimpr. avec suppl., 1965).

34. IRÉNÉE DE LYON : **Contre les hérésies,** livre III. F. Sagnard. *Remplacé par les nos 210 et 211.*

35 bis. TERTULLIEN : **Traité du baptême.** F. Refoulé. *En préparation.*

36 bis. **Homélies Pascales,** t. II. P. Nautin. *En préparation.*

37 bis. ORIGÈNE : **Homélies sur le Cantique.** O. Rousseau (1966).

38 bis. CLÉMENT D'ALEXANDRIE : **Stromate II.** *En préparation.*

39 bis. LACTANCE : **De la mort des persécuteurs.** 2 vol. *En préparation.*

40. THÉODORET DE CYR : **Correspondance,** t. I. Y. Azéma (1955).

41. EUSÈBE DE CÉSARÉE : **Histoire ecclésiastique**, t. II. Livres V-VII. G. Bardy (réimpression, 1965).

42. JEAN CASSIEN : **Conférences,** t. I. E. Pichery (réimpression, 1966).

43 bis. JÉRÔME : **Sur Jonas.** *En préparation.*

44. PHILOXÈNE DE MABBOURG : **Homélies.** E. Lemoine. Trad. seule (1956).

45. AMBROISE DE MILAN : **Sur S. Luc,** t. I. G. Tissot (réimpr. avec suppl., 1971).

46 bis. TERTULLIEN : **De la prescription contre les hérétiques.** *En préparation.*

45. AMBROISE DE MILAN : **Sur S. Luc,** t. I. G. Tissot (réimpr. avec suppl., 1971).

46 bis. TERTULLIEN : **De la prescription contre les hérétiques.** *En préparation.*

47. PHILON D'ALEXANDRIE : **La migration d'Abraham.** *Épuisé.* Voir série « Les Œuvres de Philon ».
48. **Homélies Pascales,** t. III. F. Floëri et P. Nautin (1957).
49 bis. LÉON LE GRAND : **Sermons** 20-37. R. Dolle (1969).
50 bis. JEAN CRYSOSTOME : **Huit catéchèses baptismales inédites.** A. Wenger (réimpr. avec suppl., 1970).
51 bis. SYMÉON LE NOUVEAU THÉOLOGIEN : **Chapitres théologiques, gnostiques et pratiques.** J. Darrouzès et L. Neyrand (1980).
52 bis. AMBROISE DE MILAN : **Sur S. Luc,** t. II. G. Tissot (réimpr. avec suppl., 1976).
53 bis. HERMAS : **Le Pasteur.** R. Joly (réimpr. avec suppl., 1968).
54. JEAN CASSIEN : **Conférences,** t. II. E. Pichery (réimpression, 1966).
55. EUSÈBE DE CÉSARÉE : **Histoire ecclésiastique,** t. III. Livres VIII-X. G. Bardy (réimpression, 1967).
56. ATHANASE D'ALEXANDRIE : **Deux apologies.** J. Szymusiak (1958).
57. THÉODORET DE CYR : **Thérapeutique des maladies helléniques.** 2 volumes. P. Canivet (1958).
58 bis. DENYS L'ARÉOPAGITE : **La hiérarchie céleste.** G. Heil, R. Roques, M. de Gandillac (réimpr. avec suppl., 1970).
59. **Trois antiques rituels du baptême.** A. Salles. Trad. seule. *Épuisé.*
60. AELRED DE RIEVAULX : **Quand Jésus eut douze ans.** A. Hoste, J. Dubois (1958).
61 bis. GUILLAUME DE SAINT-THIERRY : **Traité de la contemplation de Dieu.** J. Hourlier (réimpression, 1977).
62. IRÉNÉE DE LYON : **Démonstration de la prédication apostolique.** L. Froidevaux. Nouvelles trad. sur l'arménien. Trad. seule (réimpr., 1971).
63. RICHARD DE SAINT-VICTOR : **La Trinité.** G. Salet (1959).
64. JEAN CASSIEN : **Conférences,** t. III. E. Pichery (réimpr., 1971).
65. GÉLASE 1er : **Lettre contre les Lupercales et dix-huit messes du sacramentaire léonien.** G. Pomarès (1960).
66. ADAM DE PERSEIGNE : **Lettres,** t. I. J. Bouvet (1960).
67. ORIGÉNE : **Entretien avec Héraclide.** J. Scherer (1960).
68. MARIUS VICTORINUS / **Traités théologiques sur la Trinité.** P. Henry, P. Hadot. Tome I. Introd., texte critique, traduction (1960).
69. **Id.** – Tome II. Commentaire et tables (1960).
70. CLÉMENT D'ALEXANDRIE : **Le Pédagogue,** t. I. H.-I. Marrou, M. Harl (1960).
71. ORIGÈNE : **Homélies sur Josué.** A. Jaubert (1960).
72. AMÉDÉE DE LAUSANNE : **Huit homélies mariales.** G. Bavaud, J. Deshusses, A. Dumas (1960).
73 bis. EUSÈBE DE CÉSARÉE : **Histoire ecclésiastique,** t. IV. Introd. générale de G. Bardy et tables de P. Périchon (réimpr. avec suppl., 1971).
74 bis. LÉON LE GRAND : **Sermons** 38-64. R. Dolle (1976).
75. S. AUGUSTIN : **Commentaire de la 1re Épître de S. Jean.** P. Agaësse (réimpression, 1966).
76. AELRED DE RIEVAULX : **La vie de recluse.** Ch. Dumont (1961).
77. DEFENSOR DE LIGUGÉ : **Le livre d'étincelles,** t. I. H. Rochais (1961).
78. GRÉGOIRE DE NAREK : **Le livre des Prières.** I. Kéchichian. Trad. seule (1961).
79. JEAN CHRYSOSTOME : **Sur la Providence de Dieu.** A.-M. Malingrey (1961).
80. JEAN DAMASCÈNE : **Homélies sur la Nativité et la Dormition.** P. Voulet (1961).

81. NICÉTAS STÉTHATOS : **Opuscules et lettres.** J. Darrouzès (1961).
82. GUILLAUME DE SAINT-THIERRY : **Exposé sur le Cantique des Cantiques.** J.-M. Déchanet (1962).
83. DIDYME L'AVEUGLE : **Sur Zacharie.** Texte inédit. L. Doutreleau. Tome I. Introduction et livre I (1962).
84. **Id.** – Tome II. Livres II et III (1962).
85. **Id.** – Tome III. Livres IV et V, Index (1962).
86. DEFENSOR DE LIGUGÉ : **Le livre d'étincelles,** t. II. H. Rochais (1962).
87. ORIGÈNE : **Homélies sur S. Luc.** H. Crouzel, F. Fournier, P. Périchon (1962).
88. **Lettres des premiers Chartreux,** tome I : S. BRUNO, GUIGUES, S. ANTHELME. Par un Chartreux (1962).
89. **Lettre d'Aristée à Philocrate.** A. Pelletier (1962).
90. **Vie de sainte Mélanie.** D. Gorce (1962).
91. ANSELME DE CANTORBÉRY : **Pourquoi Dieu s'est fait homme.** R. Roques (1963).
92. DOROTHÉE DE GAZA : **Œuvres spirituelles.** L. Regnault, J. de Préville (1963).
93. BAUDOUIN DE FORD : **Le sacrement de l'autel.** J. Morson, É. de Solms, J. Leclercq. Tome I (1963).
94. **Id.** – Tome II (1963).
95. MÉTHODE D'OLYMPE : **Le banquet.** H. Musurillo, V.-H. Debidour (1963).
96. SYMÉON LE NOUVEAU THÉOLOGIEN : **Catéchèses.** B. Krivochéine, J. Paramelle. Tome I. Introduction et Catéchèses 1-5 (1963).
97. CYRILLE D'ALEXANDRIE : **Deux dialogues christologiques.** G.M. de Durand (1964).
98. THÉODORET DE CYR : **Correspondance,** t. II. Y. Azéma (1964).
99. ROMANOS LE MÉLODE : **Hymnes.** J. Grosdidier de Matons. Tome I. Introduction et Hymnes I-VIII (1964).
100. IRÉNÉE DE LYON : **Contre les hérésies,** livre IV. A. Rousseau, B. Hemmerdinger, Ch. Mercier, L. Doutreleau. 2 vol. (1965).
101. QUODVULTDEUS : **Livre des promesses et des prédictions de Dieu,** R. Braun. Tome I (1964).
102. **Id.** – Tome II (1964).
103. JEAN CHRYSOSTOME : **Lettre d'exil.** A.-M. Malingrey (1964).
104. SYMÉON LE NOUVEAU THÉOLOGIEN : **Catéchèses.** B. Krivochéine, J. Paramelle. Tome II. Catéchèses 6-22 (1964).
105. **La Règle du Maître.** A. de Vogüé. Tome I. Introd. et chap. 1-10 (1964).
106. **Id.** – Tome II. Chap. 11-95 (1964).
107. **Id.** – Tome III. Concordance et Index orthographique. J.-M. Clément, J. Neufville, D. Demeslay (1965).
108. CLÉMENT D'ALEXANDRIE : **Le Pédagogue,** tome II. Cl. Mondésert, H.-I. Marrou (1965).
109. JEAN CASSIEN : **Institutions cénobitiques.** J.-C. Guy (1965).
110. ROMANOS LE MÉLODE : **Hymnes.** J. Grosdidier de Matons. Tome II. Hymnes IX-XX (1965).
111. THÉODORE DE CYR : **Correspondance,** t. III. Y. Azéma (1965).
112. CONSTANCE DE LYON : **Vie de S. Germain d'Auxerre.** R. Borius (1965).
113. SYMÉON LE NOUVEAU THÉOLOGIEN : **Catéchèses.** B. Krivochéine, J. Paramelle.
114. ROMANOS LE MÉLODE : **Hymnes.** J. Grosdidier de Matons. Tome III. Hymnes XXI-XXXI (1965).

115. MANUEL II PALÉOLOGUE : **Entretien avec un musulman.** A.-Th. Khoury (1966).
116. AUGUSTIN D'HIPPONE : **Sermons pour la Pâque.** S. Poque (1966).
117. JEAN CHRYSOSTOME : **A Théodore.** J. Dumortier (1966).
118. ANSELME DE HAVELBERG : **Dialogues,** livre I. G. Salet (1966).
119. GRÉGOIRE DE NYSSE : **Traité de la Virginité.** M. Aubineau (1966).
120. ORIGÈNE : **Commentaire sur S. Jean.** C. Blanc. Tome I. Livres I-V (1966).
121. ÉPHREM DE NISIBE : Commentaire de l'Évangile concordant ou Diatessaron. L. Leloir. Trad. seule (1966).
122. SYMÉON LE NOUVEAU THÉOLOGIEN : **Traités théologiques et éthiques.** J. Darrouzès. Tome I. Théol. 1-3, Éth. 1-3 (1966).
123. MÉLITON DE SARDES : **Sur la Pâque (et fragments).** O. Perler (1966).
124. **Expositio totius mundi et gentium.** J. Rougé (1966).
125. JEAN CHRYSOSTOME : **La Virginité.** H. Musurillo, B. Grillet (1966).
126. CYRILLE DE JÉRUSALEM : **Catéchèses mystagogiques.** A. Piédagnel, P. Paris (1966).
127. GERTRUDE D'HELFTA : **Œuvres spirituelles.** Tome I. **Les Exercices.** J. Hourlier, A. Schmitt (1967).
128. ROMANOS LE MÉLODE : **Hymnes.** J. Grosdidier de Matons. Tome IV. Hymnes XXXII-XLV (1967).
129. SYMÉON LE NOUVEAU THÉOLOGIEN : **Traités théologiques et éthiques.** J. Darrouzès. Tome II. Éth. 4-15 (1967).
130. ISAAC DE L'ÉTOILE : **Sermons.** A. Hoste, G. Salet. Tome I. Introduction et Sermons 1-17 (1967).
131. RUPERT DE DEUTZ : **Les œuvres du Saint-Esprit**. J. Gribomont, É.de Solms. Tome I. Livres I et II (1967).
132. ORIGÈNE : **Contre Celse.** M. Borret. Tome I. Livres I et II (1967).
133. SULPICE SÉVÈRE : **Vie de S. Martin.** J. Fontaine. Tome I. Introduction, texte et traduction (1967).
134. **Id.** – Tome II. Commentaire (1968).
135. **Id.** – Tome III. Commentaire (suite), Index (1969).
136. ORIGÈNE : **Contre Celse.** M. Borret. Tome II. Livres III et IV (1968).
137. ÉPHREM DE NISIBE : **Hymnes sur le Paradis.** F. Graffin, R. Lavenant. Trad. seule (1968).
138. JEAN CHRYSOSTOME : **A une jeune veuve. Sur le mariage unique.** B. Grillet, G.-H. Ettlinger (1968).
139. GERTRUDE D'HELFTA : **Œuvres spirituelles.** Tome II. **Le Héraut.** Livres I et II. P. Doyère (1968).
140. RUFIN D'AQUILÉE : **Les bénédictions des Patriarches.** M. Simonetti, H. Rochais, P. Antin (1968).
141. COSMAS INDICOPLEUSTÈS : **Topographie chrétienne.** Tome I. Introduction et livres I-IV W. Wolska-Conus (1968).
142. **Vie des Pères du Jura.** F. Martine (1968).
143. GERTRUDE D'HELFTA : **Œuvres spirituelles.** Tome III. **Le Héraut**. Livre III. P. Doyère (1968).
144. **Apocalypse syriaque de Baruch.** Tome I. Introduction et traduction. P. Bogaert (1969).
145. **Id.** – Tome II. Commentaire et tables (1969).
146. **Deux homélies anoméennes pour l'octave de Pâques.** J. Liébart (1969).

147. ORIGÈNE : **Contre Celse.** M. Borret. Tome III. Livres V et VI (1969).
148. GRÉGOIRE LE THAUMATURGE : **Remerciement à Origène. – La lettre d'Origène à Grégoire.** H. Crouzel (1969).
149. GRÉGOIRE DE NAZIANZE : **La passion du Christ.** A. Tuilier (1969).
150. ORIGÈNE : **Contre Celse.** M. Borret. Tome IV. Livres VII et VIII (1969).
151. JEAN SCOT : **Homélie sur le Prologue de Jean.** E. Jeauneau (1969).
152. IRÉNÉE DE LYON : **Contre les hérésies,** livre V. A. Rousseau, L. Doutreleau, C. Mercier. Tome I. Introduction, notes justificatives et tables (1969).
153. **Id.** – Tome II. Texte et traduction (1969).
154. CHROMACE D'AQUILÉE : **Sermons.** Tome I. Sermons 1-17. J. Lemarié (1969).
155. HUGUES DE SAINT-VICTOR : **Six opuscules spirituels.** R. Baron (1969).
156. SYMÉON LE NOUVEAU THÉOLOGIEN : **Hymnes.** J. Koder, J. Paramelle. Tome I. Hymnes I-IX (1969).
157. ORIGÉNE : **Commentaire sur S. Jean.** C. Blanc. Tome II. Livres VI et X (1970).
158. CLÉMENT D'ALEXANDRIE : **Le Pédagogue.** Livre III. Cl. Mondésert. H.-I. Marrou et Ch. Matray (1970).
159. COSMAS INDICOPLEUSTÈS : **Topographie chrétienne.** Tome II. Livre V. W. Wolska-Conus (1970).
160. BASILE DE CÉSARÉE : **Sur l'origine de l'homme.** A. Smets et M. Van Esbroeck (1970).
161. **Quatorze homélies du IXe siècle d'un auteur inconnu de l'Italie du Nord.** P. Mercier (1970).
162. ORIGÈNE : **Commentaire sur l'Évangile selon Matthieu.** Tome I. Livres X et XI. R. Girod (1970).
163. GUIGUES II LE CHARTREUX : **Lettre sur la vie contemplative** (ou **Échelle des Moines). Douze méditations.** E. Colledge, J. Walsh (1970).
164. CHROMACE D'AQUILLÉE ; **Sermons.** Tome II. S. 18-41. J. Lemarié (1971).
165. RUPERT DE DEUTZ : **Les œuvres du Saint-Esprit.** Tome II. Livres III et IV. J. Gribomont, É de Solms (1970).
166. GUERRIC D'IGNY : **Sermons.** Tome I. J. Morson, H. Costello, P. Deseille (1970).
167. CLÉMENT DE ROME : **Épître aux Corinthiens.** A. Jaubert (1971).
168. RICHARD ROLLE : **Le chant d'amour (Melos amoris).** F. Vandenbroucke et les Moniales de Wisques. Tome I (1971).
169. **Id.** – Tome II (1971).
170. ÉVAGRE LE PONTIQUE : **Traité pratique.** A. et C. Guillaumont. Tome I. Introduction (1971).
171. **Id.** – Tome II. Texte, traduction, commentaire et tables (1971).
172. **Épître de Barnabé.** R.-A. Kraft, P. Prigent (1971).
173. TERTULLIEN : **La toilette des femmes.** M. Turcan (1971).
174. SYMÉON LE NOUVEAU THÉOLOGIEN : **Hymnes.** J. Koder, L. Neyrand. Tome II. Hymnes XVI-XL (1971).
175. CÉSAIRE D'ARLES : **Sermons au peuple.** Tome I. Sermons 1-20. M.-J. Delage (1971).
176. SALVIEN DE MARSEILLE : **Œuvres.** Tome I. G. Lagarrigue (1971).
177. CALLINICOS : **Vie d'Hypatios.** G. J. M. Bartelink (1971).
178. GRÉGOIRE DE NYSSE : **Vie de sainte Macrine.** P. Maraval (1971).
179. AMBROISE DE MILAN : **La pénitence.** R. Gryson (1971).
180. JEAN SCOTT : **Commentaire sur l'évangile de Jean.** É. Jeauneau (1972).

181. **La Règle de S. Benoît.** Tome I. Introduction et Chapitres I-VII. A. de Vogüé et J. Neufville (1972).
182. **Id.** – Tome II. Chapitres VIII-LXXIII, Tables et concordance. A. de Vogüé et J. Neufville (1972).
183. **Id.** – Tome III. Étude de la tradition manuscrite. J. Neufville (1972).
184. **Id.** – Tome IV. Commentaire (I-III). A. de Vogüé (1971).
185. **Id.** – Tome V. Commentaire (IV-VI). A. de Vogüé (1971).
186. **Id.** – Tome VI. Commentaire (VII-IX), Index. A. de Vogüé (1971).
187. Hésychius de Jérusalem, Basile de Séleucie, Jean de Béryte, Pseudo-Chrysostome, Léonce de Constantinople : **Homélies pascales.** M. Aubineau (1972).
188. Jean Chrysostome : **Sur la vaine gloire et l'éducation des enfants.** A.-M. Malingrey (1972).
189. **La chaîne palestinienne sur le psaume 118.** Tome I. Introduction, texte critique et traduction. M. Harl (1972).
190. **Id.** – Tome II. Catalogue des fragments, Notes et Index. M. Harl (1972).
191. Pierre Damien : **Lettres sur la toute-puissance divine.** A. Cantin (1972).
192. Julien de Vézelay : **Sermons.** Tome I. Introduction et Sermons 1-16. D. Vorreux (1972).
193. **Id.** – Tome II. Sermons 17-27, Index. D. Vorreux (1972).
194. **Actes de la Conférence de Carthage en 411.** Tome I. Introduction. S. Lancel (1972).
195. **Id.** – Tome II. Texte et traduction de la Capitulation et des Actes de la Première séance. S. Lancel (1972).
196. Syméon le Nouveau Théologien : **Hymnes.** J. Koder, J. Paramelle, L. Neyrand. Tome III. Hymnes XLI-LVIII, Index (1973).
197. Cosmas Indicopleustès : **Topographie chrétienne.** T. III. Livres VI-XII, Index. W. Wolska-Conus (1973).
198. **Livre** (cathare) **des deux principes.** Ch. Thouzelier (1973).
199. Athanase d'Alexandrie : **Sur l'incarnation du Verbe.** C. Kannengiesser (1973).
200. Léon le Grand : **Sermons.** Tome IV. Sermons 65-98, Éloge de S. Léon, Index R. Dolle (1973).
201. **Évangile de Pierre.** M.-G. Mara (1973).
202. Guerric d'Igny : **Sermons.** Tome II. J. Morson, H. Costello, P. Deseille (1973).
203. Nersès Snorhali : **Jésus, Fils unique du Père.** I. Kéchichian. Trad. seule (1973).
204. Lactance : **Institutions divines,** livre V. Tome I. Introd., texte et trad. P. Monat (1973).
205. **Id.** – Tome II. Commentaire et index. P. Monat (1973).
206. Eusèbe de Césarée : **Préparation évangélique,** livre I. J. Sirinelli, É.des Places (1974).
207. Isaac de l'ÉTOILE : **Sermons.** A. Hoste, G. Salet, G. Raciti. Tome II. Sermons 18-39 (1974).
208. Grégoire de Nazianze : **Lettres théologiques.** P. Gallay (1974).
209. Paulin de Pella : **Poème d'actions de grâces et Prière.** C. Moussy (1974).
210. Irénée de Lyon : **Contre les hérésies,** livre III. A. Rousseau, L. Doutreleau. Tome I. Introduction, notes justificatives et tables (1974).

211. **Id.** — Tome II. Texte et traduction (1974).
212. GRÉGOIRE LE GRAND : **Morales sur Job.** Livres XI-XIV. A. Bocognano (1974).
213. LACTANCE : **L'ouvrage du Dieu Créateur.** Tome I. Introd., texte critique et trad. M. Perrin (1974).
214. **Id.** — Tome II. Commentaire et index. M. Perrin (1974).
215. EUSÈBE DE CÉSARÉE : **Préparation évangélique,** livre VII. G. Schrœder, É des Places (1975).
216. TERTULLIEN : **La chair du Christ.** Tome I. Introduction, texte critique et traduction. J.-P. Mahé (1975).
217. **Id.** — Tome II. Commentaire et Index. J.-P. Mahé (1975).
218. HYDACE : **Chronique.** Tome I. Introduction, texte critique et traduction. A. Tranoy (1975).
219. **Id.** — Tome II. Commentaire et index. A. Tranoy (1975).
220. SALVIEN DE MARSEILLE : **Œuvres,** t. II. G. Lagarrigue (1975).
221. GRÉGOIRE LE GRAND : **Morales sur Job.** Livres XV-XVI. A. Bocognano (1975).
222. ORIGÈNE : **Commentaire sur S. Jean.** Tome III. Livre XIII. C. Blanc (1975).
223. GUILLAUME DE SAINT-THIERRY : **Lettres aux Frères du Mont-Dieu (Lettre d'or).** J.-M. Déchanet (1975).
224. **Actes de la Conférence de Carthage en 411.** Tome III. Texte et traduction des Actes de la 2e et de la 3e séance. S. Lancel (1975).
225. DHUODA : **Manuel pour mon fils.** P. Riché, B. de Vregille et C. Mondésert (1975).
226. ORIGÈNE : **Philocalie 21-27 (Sur le libre arbitre).** É. Junod (1976).
227. ORIGÈNE : **Contre Celse.** M. Borret. Tome V. Introduction et index (1976).
228. EUSÈBE DE CÉSARÉE : **Préparation évangélique.** Livres II-III. É. des Places (1976).
229. PSEUDO-PHILON : **Les Antiquités Bibliques.** D.J. Harrington, C. Perrot, P. Bogaert, J. Cazeaux. Tome I. Introduction critique, texte et traduction (1976).
230. **Id.** — Tome II. Introduction littéraire, commentaire et index (1976).
231. CYRILLE D'ALEXANDRIE : **Dialogues sur la Trinité.** Tome I. Dial. I et II. G.-M. de Durand (1976).
232. ORIGÈNE : **Homélies sur Jérémie.** P. Nautin et P. Husson. Tome I. Introduction et homélies I-XI (1976).
233. DIDYME L'AVEUGLE : **Sur la Genèse.** Tome I (Sur Genèse I-IV). P. Nautin et L. Doutreleau (1976).
234. THÉODORET DE CYR : **Histoire des moines de Syrie.** Tome I. Introduction et **Histoire philothée** I-XIII. P. Canivet et A. Leroy-Molinghen (1977).
235. HILAIRE D'ARLES : **Vie de S. Honorat.** M.-D. Valentin (1977).
236. **Rituel Cathare.** C. Thouzelier (1977).
237. CYRILLE D'ALEXANDRIE : **Dialogues sur la Trinité.** Tome II. Dial. III-IV. G.-M. de Durand (1977).
238. ORIGÈNE : **Homélies sur Jérémie.** Tome II. Homélies XII-XX et homélies latines, index. P. Nautin et P. Husson (1977).
239. AMBROISE DE MILAN : **Apologie de David.** P. Hadot et M. Cordier (1977).
240. PIERRE DE CELLE : **L'école du cloître.** G. de Martel (1977).
241. **Conciles gaulois du IVe siècle.** J. Gaudemet (1977).
242. S. JÉRÔME : **Commentaire sur S. Matthieu.** Tome I. Livre I et II. É. Bonnard (1978).

243. CÉSAIRE D'ARLES : **Sermons au peuple.** Tome II. Sermons 21-55. M.-J. Delage (1978).
244. DIDYME L'AVEUGLE : **Sur la Genèse.** Tome II (Sur Genèse V-XVII). Index. P. Nautin et L. Doutreleau (1978).
245. **Targum du Pentateuque.** Tome I : **Genèse.** R. Le Déaut et J. Robert. Trad. seule (1978).
246. CYRILLE D'ALEXANDRIE : **Dialogues sur la Trinité**. Tome III. Livres VI-VII, index. G.-M. de Durand (1978).
247. GRÉGOIRE DE NAZIANZE : **Discours** 1-3. J. Bernardi (1978).
248. **La doctrine des douze apôtres.** W. Rordorf et A. Tuillier (1978).
249. S. PATRICK : **Confession et Lettre à Coroticus.** R.P.C. Hanson et C. Blanc (1978).
250. GRÉGOIRE DE NANZIANZE : **Discours** 27-31 (Discours théologiques). P. Gallay (1978).
251. GRÉGOIRE LE GRAND : **Dialogues.** Tome I. Introduction, bibliographie et cartes. A. de Vogüé (1978).
252. ORIGÈNE : **Traité des principes.** Livres I et II. H. Crouzel et M. Simonetti. Tome I : Introduction, texte critique et traduction (1978).
253. **Id.** – Tome II : Commentaire et fragments. H. Crouzel et M. Simonetti (1978).
254. HILAIRE DE POITIERS : **Sur Matthieu,** t. I : Introduction et chap. 1-13. J. Doignon (1978).
255. GERTRUDE D'HELFTA : **Œuvres spirituelles.** Tome IV. **Le Héraut.** Livre IV. J.-M. Clément, J.-M. Clément, B. de Vregille et les Moniales de Wisques (1978).
256. **Targum du Pentateuque.** Tome II : **Exode et Lévitique.** R. Le Déaut et J. Robert. Trad. seule (1979).
257. THÉODORET DE CYR : **Histoire des moines de Syrie.** Tome II, **Histoire Philothée** (XIV-XXX), Traité sur la Charité (XXXI) et Index. P. Canivet et A. Leroy-Molinghen (1979).
258. HILAIRE DE POITIERS : **Sur Matthieu.** Tome II. Chap. 14-33, appendice et index. J. Doignon (1979).
259. S. JÉRÔME : **Commentaire sur S. Matthieu.** Tome II. Livres III et IV, Index. É Bonnard (1979).
260. GRÉGOIRE LE GRAND : **Dialogues.** Tome II. Livres I-III. A. de Vogüé et P. Antin (1979).
261. **Targum du Pentateuque.** Tome III : **Nombres.** R. Le Déaut et J. Robert. Trad. seule (1979).
262. EUSÈBE DE CÉSARÉE : **Préparation évangélique,** livres IV, 1-V, 17. O. Zink et É des Places (1979).
263. IRÉNÉE DE LYON : **Contre les hérésies,** livre I. A. Rousseau, L. Doutreleau. Tome I. Introduction, notes justificatives et tables (1979).
264. **Id.** – Tome II. Texte et traduction (1979).
265. GRÉGOIRE LE GRAND : **Dialogues,** Tome III. Livre IV. Tables et index. A. de Vogüé et P. Antin (1980).
266. EUSÈBE DE CÉSARÉE : **Préparation évangélique,** livre V, 18-36 et VI. É. des Places (1980).
267. **Scolies ariennes sur le concile d'Aquilée.** R. Gryson (1980).
268. ORIGÈNE : **Traité des principes.** Tome III. Livres III et IV : Texte critique et traduction. H. Crouzel et M. Simonetti (1980).
269. **Id.** – Tome IV. Livres III et IV : Commentaire et fragments. H. Crouzel et M. Simonetti (1980).

270. GRÉGOIRE DE NAZIANZE : **Discours** 20-23. J. Mossay (1980).
271. **Targum du Pentateuque.** Tome IV. **Deutéronome**, bibliographie, glossaire et index des tomes I-IV. R. Le Déaut (1980).
272. JEAN CHRYSOSTOME : **Sur le sacerdoce (dialogue et homélie).** A.-M. Malingrey (1980).
273. TERTULLIEN : **A son épouse.** C. Munier (1980).
274. **Lettres des premiers Chartreux.** Tome II : Les moines de Portes. Par un Chartreux (1980).
275. PSEUDO-MACAIRE : **Œuvres spirituelles.** Tome I. V. Desprez (1980).
276. THÉODORET DE CYR : **Commentaire sur Isaïe**, Tome I : Introduction et sections 1-3. J.-N. Guinot (1980).
277. JEAN CHRYSOSTOME : **Homélies sur Ozias.** J. Dumortier (1981).
278. CLÉMENT D'ALEXANDRIE : **Stromate V.** Tome I : introduction, texte et index par A. Le Boulluec ; traduction de P. Voulet (1981).
279. **Id.** – Tome II : commentaire, bibliographie et index par A. Le Boulluec (1981).
280. TERTULLIEN : **Contre les Valentiniens.** Tome I : introduction, texte et traduction. J.-C. Fredouille (1980).
281. **Id.** – Tome II : commentaire et index. J.-C. Fredouille (1981).
282. **Targum du Pentateuque.** Tome V. Index analytique. R. Le Déaut (1981).
283. ROMANOS LE MÉLODE : **Hymnes.** J. Grosdidier de Matons. Tome V. Hymnes XLVI-LVI (1981).
284. GRÉGOIRE DE NAZIANZE : **Discours** 24-26. J. Mossay (1981).
285. FRANÇOIS D'ASSISE : **Écrits.** Th. Desbonnets, Th. Matura, J.-F. Godet, D. Vorreux, o.f.m. (1981).
286. ORIGÈNE : **Homélies sur le Lévitique.** M. Borret. Tome I : Introduction et Hom. I-VII (1981).
287. **Id.** – Tome II : Hom. VIII-XVI, Index (1981).
288. GUILLAUME DE BOURGES : **Livre des guerres du Seigneur.** G. Dahan (1981).
289. LACTANCE : **La colère de Dieu.** C. Ingremeau (1982).
290. ORIGÈNE : **Commentaire sur S. Jean.** Tome IV, L. XIX-XX. C. Blanc (1982).
291. CYPRIEN DE CARTHAGE : **A Donat et La vertu de patience.** J. Molager (1982).
292. EUSÈBE DE CÉSARÉE : **Préparation évangélique,** livre XI. G. Favrelle et É.des Places (1982).
293. IRÉNÉE DE LYON : **Contre les hérésies**, livre II. A. Rousseau, L. Doutreleau. Tome I. Introduction, notes justificatives et tables (1982).
294. **Id.** – Tome II. Texte et traduction (1982).
295. THÉODORET DE CYR : **Commentaire sur Isaïe.** Tome II. Sections 4-13. J.-N. Guinot (1982).
296. ÉGÉRIE : **Journal de voyage.** P. Maraval. – **Lettre de Valérius,** M.C. Diaz y Diaz (1982).
297. **Les Règles des saints Pères.** A. de Vogüé. Tome I : **Trois règles de Lérins au Ve siècle** (1982).
298. **Id.** – Tome II : **Trois règles du VIe siècle** (1982).
299. BASILE DE CÉSARÉE : **Contre Eunome,** suivi de EUNOME : **Apologie.** B. Sesboüé, G.M. de Durand et L. Doutreleau. Tome I (1982).
300. JEAN CHRYSOSTOME : **Panégyriques de S. Paul.** A. Piédagnel (1982).
301. GUILLAUME DE SAINT-THIERRY : **Le miroir de la foi.** J.-M. Déchanet (1982).
302. ORIGÈNE : **Philocalie 1-20 et Lettre à Africanus.** M. Harl et N. de Lange (1983).

303. S. JÉRÔME : **Contre Rufin.** P. Lardet (1983).

304. JEAN CHRYSOSTOME : **Commentaire sur Isaïe.** J. Dumortier (1983).

305. BASILE DE CÉSARÉE : **Contre Eunome,** suivi de EUNOME : **Apologie.** B. Sesboüé, G.-M. de Durand et L. Doutreleau. Tome II (1983).

306. SOZOMÈNE : **Histoire ecclésiastique,** livres I-II. A.-J. Festugière, B. Grillet, G. Sabbah (1983).

307. EUSÈBE DE CÉSARÉE : **Préparation évangélique,** livres XII-XIII. É. des Places (1983).

308. GUIGUES Ier : **Méditations.** Par un Chartreux (1983).

309. GRÉGOIRE DE NAZIANZE : **Discours** 4-5. J. Bernardi (1983).

310. TERTULLIEN : **La Patience.** J.-C. Fredouille (1984).

311. JEAN D'APAMÉE : **Dialogues et traités.** R. Lavenant (1984).

312. ORIGÈNE : **Traité des principes.** Tome V. H. Crouzel et M. Simonetti (1984).

313. GUIGUES Ier : **Coutumes de Chartreuse.** Par un Chartreux (1984).

Hors série :

Directives pour la préparation des manuscrits (de « Sources Chrétiennes »). A demander au Secrétariat de « Sources Chrétiennes », 29, rue du Plat, 69002 Lyon.
La Règle de S. Benoît. VII. Commentaire doctrinal et spirituel. A. de Vogüé (1977).

SOUS PRESSE

GRÉGOIRE LE GRAND : **Commentaire sur le Cantique.** R. Bélanger.

THÉODORET DE CYR : **Commentaire sur Isaïe.** Tome III. J.-N. Guinot.

Histoire « acéphale » et Index syriaque des **Lettres festales.** M. Albert et A. Martin.

PALLADIOS : **Vie de S. Jean Chrysostome.** A.-M. Malingrey.

TERTULLIEN : **La Pénitence.** Ch. Munier.

CYRILLE D'ALEXANDRIE : **Contre Julien.** Tome I. P. Evieux et H. Burguière.

PROCHAINES PUBLICATIONS

JÉRÔME : **Sur Jonas** (2 tomes).

EUSÈBE DE CÉSARÉE : **Préparation évangélique.** Livres XIV-XV.

GRÉGOIRE DE NAZIANZE : **Discours** 32-37.

TERTULLIEN : **Exhortation à la chasteté.**

TERTULLIEN : **Du mariage unique.**

GRÉGOIRE LE GRAND : **Homélies sur Ézéchiel.**

Les Constitutions apostoliques. Tome I.

SOURCES CHRÉTIENNES
(1-313)

Également aux Éditions du Cerf :

LES ŒUVRES DE PHILON D'ALEXANDRIE

publié sous la direction de

R. Arnaldez, C. Mondésert, J. Pouilloux.

Texte grec et traduction française

1. **Introduction générale, De opificio mundi.** R. Arnaldez (1961).
2. **Legum allegoriae.** C. Mondésert (1962).
3. **De cherubim.** J. Gorez (1963).
4. **De sacrificiis Abelis et Caini.** A. Méasson (1966).
5. **Quod deterius potiori insidiari soleat.** I. Feuer (1965).
6. **De posteritate Caini.** R. Arnaldez (1972).

7-8. **De gigantibus. Quod Deus sit immutabilis.** A. Mosès (1963).

9. **De agricultura.** J. Pouilloux (1961).
10. **De plantatione.** J. Pouilloux (1963).

11-12. **De ebrietate. De sobrietate.** J. Gorez (1962).

13. **De confusione linguarum.** J.-C. Kahn (1963).
14. **De migratione Abrahami.** J. Cazeaux (1965).
15. **Quis rerum divinarum heres sit.** M. Harl (1966).
16. **De congressu eruditionis gratia.** M. Alexandre (1967).
17. **De fuga.** E. Starobinsky-Safran (1970).
18. **De mutatione nominum.** R. Arnaldez (1964).
19. **De somniis.** P. Savinel (1962).
20. **De Abrahamo.** J. Gorez (1966).
21. **De Iosepho.** J. Laporte (1964).
22. **De vita Mosis.** R. Arnaldez, C. Mondésert, J. Pouilloux, P. Savinel (1967).
23. **De Decalogo.** V. Nikiprowetzky (1965).
24. **De specialibus legibus.** Livres I-II. S. Daniel (1975).
25. **De specialibus legibus.** Livres III-IV. A Mosès (1970).
26. **De virtutibus.** R. Arnaldez, A.-M. Vérilhac, M.-R. Servel, P. Delobre (1962).
27. **De praemiis et poenis. De exsecrationibus.** A. Beckaert (1961).
28. **Quod omnis probus liber sit.** M. Petit (1974).
29. **De vita contemplativa.** F. Daumas, P. Miquel (1964).
30. **De aeternitate mundi.** R. Arnaldez et J. Pouilloux (1969).
31. **In Flaccum.** A. Pelletier (1967).
32. **Legatio ad Caium.** A. Pelletier (1967).
32. **Legatio ad Caium.** A. Pelletier (1972).
33. **Quaestiones in Genesim et in Exodum. Fragments grecs.** F. Petit (1978).

34 A. **Quaestiones in Genesim,** I-II (e vers. armen.). C Mercier (1979).

34 B. **Quaestiones in Genesim,** III-IV (e vers. armen.). Ch. Mercier, F. Petit (sous presse).

34 C. **Quaestiones in Exodum,** I-II (e vers. armen.) (en préparation).

35. **De Providentia** : I-II. M. Hadas-Lebel (1973).
36. **De animalibus.** A. Terian et J. Laporte (en préparation).
37. **Hypothetica.** M. Petit (en préparation).

ACHEVÉ D'IMPRIMER PAR
L'IMPRIMERIE CH. CORLET
14110 CONDÉ-SUR-NOIREAU

N° d'Éditeur : 7867
N° d'Imprimeur : 3924
Dépôt légal : juin 1984

Imprimé en France

V. 313, c1

CATHOLIC THEOLOGICAL UNION
BR60.S65VOL.313 C001
COUTUMES DE CHARTREUSE PARIS

3 0311 00011 4889

BR 60 .S65 vol.313 c1
Guigo
COUTUMES DE CHARTREUSE

DATE	ISSUED TO

DEMCO